Carl Honoré

Laissez les enfants tranquilles !

D1501607

MARABOUT

Sommaire

« Cet espace vaste comme une cathédrale
que fut l'enfance. »
VIRGINIA WOOLF

« J'ai voulu tout faire pour mes enfants :
éliminer chaque obstacle de leur chemin,
mener toutes les guerres et prendre tous les coups. »
JOHN O'FARELL, *May Contain Nuts*

À mes parents

Introduction : gérer l'enfance

Quels que soient les efforts engagés, le fait d'élever des enfants finit toujours par générer des comportements bizarres, et je ne parle pas des enfants.

Bill COSBY

Au cœur d'un quartier huppé de Londres, dans une école primaire bâtie voilà plus d'un siècle, se déroule une rencontre tout à fait moderne entre enseignants et parents. Ma femme et moi y assistons pour en savoir plus sur notre fils de sept ans. À l'extérieur de la pièce, plusieurs couples de parents attendent, assis sur des chaises en plastique, en contemplant le plafond ou en scrutant leur montre. Certains font les cent pas en tripotant nerveusement leur téléphone portable.

Les cahiers sont empilés sur une table, comme de petits amas de neige. Nous les feuilletons en souriant devant l'orthographe fantaisiste et les dessins maladroits, émerveillés par les complexités de l'arithmétique. Les pages dévoilent sans pudeur les succès et les échecs de notre fils qui semblent être les nôtres, et je salue chacune des médailles d'or que nous livre son cahier par un hourra silencieux.

Finalement, Mrs. Pendle nous invite à entrer dans la classe. Notre fils semble bien progresser et nous attendons beaucoup de cette rencontre.

Une fois assise devant une table d'enfant, Mrs. Pendle nous livre son verdict : notre fils est excellent en lecture et en écriture, ses connaissances en mathématiques sont solides, mais il pourrait s'améliorer en sciences ; il est bien élevé et c'est un élève agréable.

Ce sont de très bonnes appréciations, mais elles semblent pourtant insuffisantes. « Elle n'a pas mentionné son incroyable vocabulaire », me glisse ma femme, tandis que nous quittons la salle de classe. J'ajoute pour ma part : « Elle n'a pas non plus expliqué pourquoi il n'est pas dans les premiers pour chaque matière ». Nous chuchotons cela sur le ton de la blague (nous nous amusons de ces parents excessifs dont parlent les journaux), mais une légère tension perce sous notre ironie. Nos paroles expriment des préoccupations qui ne nous sont pas totalement étrangères.

Ma femme part pour libérer la baby-sitter, et je me dirige vers le bureau du professeur d'arts plastiques. « Votre fils sort vraiment du lot, s'extasie-t-elle, il trouve toujours quelque chose d'original. » Je pense en moi-même : « Voilà qui est mieux. » L'une de ses œuvres est accrochée au mur à titre d'exemple pour les autres élèves. Il s'agit d'une esquisse représentant un magicien maigrelet, réalisée à la manière de Quentin Blake, l'illustrateur de Roald Dahl. Sous le dessin, notre fils a présenté la tête du vieillard sous différents angles. Le professeur s'en saisit pour me le montrer. « Il est tout à fait étonnant, pour un enfant de sept ans, de réaliser un travail qui reproduit plusieurs perspectives comme celui-ci, dit-elle. C'est un jeune artiste très doué. »

Mon fils est un artiste

Et voilà, le mot magique, ces quatre lettres qui sont une douce mélodie à l'oreille de tout parent : doué. Je rentre à la maison à pied en imaginant déjà l'influence qu'aura mon fils sur l'intelligentsia artistique internationale. Sa première exposition aura-t-elle lieu à Londres ou à New York? Lui faudra-t-il un agent? Sommes-nous en train d'élever le prochain Picasso? Soudain, tous ces après-midi passés à la Tate Gallery, tous ces dimanches matin consacrés à traîner les enfants devant un Turner ou un Titien me paraissent avoir été profitables. Mon fils est un artiste.

Ma femme est ravie de cette nouvelle. Et pas seulement parce que le père de l'un des camarades de classe de notre fils était présent quand les louanges ont été formulées par le professeur d'arts plastiques. Après un dîner tardif, je me mets à feuilleter quelques magazines destinés aux parents et à surfer sur Internet pour dégoter le cours adéquat qui sublimera le talent de notre fils. Un slogan retient mon attention : « Libérez le génie de votre enfant! » Ma femme se demande si je n'exagère pas un peu, mais ses paroles ne sont déjà plus qu'un bruit de fond.

Le matin suivant, sur le chemin de l'école, j'évoque l'idée d'une inscription à un cours de dessin. Mais mon fils ne veut rien savoir : « Je ne veux pas d'une classe et d'un prof qui me dira quoi faire, je veux juste dessiner, me répond-il fermement. Pourquoi les grands veulent-ils toujours tout contrôler? »

Sa question me pétrifie. Mon fils adore dessiner. Il peut passer des heures devant une feuille de papier à inventer de nouvelles formes de vie ou à esquisser un footballeur dribblant avec un ballon. Il dessine bien et ça le rend heureux. Mais, quelque part, cela me semble insuffisant. Une partie de moi veut dompter ce bonheur, aiguiser et polir ce don et transformer son aptitude en accomplissement.

Bien sûr, je ne suis pas le premier père soucieux de mener son enfant vers le succès. C'est lié à la fonction. Il y a deux mille ans, dans l'ancienne Rome, un professeur nommé Lucius Orbillus Pupillus décrivait les parents exagérément ambitieux comme l'un des risques du métier. Quand, au XVIIIe siècle, Mozart mit à la mode les jeunes prodiges, de nombreux Européens commencèrent à couver leur progéniture dans l'espoir d'en faire des petits génies. De nos jours, toutefois, il existe une tendance obsédante à pousser nos enfants au maximum de leurs possibilités. Nous voulons qu'ils aient le meilleur de tout et qu'ils soient les meilleurs en tout. Nous voulons en faire des artistes, des savants et des athlètes qui traverseront la vie sans difficulté, sans douleur et sans échec.

Le règne des enfants coachés

Dans sa forme la plus extrême, ce type d'éducation peut prendre un nom différent selon les pays : « parents-hélicoptères » (parce qu'ils regardent constamment par-dessus l'épaule de leurs enfants), « hyperparents ».

Les Scandinaves se moquent quant à eux des «parents-curling», qui lissent frénétiquement la glace que s'apprêtent à fouler leurs enfants, allusion au sport du même nom. Au Japon, les «mères-éducation» consacrent chaque minute de leur journée à pousser leurs enfants au sein du système scolaire.

Pourtant, les parents ne sont pas les seuls à manier le balai, à jouer des coudes ou à piloter l'hélicoptère. Tout le monde, depuis l'État jusqu'aux publicitaires, a des desseins concernant les enfants. En Grande-Bretagne, une commission parlementaire s'est récemment émue du fait que trop d'enfants rêvaient de devenir des princesses de contes de fées ou des stars du football. Leur solution: mettre en place des conseillers d'orientation dès l'âge de cinq ans.

Où que vous vous tourniez, le message est le même: l'enfance est trop précieuse pour être laissée aux mains des enfants, et les enfants sont trop précieux pour être laissés à eux-mêmes. Toute cette cacophonie est en train de forger un nouveau type d'enfance. Par le passé, les «enfants ouvriers» trimaient dans les champs, puis dans les usines de la révolution industrielle. Le XXe siècle a vu l'émergence des «enfants sans contraintes». Aujourd'hui débute l'ère des «enfants coachés».

Avant d'aller plus loin, clarifions un point: toutes les enfances ne sont pas égales. Vous trouverez peu d'enfants faisant l'objet d'un plan de carrière dans les camps de réfugiés du Soudan ou dans les bidonvilles d'Amérique latine. Même dans les nations industrialisées, des millions d'enfants risquent bien davantage de souffrir de l'absence de parents que de leur présence envahissante, surtout dans les familles pauvres. Soyons honnêtes : la plupart des parents-hélicoptères sont issus de la classe moyenne. Mais cela ne signifie pas que ce glissement culturel n'affecte que les nantis. Car les classes moyennes donnent souvent le « la », et leurs complexes et leurs manies finissent par s'étendre aux deux extrémités de l'échelle sociale. Ou, du moins, elles en viennent à culpabiliser les autres de ne pas suivre leurs traces.

Regardez autour de vous et vous constaterez que les enfants sont déjà l'objet d'une angoisse et d'un interventionnisme qui atteignent un niveau historique. L'une de mes amies, new-yorkaise, enceinte depuis peu, m'a écrit qu'elle passait chaque soir une heure le ventre collé contre la chaîne stéréo afin de stimuler le cerveau de son enfant au moyen de « sérénades utérines ». À l'autre bout du monde, à Shanghai, des parents ambitieux inscrivent leurs enfants dans des programmes « pré-MBA ». Chaque dimanche matin, les élèves y apprennent les arcanes de l'esprit d'équipe, de la résolution de problèmes et de l'affirmation de soi. Certains viennent à peine de quitter leurs couches.

Le syndrome Big Brother

Aujourd'hui, de nombreux enfants ont des emplois du temps que ne leur envierait pas un P.-D.G. Les tout-petits sont trimballés de séances de bébé-yoga en cours de bébé-aérobic, en passant par des leçons de langue des signes pour bébés. À Corte-Madera, en Californie, Gail Penner a acheté un Palm-Pilot pour l'anniversaire de son fils John afin qu'il puisse organiser ses activités extrascolaires (piano, base-ball, espagnol, basket-ball, football, tennis, natation et karaté) : « Il est si occupé qu'il doit apprendre à gérer son temps », explique Gail. John a dix ans. Et même quand nos enfants ont du temps libre, nous craignons souvent de les laisser sortir de notre champ de vision. Depuis les années 1970, la distance moyenne que les enfants anglais ont le droit de parcourir depuis la maison sans être accompagnés s'est réduite de 90 %. Mon fils, à l'instar des deux tiers de ses camarades, n'est jamais allé tout seul au parc.

La technologie nous aide plus que jamais dans cette surveillance. Des outils GPS fixés sur les vêtements ou les cartables transforment nos enfants en petits points rouges mobiles sur nos ordinateurs personnels ou de bureau. Les téléphones portables font également partie de ces outils de pistage : quand un enfant s'écarte de la « zone de sécurité » prédéterminée, Papa et Maman reçoivent immédiatement un message. Les crèches et les garderies installent des webcams pour que les parents puissent assister aux premiers pas de leurs bambins depuis n'importe quel endroit dans le monde. Même les camps de vacances ne sont plus un refuge contre l'œil fureteur des parents du XXIe siècle, puisque photos et clips vidéo sont consultables sur Internet ou adressés depuis des lacs et forêts éloignés jusque dans leurs messageries électroniques. « Avant, les gens étaient contents de nous laisser leurs enfants pour une semaine ou deux, et de ne plus en entendre parler, à l'exception d'une carte postale ou d'un coup de fil exceptionnel, nous dit le responsable d'un camp dans le Colorado. Maintenant, certains parents paniquent si leur enfant n'apparaît pas sur le Web au moins une fois par jour, ou s'il apparaît, mais qu'il ne sourit pas. »

Cette génération est la première à tenir la vedette de son propre *Truman Show*. L'histoire commence avec la photo d'une échographie et se poursuit par l'écoute attentive des battements cardiaques de l'utérus au moyen de capteurs. L'acteur Tom Cruise était si soucieux de suivre le développement prénatal de sa fille qu'il a acquis son propre système échographique, contre l'avis des médecins, qui lui expliquaient que son espionnage amateur pouvait endommager le fœtus. Dès que le bébé est né, chaque instant est capturé en Dolby Stéréo. Tels des paparazzi, les parents modernes sont toujours aux aguets, le doigt sur le déclencheur ou le bouton enregistreur, dans l'attente du cliché parfait (quitte à le créer au montage). Je me surprends moi-même à aboyer des instructions depuis mon fauteuil de réalisateur : « Refais cette grimace encore une fois pour que je la filme. » Ou encore : « Tout le monde arrête de jouer deux minutes pour me regarder avec un grand sourire. »

Un contrôle parental durable

Le management des enfants ne prend plus fin à l'école. Beaucoup de Britanniques planifient minutieusement l'« année

de césure » de leurs enfants avant même leur entrée à l'université. En Chine, les parents prennent en moyenne une
semaine de congé pour préparer la rentrée de leur progéniture dans l'enseignement supérieur et pouvoir séjourner
quelque temps sur place. Les universités nord-américaines
affectent des équipes à plein-temps pour répondre à l'afflux
des appels et courriels envoyés par des mères et des pères
anxieux de participer au choix des cours, à l'audit des res-
taurants universitaires, à la relecture des épreuves, voire à
la sélection des camarades de chambrée. Le cordon ombi-
lical n'est pas coupé, même après l'obtention du diplôme.
Dans le cadre du recrutement des étudiants diplômés, des
sociétés renommées comme Merrill Lynch ont commencé à
adresser des « dossiers parentaux » ou à organiser des portes
ouvertes afin que Papa et Maman puissent évaluer leur institution. « Nos candidats et nos stagiaires ont de plus en plus
recours à leurs parents au moment de faire leurs choix de
carrières », nous expose Dan Black, responsable du recrutement sur les salons étudiants américains pour Ernst & Young.
Les employeurs voient même certains parents accompagner
leurs enfants à leurs entretiens d'embauche. Récemment, un
candidat est arrivé accompagné de sa mère à son rendez-
vous dans un cabinet de consultants renommé : « Maman a
voulu tout savoir sur le salaire, les perspectives de promotion
et les congés, nous raconte l'une des personnes chargées de
l'entretien. Apparemment, elle était incapable de se taire. »

De nos jours, rien n'est trop beau pour nos enfants.
Je suis pour ma part stupéfait du nombre de trucs que

possèdent les miens. Comment en sommes-nous arrivés là ? Notre famille n'est pas obsédée par le shopping, et pourtant leurs chambres sont remplies de jouets (pour ne parler que de ceux que nous n'avons pas donnés aux associations caritatives). Que va-t-il se passer quand ils découvriront l'ordinateur ? Finiront-ils comme Julio Duarte Cruz qui, comme des adolescents dans le monde entier, se rue à la maison après l'école pour se consacrer à ses gadgets : « Ma chambre est mon monde virtuel à moi, m'explique-t-il par courriel depuis Séville, en Espagne. Et mes parents sont contents parce qu'ils savent exactement où je me trouve. »

Des enfants fragilisés

Selon tous les standards, nous sommes en train d'élever la génération la plus pointue, la plus choyée, la plus câblée et la plus surveillée de l'histoire. Est-ce un mal ? Après des milliers d'années d'essais et d'échecs, peut être avons-nous finalement découvert la recette miraculeuse pour éduquer les enfants. Peut-être le micromanagement finira-t-il par porter ses fruits. Peut-être sommes-nous en train d'élever les enfants les plus brillants, les plus sains et les plus heureux que le monde ait jamais connu.

Et tous les rapports sur la mort de l'enfance sont sans doute exagérés. Pour les enfants, il existe beaucoup d'avantages à grandir dans un pays développé, au début du XXIe siècle : les risques d'y souffrir de malnutrition, de négligence, de violence ou de mourir prématurément n'ont jamais été aussi faibles. Ils y bénéficient d'un confort matériel que la génération précédente n'aurait pu imaginer. Des légions de chercheurs, d'hommes politiques et d'industriels s'escriment à découvrir de nouvelles façons de favoriser leur développement, de les nourrir, de les vêtir, de les scolariser et de les divertir. Leurs droits sont consacrés par les conventions internationales. Ils sont le centre de l'univers de leurs parents.

Pourtant, l'enfance d'aujourd'hui semble très éloignée du « réservoir de joie » imaginé par Lewis Carroll. Et la parentalité n'est pas non plus une promenade de santé. À bien des égards, notre approche moderne des enfants nous explose entre les doigts.

Commençons par la santé. Élevés en milieu clos comme des poules de batterie, sans exercice physique ou presque et avec un régime hautement calorique, nos enfants deviennent dangereusement gras. Aux États-Unis, les fabricants produisent des sièges pour bébés surdimensionnés afin de les adapter à la taille des enfants de ce pays. Près d'un cinquième des enfants américains sont en surpoids, et ceux des autres pays marchent sur leurs traces. L'International Association for the Study of Obesity (Association internationale d'étude de l'obésité) estime que, parmi les jeunes de moins de dix-huit ans, 38 % en Europe et 50 % sur le continent américain (Nord et Sud) deviendront obèses d'ici 2010. Ces kilos superflus condamnent déjà ces enfants à des maladies de cœur, des diabètes de type 2, de l'artériosclérose et autres troubles initialement réservés aux adultes.

Les enfants qui pratiquent un sport n'échappent pas non plus aux problèmes. Un entraînement intensif chez un sujet trop jeune cause beaucoup de dégâts. Aujourd'hui, dans les collèges mais aussi chez les neuf-dix ans, on dénombre de plus en plus de traumatismes des ligaments croisés antérieurs du genou, alors que ces blessures étaient autrefois réservées aux élèves de lycées, voire aux sportifs professionnels.

Des faits alarmants

Et l'esprit suit le corps. Les chiffres concernant les dépressions, auto-mutilations et troubles alimentaires affectant les enfants sont en hausse dans le monde entier, tout comme les cas de maladies liées au stress, telles que douleurs d'estomac, migraines et fatigue chronique. Même si l'on tient compte de diagnostics parfois excessifs, les chiffres restent alarmants : selon les Nations unies, un enfant sur cinq souffre aujourd'hui de troubles psychologiques, tandis que l'Organisation mondiale de la Santé estime que, d'ici 2020, les maladies mentales seront l'une des cinq principales causes de décès ou d'invalidité chez les jeunes. En Grande-Bretagne, un adolescent fait une tentative de suicide toutes les vingt-huit minutes. Plutôt que de mettre fin à leurs jours, les jeunes Japonais se retirent dans leur chambre et refusent d'en sortir pendant des semaines, des mois, voire des années. Les experts considèrent que ce pays compte plus de 400 000 adolescents hikikomori, c'est-à-dire

« ermites à plein-temps ». Dans d'autres pays, les étudiants qui craquent n'ont jamais été aussi nombreux. Il y a dix ans, le chagrin d'amour était la principale cause de consultation chez le psychologue universitaire ; aujourd'hui, c'est l'angoisse. Steven Hyman, professeur de neurobiologie, ancien directeur de l'U.S. National Institute of Mental Health (Institut national américain de santé mentale) et actuel doyen de l'université de Harvard, affirme que la santé mentale des étudiants américains est aujourd'hui si dégradée qu'« elle interfère avec la mission principale de l'université ».

Le malaise résulte principalement d'une culture qui incite chacun à courir après la renommée, la fortune et la beauté d'une célébrité de premier plan. Paradoxalement, les enfants les plus touchés par ce phénomène se situent en haut de l'échelle sociale, là où la pression de la concurrence est la plus intense. Toutes les recherches montrent que la dépression et l'angoisse infantiles (ainsi que l'abus de drogues, l'automutilation et le suicide qui y sont souvent liés) sont aujourd'hui habituels, non pas dans les ghettos urbains, mais dans les appartements luxueux des centres-villes et des faubourgs huppés où les membres ambitieux des classes moyennes gèrent leurs enfants comme un produit. Dans *The Price of Privilege* (« Le Tribut du privilège »), Madeline Levine, qui exerce comme psychologue clinicienne dans un beau quartier de San Francisco, rapporte que les enfants des foyers dont les revenus annuels oscillent entre 120 000 et 160 000 dollars sont trois fois plus exposés à la dépression et à l'angoisse que les enfants moins favorisés. Une étude récente a conclu que, en Grande-Bretagne, près de 40 % des jeunes filles de quinze ans issues de familles aisées souffraient d'une forme de détresse psychologique pouvant déboucher sur des troubles de santé mentale. En France, en Bretagne, les chiffres sur l'angoisse et le suicide augmentent parallèlement aux notes du baccalauréat et au taux d'accès aux études supérieures. Enfin, les hikikomori japonais sont presque tous issus de familles de la classe moyenne.

Le recours à la médecine

Pour suivre le rythme ou simplement éviter l'exclusion, les enfants ont, plus que jamais, recours à des médicaments qui affectent leur comportement et leur humeur. Même les tout-petits prennent désormais des antidépresseurs avec leur biberon de lait quotidien. Dans le monde entier, les ordonnances de Ritalin et autres médicaments destinés à juguler l'hyperactivité infantile ont triplé depuis 1993. Les experts craignent que beaucoup de familles n'usent aujourd'hui de psychotropes comme d'une aide parentale. Avant de prescrire de tels médicaments, un docteur exerçant dans un beau quartier de New York pose désormais la question suivante : « Souhaitez-vous ce médicament pour améliorer la vie de votre enfant ou pour améliorer la vôtre ? » Cette fièvre médicamenteuse dissimule une ironie tragique : la génération qui utilisait la drogue pour planer et briser les carcans sociaux y a aujourd'hui recours pour serrer la vis à ses propres enfants.

Ce besoin de pousser à tout prix nos enfants incite parfois à emprunter des voies dignes du docteur Frankenstein. Des recherches ayant conclu que les personnes de grande taille avaient des taux de réussite supérieurs, certains parents sont prêts à payer des sommes fabuleuses pour que l'on injecte à leurs enfants, au demeurant parfaitement sains et normaux, des hormones de croissance. D'autres préfèrent investir dans l'apparence. Ainsi, les chirurgiens plasticiens doivent de nos jours faire preuve de la plus grande vigilance face à de jeunes patients qui sont poussés par leurs parents à se faire refaire le nez ou recoller les oreilles. Au Brésil, un docteur de Sao Paulo rapporte qu'une jeune fille de seize ans s'est récemment effondrée sur sa table d'opération, juste avant l'anesthésie : « Elle sanglotait en se demandant pourquoi ses parents ne parvenaient pas à accepter son visage tel qu'il était. Alors nous l'avons renvoyée chez elle sans l'opérer, raconte-t-il. Sa mère était furieuse. »

Ces enfants qui ne veulent pas grandir

Tout ce micromanagement, ce soin excessif, ce bichonnage et ces médications sont d'autant plus tragiques qu'ils échouent à produire une nouvelle race d'enfants supérieurs. Les enseignants du monde entier observent que leurs élèves ont les plus grandes difficultés à simplement rester tranquilles et concentrés. Les employeurs se plaignent que de nombreuses recrues font preuve de moins de flexibilité, ont moins d'aptitude au travail d'équipe et sont moins avides d'apprendre.

Il arrive que ces enfants micromanagés finissent par devoir lutter pour accomplir des fonctions de base. Les conseillers pédagogiques parlent d'étudiants qui leur tendent leur téléphone mobile en leur suggérant de résoudre telle ou telle question avec leur mère. Beaucoup d'enfants des classes moyennes choisissent désormais de rester au domicile familial bien après leurs vingt ans, et pas uniquement pour des raisons financières : nombre d'entre eux supportent mal de quitter l'endroit où ils sont le centre de l'univers. À Oxford, un père de ma connaissance s'étonne que sa fille de vingt-quatre ans, dotée d'un excellent CV, ait réintégré sa chambre d'enfant : « Elle veut même que je la dépose au cinéma, m'a-t-il dit. C'est comme si elle avait encore douze ans. » Au Japon, ces jeunes qui restent chez leurs parents au-delà de leurs vingt ans sont appelés des « célibataires parasites ».

Élevés sur un piédestal, les enfants s'attendent à ce que le monde entier se jette à leurs pieds, et ils s'irritent quand cet hommage tarde à venir. Est-ce une coïncidence si des programmes comme *Super Nanny* ou *Le Camp des fortes têtes*, qui montrent comment dompter des enfants mal élevés, envahissent les télévisions du monde entier ? Les années passant, les caprices peuvent céder la place au narcissisme. Une étude de personnalité datant de 2006 a mis en lumière des signes de narcissisme élevé au sein d'une population de 16 000 lycéens interrogés pour l'occasion, soit une augmentation de 30 % par rapport à 1982. Le Wall Street Journal a récemment constaté que, au lieu d'acheter des fleurs ou des chocolats à l'occasion de la fête des mères, de nombreux Américains de vingt ans et plus préféraient s'imposer de petites résolutions comme suivre un régime, se faire redresser les dents, aller chez le coiffeur, nettoyer leur appartement ou s'inscrire à une agence de rencontres. Pourquoi? Mais parce que le meilleur moyen de rendre heureuse une mère du XXIe siècle est de lui donner des enfants plus performants.

Une génération privée de rêves

Élevés selon des critères de réussite qui ne sont pas les leurs, avec une interdiction absolue de l'échec, ces enfants peuvent aussi voir leur horizon se rétrécir. À une époque où la mondialisation exige de l'audace, nous apprenons à nos enfants à ne prendre aucun risque et à suivre une voie tracée par d'autres qu'eux. Les jeunes continuent certes à se rebeller, mais nous sommes loin des manifestations étudiantes qui ébranlèrent le pouvoir politique et trans-formèrent la culture de masse des années 1960 et 1970. Nombre d'étudiants semblent plus soucieux de peaufiner leur CV que de brandir des banderoles. Les enseignants décrivent une génération d'abeilles laborieuses qui maî-trisent parfaitement le système, mais manquent de feu inté-rieur. «Il n'y a plus d'étincelle, plus de provocation, plus de passion dévorante qui pousse à prendre des risques ou à déstabiliser l'édifice, juge un professeur d'une université de renom. Beaucoup d'enfants semblent aujourd'hui suivre un script.»

Pourtant, William Blake a résumé l'enfance dans des vers fameux :

Dans un grain de sable, voir un monde,

Dans chaque fleur des champs, le paradis,

Faire tenir l'infini dans la paume de la main,

Et l'éternité dans une heure.

La liberté d'être soi

Aujourd'hui, la plupart des enfants sont trop occupés à pratiquer le violon ou à suivre des cours particuliers pour saisir l'infini dans leurs mains. Et ces fleurs des champs sont plutôt suspectes : si elles avaient des épines ? Si leur pollen déclenchait des réactions allergiques ? Dès que les adultes s'approprient l'enfance, les enfants se voient frustrés de tout ce qui fait la substance et le sens de la vie : les petites aventures, les escapades secrètes, les ratages et les contretemps, l'anarchie glorieuse et les moments de solitude ou d'ennui. Dès leur plus jeune âge, le message est clair : l'important n'est pas de trouver sa voie, mais de pouvoir exhiber le trophée adéquat ; il faut, plutôt qu'emprunter les sentiers battus, en sortir. En conséquence, l'enfance moderne semble étrangement fade ; elle n'est qu'action et accomplissement, elle évoque la vacuité et le succédané. Il y manque la liberté d'être soi. Et les enfants le savent : « J'ai l'impression d'être un projet sur lequel mes parents travaillent en permanence, nous dit Susan Wong, une jeune Canadienne de Vancouver âgée de quatorze ans. Ils parlent même de moi à la troisième personne en ma présence. »

Or, quand les enfants deviennent des projets, nous en souffrons tous. Au lieu de rapprocher les familles, tous ces efforts et cette frénésie tendent à les déliter. Prenons l'exemple d'une mère de Los Angeles, Connie Martinez. Récemment, au cinéma, son fils de cinq ans a souhaité s'asseoir sur le siège situé derrière le sien : « Il a dit que c'était comme si nous étions en voiture, explique-t-elle. Nous passons tant de temps en voiture pour le conduire à ses activités que cette position est devenue pour lui la plus confortable. J'étais horrifiée. »

Nos enfants surprotégés ont déserté les jardins publics. Dans mon ancien quartier d'Edmonton, au Canada, les rues qui renvoyaient autrefois l'écho des enfants jouant au hockey, au basket ou avec les bouches à incendie sont aujourd'hui étrangement silencieuses. Désormais, les enfants sont bouclés à l'intérieur devant des consoles de jeux ou trimballés en voiture d'une activité à l'autre. Et ce souci permanent concernant nos enfants peut nous amener à oublier le bien-être d'autres personnes. Une tendance à l'égoïsme transparaît maintenant sur les terrains de jeux, jusque dans les pays réputés pour leur sens de la solidarité : « J'entends de plus en plus de parents parler de : "Mon fils ceci, ma fille cela…", rapporte une enseignante de Gothenburg, en Suède. Leur enfant est le Messie et ils semblent se moquer totalement des autres enfants. » Partout, des parents se déchaînent contre ceux qui osent se placer sur le chemin de leur progéniture. Tout récemment, une femme de trente-trois ans a mis K.-O. l'arbitre d'un match de basket à Cedar Rapids, dans l'Iowa : elle n'avait pas supporté que sa fille reçoive plusieurs avertissements. L'arbitre était enceinte de cinq mois. À Toronto, un couple a menacé de traîner en justice une cheftaine scoute quand celle-ci leur a demandé de cesser de se préoccuper des médailles qu'allait obtenir leur fille de huit ans. Il y a peu de temps, dans une école primaire parisienne très en vue, une mère a collé le directeur au mur quand celui-ci a refusé d'y admettre son fils au motif que son anniversaire intervenait trop tard dans l'année : « Si j'avais su, j'aurais demandé à ce que l'on provoque l'accouchement et il serait né un mois plus tôt ! » a-t-elle hurlé. D'autres familles choisissent la voie opposée, aux États-Unis, en Grande-Bretagne et dans d'autres pays : sur la base d'études montrant que les élèves les plus âgés de la classe sont ceux qui ont le plus de chance de réussir à long terme, certains parents font manquer l'école à leurs enfants ou les inscrivent avec une année de retard pour qu'ils fassent partie des plus âgés de leur école maternelle.

C'est le monde à l'envers

Cette panique ambiante, ce sentiment que, désormais, seul un enfant Alpha a ses chances, peut avoir un effet détestable à l'autre bout de l'échelle sociale. Les parents de milieu ouvrier se demandent s'ils ne devraient pas vendre leur voiture ou économiser sur la nourriture pour engager un professeur. Une récente étude menée aux États-Unis a dévoilé que beaucoup d'adolescents appartenant à des familles latinos défavorisées n'avaient même pas essayé de présenter leur candidature au lycée local, car ils pensaient que les frais d'inscription et le niveau scolaire requis étaient équivalents à ceux exigés par les établissements les plus réputés. Les trois quarts ont affirmé qu'ils se seraient présentés s'ils avaient su que ce n'était pas le cas.

La même peur affecte le jugement de foyers plus privilégiés. Au fond, la plupart d'entre nous savent qu'une gestion excessive de la vie de nos enfants est absurde. Mais il est difficile de ne pas se laisser emporter par la folie actuelle. Cette tension omniprésente et l'importance des enjeux expliquent facilement qu'un peu partout dans le monde, des parents se plaignent de la difficulté d'élever des enfants et que se multiplient les sites Internet et les romans révélant l'enfer que vivent les parents (et surtout les mères). Certes, les enfants ont de tout temps nécessité beaucoup d'efforts. Mais, aujourd'hui, l'explosion des attentes a rendu ce fardeau si lourd qu'il peut effrayer n'importe qui. Dans la plupart des pays industrialisés, les taux de natalité ont radicalement chuté et les couples sans enfants en viennent à se décrire comme childfree (littéralement « libres d'enfants »), comme si les enfants s'apparentaient à une maladie honteuse. En Italie, pays pourtant réputé pour son amour des bambini, la couverture d'un magazine a résumé la situation : « Enfants : en valent-ils la peine ? »

Un espoir de changement

La réponse est oui, sans hésitation – et c'est la raison pour laquelle nous devons mieux faire. Ce livre ne constitue ni un pèlerinage nostalgique, ni une tentative pour inverser l'horloge du temps. Je doute qu'un âge d'or de l'enfance ait jamais existé (chaque génération commet des erreurs). Pourtant, on note aujourd'hui un espoir de changement. À travers le monde, la fébrilité qui entoure les enfants commence à être remise en cause. Les médias regorgent d'avertissements alarmistes et de mea culpa. Anna Quindlen, journaliste à Newsweek et mère de trois enfants, s'est fait l'écho de beaucoup de gens quand elle a présenté ses excuses à la classe des diplômés de 2004 : « Vous avez été forcés de tourner à plein régime dès votre plus jeune âge. Comme vous devez être fatigués. » En 2006, une centaine de scientifiques et d'autres intellectuels britanniques ont signé une lettre ouverte pour que soit lancée une campagne destinée à sauver l'enfance des effets néfastes de la vie moderne. Quelques semaines plus tard, l'American Academy of Pediatrics (Académie américaine de pédiatrie) alertait l'opinion sur les ravages causés par des emplois du temps surchargés et une trop grande importance accordée au travail scolaire. Dans toute l'Asie, les chefs de file de partis politiques se sont exprimés sur la nécessité d'alléger le fardeau pesant sur la jeunesse. Chen Shuibian, président de la République de Taiwan, a exprimé son souhait que les enfants aient « moins de tests, des cartables moins lourds et un sommeil plus long ». Par ailleurs, des livres comme celui de Muffy Mead-Ferro, *Confessions of a Slacker Mom* (« Confessions d'une mère qui en a marre ») se vendent comme des petits pains.

Et les mots se traduisent en actes. Certains gouvernements, même au sein de l'irréductible Extrême-Orient, ont commencé à accorder davantage de place, dans leur système éducatif, à la créativité, au jeu et au repos. Partout, des familles luttent pour libérer leurs enfants de l'emprise des publicitaires. Des associations sportives revoient leurs statuts pour que les matchs entre enfants ne soient plus gâchés par l'intervention d'adultes. En Amérique du Nord, des villes ont institué des journées durant lesquelles les devoirs et les activités extrascolaires sont interdits.

Les enfants s'organisent

Même les jeunes ont fini par demander aux adultes de leur laisser du champ libre. Quand la Grande-Bretagne a organisé sa première conférence annuelle des chefs de classe en 2006, le thème retenu a été « Le pouvoir des élèves », et les participants y ont réclamé moins de dirigisme et moins de contrôles. Un message identique commence à se faire entendre au sein d'institutions réputées. Il y a peu de temps, Marilee Jones, ancienne responsable des admissions au MIT (Massachusetts Institute of Technology), a constaté que la réputation de créativité de cet établissement s'était quelque peu ternie. Elle en a conclu que le processus de candidature contribuait à évincer les profils atypiques ou rebelles comme celui d'un Bill Gates, qui explorent une idée par strict intérêt personnel et non pour plaire à leurs parents ou à des employeurs potentiels. « Le môme qui triture son télescope dans sa chambre pour satisfaire sa curiosité plutôt que pour s'en servir lors d'un concours et gagner un prix, cet enfant-là dissimule le scientifique et le chercheur véritable, nous dit-elle. Envoyez-le-moi quand vous voulez. »

Après avoir passé environ 28 ans au MIT, Marilee Jones a dû démissionner quand il est apparu que, bien des années auparavant, elle avait falsifié son propre CV – péché capital pour une responsable des admissions. Malgré sa disgrâce, elle a contribué à discréditer l'idée selon laquelle l'enfance doit être le moment d'efforts insensés pour entrer dans un établissement scolaire de premier plan. Vers la fin de son mandat, elle a modifié le formulaire de candidature du MIT pour y réduire la place accordée aux activités extrascolaires et y introduire plus de questions concernant les vraies sources d'intérêt des candidats. Elle a également fait le tour des États-Unis pour y donner des conférences devant des salles pleines d'enseignants, de conseillers d'orientation et de familles. Je l'ai rencontrée lors d'une conférence organisée dans la Silicon Valley, haut lieu d'hyper-parentalité. Vêtue d'un tailleur noir, elle est allée droit au but : « Nous sommes en train d'élever toute une génération d'enfants pour notre seul plaisir, afin d'en retirer de la fierté et de la satisfaction et d'en faire ce que nous voulons qu'ils soient, asséna-t-elle à une salle de quelque 350 personnes. Je le sais parce que je l'ai fait pendant des années avec ma fille, et que je l'ai presque perdue pour cette raison. » Son conseil était aussi subversif que rafraîchissant : les enfants se développent quand ils ont assez de temps et d'espace pour respirer, traîner jusqu'à s'ennuyer, se détendre, prendre des risques et faire des erreurs, rêver et s'amuser selon leurs règles, et parfois même échouer. Si nous voulons restaurer la joie des enfants, mais aussi des parents, il est temps que les adultes prennent un peu de recul et laissent leurs enfants être eux-mêmes. « C'est le début d'une révolution », a prédit Marilee Jones avant que son auditoire ne se déchaîne en applaudissements.

Plaider pour moins d'anxiété

À l'ère de l'information, trouver une nouvelle recette pour l'enfance ne sera pas simple. La première étape consiste à faire une pause collective, c'est-à-dire s'extraire suffisamment longtemps de l'ambiance de panique et de frénésie pour prendre conscience que le traitement réservé à nombre d'enfants n'est pas si facile. Ensuite, il nous faudra aborder quelques questions délicates : quand faut-il pousser les enfants et quand faut-il leur lâcher la bride ? Jusqu'où doit aller leur liberté ? Quelle place faire à la technologie ? Quels risques doit-on autoriser les enfants à prendre ?

La rédaction de livres comme celui-ci comporte sans aucun doute certains dangers. Entre autres, le fait de plaider pour une approche moins anxieuse des enfants pourrait angoisser plus encore les personnes concernées. Un autre écueil serait d'adopter la posture d'un vieux barbon. Pour chaque génération, la jeunesse a représenté un sujet de préoccupation, parfois en termes apocalyptiques, et je sais que j'atteins un âge où des expressions comme « Quand j'étais jeune… » pourraient facilement m'échapper. Pourtant, le jeu en vaut la chandelle.

Ce livre n'est pas un énième manuel à destination des parents. Vous n'y trouverez pas d'encadré avec les habituels bons tuyaux ou des quiz ludiques en fin de chapitre. Mon ambition est de découvrir un moyen d'apaiser l'angoisse dont nos enfants font l'objet. Cela implique de repenser nos réponses aux questions suivantes : que signifie être un enfant ? que signifie être un adulte ? Cela impose également de trouver un moyen de réconcilier les enfants et les parents de ce XXIe siècle.

Notre investigation nous mènera dans le monde entier. Nous visiterons des salles de classe en Finlande, Californie, Italie et à Hong-Kong. Nous nous arrêterons dans une crèche écossaise où des petits de trois ans vivent dangereusement au milieu d'une forêt. Nous nous rendrons dans une ville des États-Unis qui renie une fois par an les emplois du temps à rallonge, et nous pousserons les portes d'une clinique du sport new-yorkaise qui tente de réinventer un basket pour enfants. Nous participerons à un salon du jouet à Londres, ainsi qu'à une expérience autour du jouet à Buenos Aires. À chaque escale, nous solliciterons bien sûr l'avis des experts, mais nous entendrons aussi ceux qui sont les plus concernés par cette bataille visant à trouver une nouvelle définition de l'enfance pour le siècle en cours : les parents et les enfants. Nombre des personnes que vous rencontrerez au cours des chapitres qui suivent ont raconté leur histoire depuis une salle de jeux ou un coin de cuisine, ou encore par courriel depuis leur ordinateur personnel.

Ce livre participe aussi d'une quête personnelle. Étant moi-même père de deux enfants à Londres, je suis sur la ligne de front. Comme beaucoup de parents, je veux que mes enfants soient heureux, en bonne santé et qu'ils réussissent. Mais je veux aussi que leur éducation s'apparente un peu moins à *Mission impossible*.

Et en fin de compte, ce que je souhaite vraiment, c'est que mes enfants, devenus grands, repensent à leurs jeunes années avec plaisir et qu'ils se souviennent avoir vu un monde dans un grain de sable. Je veux qu'ils aient une enfance digne de ce nom.

2

C'est la faute aux adultes !

Sur ces rives magiques, les enfants échoueront
éternellement leur esquif. Nous aussi y avons accosté.
Et nous pouvons encore entendre le bruit de leurs vagues,
bien que nous ne devions plus jamais aborder ces rivages.

J.M. BARRY, *Peter Pan* [1]

---

1 Traduction Henri Robillot, Gallimard, 1988, pour la version française.

Un après-midi d'été, vers la fin des examens, les antiques collèges d'Oxford sont le terrain de jeux d'une jeunesse dorée. Le soleil réchauffe les pierres des bâtiments tandis qu'une légère brise agite le lierre qui court le long des toits. Au Magdalen College, des étudiants du monde entier se prélassent sur des gazons parfaits, lisant un journal, téléphonant ou écoutant leur iPod. Des joueurs de croquet s'échauffent et leurs rires rebondissent sur les murs de l'ancienne cour. Voici un instantané de la nouvelle élite au repos. Pour paraphraser Cecil Rhodes, initiateur des bourses Rhodes, ces jeunes gens ont gagné le gros lot à la loterie de la vie.

Mais est-ce vraiment le cas ? George Rousseau, coresponsable du Centre for the History of Childhood (Centre de l'Histoire de l'Enfance) à l'université d'Oxford, n'en est pas si sûr. Nous nous rencontrons dans l'ancien fumoir du Magdalen College, dont les murs supportent de lourdes peintures défraîchies figurant des scènes agrestes. Sous les plafonds lambrissés, des professeurs conversent doctement devant des tasses de thé ou de café. Depuis nos fauteuils de cuir patiné, nous apercevons des étudiants aller et venir dans la cour voisine. George Rousseau a passé trente-cinq années à enseigner dans des établissements de premier ordre, des deux côtés de l'Atlantique. Il commence par m'expliquer que la vie réservée aux enfants du XXIᵉ siècle n'est pas vraiment une sinécure. « Aujourd'hui, je plains beaucoup les jeunes gens, tout particulièrement ceux qui sont issus de familles aisées, me dit-il. Ils n'ont pas à faire face aux risques de mortalité ou de maladie qu'ont connus les générations précédentes et ils bénéficient de nombreux avantages, mais ils sont couvés, pressés et surprotégés jusqu'à l'étouffement. Ils sont lâchés dans la nature sans aucun sens de la liberté. »

Regards croisés sur l'enfance

Si tout cela doit changer, nous devons d'abord comprendre comment nous en sommes arrivés là. Ce qui n'est pas simple, selon George Rousseau. Il est en effet difficile de généraliser sur l'enfance en raison de la grande variété des situations, tant du fait de l'époque que de l'appartenance à un milieu social ou à une culture déterminés. L'histoire de l'enfance, en tant que discipline, n'a véritablement débuté que dans les années 1960 et, même aujourd'hui, notre connaissance des relations entre adultes et enfants dans l'ère prémoderne reste lacunaire.

« Il en résulte de nombreuses spéculations et beaucoup d'hypothèses », m'explique George Rousseau.

Selon un mythe très répandu, la notion d'enfance n'existait pas par le passé. Cette idée a fait son chemin dans la sagesse collective au cours des années 1960, quand Philippe Ariès, un historien français, a affirmé que les enfants de l'Europe médiévale étaient traités comme des adultes miniatures dès leur sevrage, portant les mêmes vêtements qu'eux, adoptant les mêmes loisirs et accomplissant les mêmes tâches. Philippe Ariès a sans doute eu raison de considérer le passé comme un monde d'adultes, mais il semble être très éloigné de la réalité quand il imagine que nos ancêtres n'avaient aucune reconnaissance de l'enfance et qu'ils traitaient en conséquence les enfants comme les adultes. Deux mille ans avant l'apparition du système NetNanny[1], Platon a martelé que toute société devait contrôler ce que voyaient, entendaient et lisaient les plus petits. Même la règle des bénédictins, ordre monastique le plus important dans l'Europe du Moyen Âge, stipulait que les enfants moines devaient bénéficier de plus de nourriture et de sommeil que les adultes, ainsi que de temps pour jouer. « Ariès a offert une vision qui semblait irréfutable à l'époque, mais elle est partiellement erronée ou du moins incomplète », assène George Rousseau.

Une autre erreur consiste à considérer que les parents d'autrefois, endurcis par une mortalité élevée, évitaient de tisser un lien affectif avec leur progéniture, les traitant plutôt comme des serviteurs interchangeables. Ainsi, les familles réutilisaient fréquemment le prénom d'un enfant disparu

---

1 Système permettant un contrôle parental sur l'utilisation d'Internet par leurs enfants (NdT.)

au profit d'un nouveau-né. Au Ier siècle avant J.-C., le philosophe romain Sénèque recommandait de mutiler les enfants pour en faire des mendiants plus convaincants. Un peu plus tard, un médecin grec du nom de Soranus a publié un livre dont le titre original pourrait être traduit ainsi : Comment savoir s'il faut garder un nouveau-né? De même, tuer ou abandonner un enfant non désiré était monnaie courante dans l'Occident au XIXe siècle. Et vers 1860, encore un tiers des enfants naissant à Milan étaient laissés sous un porche ou devant l'orphelinat spécialement créé pour faire face à ce déluge d'abandons. Il existe d'innombrables preuves de violences, de négligences et d'abus sexuels pratiqués sur des enfants, dans de nombreuses cultures. Lloyd de Mause, psychothérapeute américain et historien, a conclu en 1974 que « l'histoire de l'enfance est un cauchemar dont nous commençons à peine à sortir ».

Mais il y a un autre versant à l'histoire de l'enfance. Même si leur vie était dure, les parents d'hier ne considéraient pas systématiquement leurs enfants comme des meubles indignes de sentiments. Les mères qui abandonnaient leur bébé leur laissaient souvent une clef, une broche ou une autre babiole identifiable, dans l'espoir de retrouvailles futures, même si elles risquaient de n'avoir lieu qu'au paradis… À toute époque, on trouve d'innombrables journaux, lettres ou autres écrits exprimant l'amour et la tendresse de parents pour leurs enfants, même en des temps où la vie ne valait rien. Il suffit, pour en prendre la mesure, d'écouter les lamentations de Grégoire de Tours devant les ravages occasionnés par la famine qui sévit en France au VIe siècle : « Nous avons perdu nos petits, ceux qui nous étaient si chers, ceux que nous serrions contre notre sein et bercions dans nos bras, ceux que nous avons nourris et entourés d'un soin si aimant. Tandis que j'écris, je sèche mes larmes. »

Beaucoup de choses ont changé depuis. Même si nos ancêtres n'ignoraient pas l'amour parental, même s'ils savaient reconnaître l'enfance, même s'ils possédaient un instinct qui les poussait à cajoler, surveiller et stimuler leurs enfants, la plupart ne nourrissaient pas d'inquiétude obsédante à leur endroit. « Ce soin constant, cette surveillance et ce harcèlement dont fait l'objet la jeunesse sont un phénomène très moderne », explique George Rousseau.

La naissance de l'enfant moderne

Le glissement a commencé à s'opérer à la fin du Moyen Âge, en même temps qu'émergeaient de nouveaux courants de pensées. Ainsi, les puritains déclarèrent que tous les bébés portaient la tache du péché originel et que seule une vigoureuse intervention des adultes pourrait sauver leurs âmes. Le philosophe anglais John Locke, dont les thèses ont eu une grande influence en Europe, activa la machine en publiant, en 1693, un livre intitulé *Pensées sur l'éducation* (*Some Thoughts Concerning Education*), dans lequel il prétend que l'enfant qui vient au monde est une terre vierge, une page blanche qui attend qu'on la remplisse (cette tâche incombant bien sûr aux adultes).

Au XVIIIᵉ siècle, Jean-Jacques Rousseau, l'un des inspirateurs du mouvement romantique, qui a parcouru toute l'Europe, recommanda aux adultes de faire machine arrière. Il exposa que l'enfance, avec « ses jeux, ses plaisirs et son aimable instinct », devait être chérie pour elle-même, que les enfants naissaient purs, spontanés et joyeux, et qu'il fallait par conséquent les laisser apprendre et créer à leur rythme. Forts de cet idéal, des artistes tels que Joshua Reynolds et Thomas Gainsborough commencèrent à peindre les enfants comme de petits anges, saisis en plein jeu, tandis que des écrivains comme William Wordsworth et Johann Wolfgang Goethe exaltaient l'essence quasi-divine de l'enfant et son lien particulier à la nature.

Encore de nos jours, nous restons déchirés entre l'approche de l'enfance consacrée par Locke et celle retenue par les romantiques : devons-nous façonner nos enfants comme de l'argile ou les laisser être des enfants ? Chacun de ces courants de pensée, combiné à une prospérité grandissante, nous a conduits à placer les enfants au premier rang de nos préoccupations. Ce changement s'est d'abord opéré au sein des classes sociales moyennes et élevées, qui ont ainsi ouvert la voie à un glissement culturel plus général. Au XVIIᵉ siècle, les manuels sur l'étiquette ont commencé à donner des conseils sur la façon d'éduquer et de former la jeunesse. Peu après, le marché des vêtements, livres, jouets et jeux destinés aux enfants s'est développé. À peu près à la même période, les médecins ont commencé à se demander comment les enfants pourraient bénéficier de soins spécifiques, posant ainsi les bases de la pédiatrie, laquelle est devenue une spécialité médicale à part entière. Et à mesure que s'intensifiait l'attention portée aux enfants, l'inquiétude des parents grandissait. Dès la fin du XVIIIe siècle, un pasteur anglais du nom de John Townsend évoquait ces « parents aimants et anxieux qui ont sacrifié leur confort, leur repos, leur fortune, leur santé, tout en somme, au bien-être et à la prospérité de leur progéniture ». Au XIXe siècle, le bien-être de l'enfant était devenu un sujet de débat important pour les intellectuels, les réformateurs, les institutions caritatives et les bureaucrates, ce qui devait déboucher sur les premiers mouvements en faveur des droits de l'enfant et sur la promulgation de lois et de programmes publics visant à la protection de la jeunesse.

Toutefois, la véritable révolution a eu lieu avec l'interdiction du travail des enfants, dont les principes furent posés au milieu du XIXe siècle. En Grande-Bretagne, par exemple, les effectifs scolaires ont été multipliés par quatre entre 1860 et 1900. Ce phénomène est attribuable autant aux thèses romantiques qui jugeaient immoral de faire travailler un enfant et de profiter de son labeur, qu'au besoin grandissant de travailleurs qualifiés. À mesure que le profit financier lié aux enfants diminuait, d'autres voies de valorisation ont fait leur apparition. Les enfants ont commencé à être considérés comme une ressource précieuse pour le pays. En 1908, un médecin anglais du nom de Margaret Alden écrit que « la nation qui, la première, reconnaîtra l'importance qu'il y a à éduquer et former ses enfants de façon scientifique sera la nation qui survivra ». Le XXᵉ siècle est devenu le « siècle de l'enfant », quand la Société des Nations a déclaré en 1924 que « l'humanité [devait] offrir aux enfants ce qu'elle a de meilleur[1] ».

La famille change

Cette évolution des idées s'est aussi traduite au niveau de la famille. Selon les historiens, dès le XVIIIᵉ siècle, les relations entre parents et enfants prennent une tournure plus chaleureuse et affective. Les parents commencent à fêter l'anniversaire de leurs enfants et à utiliser dans leurs correspondances et leurs journaux des termes d'affection comme « Mon cher enfant ». Auparavant montré du doigt comme un signe de complaisance envers soi-même ou de défi à Dieu, pleurer la mort d'un enfant devient normal au cours du XIXᵉ siècle. Dès le début du XXᵉ siècle, les tribunaux américains accordent des dommages et intérêts aux parents d'un enfant victime d'un accident – non pas sur le fondement de la perte financière, mais sur celui de la douleur morale.

Comme une réponse à la baisse de la natalité et de la mortalité, la famille a évolué en se réduisant, en se recentrant sur elle-même et en se construisant de plus en plus autour des besoins de l'enfant. N'ayant plus à lutter pour garder en vie une ribambelle d'enfants, les parents du

1 Extrait du préambule de la première Déclaration des droits de l'enfant dite Déclaration de Genève

XXe siècle ont pu se consacrer à la joie d'en choyer un plus petit nombre. « Ce n'est pas la même chose de dire "Mes enfants me sont très chers" et "J'ai trois enfants, mais seul l'un d'entre eux a une chance de survivre" », explique George Rousseau. Des études menées dans différents pays montrent que les parents de familles peu nombreuses ont davantage tendance à gérer la vie de leurs enfants. Ils disposent de plus de temps pour chaque enfant et ont peut-être l'impression qu'ils ont moins droit à l'erreur. À l'inverse, les parents ayant beaucoup d'enfants sont sans doute plus à même de cerner les différences de personnalités et d'aptitudes chez leurs enfants – et donc de réaliser qu'il y a des limites à vouloir modeler leur développement.

Au total, la famille tourne plus que jamais autour de l'enfant. Je le vois dans mon propre foyer. Nous affichons l'emploi du temps des enfants sur le réfrigérateur et y adaptons le nôtre. Nous organisons nos vacances et nos week-ends en fonction d'eux. Nous en sommes même venus à envisager de déménager pour nous rapprocher de leur école. Si les statistiques ne mentent pas, nous leur demanderons bientôt leur avis sur l'achat de l'ordinateur ou de la voiture familiale. Au vu de tous ces efforts et de ces sacrifices, est-il si surprenant que nous en venions à considérer les réalisations de nos enfants comme les nôtres? Est-il si incroyable que nos enfants soient devenus, plus que jamais, une extension de l'ego parental – un mini-moi qu'il faut glorifier à la maison comme sur le Web? De tout temps, les parents se sont vanté des exploits de leurs enfants, mais aujourd'hui la traditionnelle carte de vœux annuelle ressemble surtout à une candidature pour l'entrée à l'université ou à un catalogue prétentieux des prouesses scolaires, sociales et sportives de nos bambins. Certains parents en arrivent à évoquer leurs enfants à la première personne du pluriel : « Nous allons passer le bac », « nous avons obtenu une bourse pour la Sorbonne ». Le régime alimentaire des enfants, la musique qu'ils écoutent, l'école qu'ils fréquentent, leur coupe de cheveux, leurs activités sportives, leurs gadgets, tout est exposé comme une médaille décernée aux parents. Comment expliquer autrement que la maison Gucci propose aujourd'hui des chaussons de bébé à 230 euros la paire ?

Des enfants trophées

À mesure que la famille s'est recentrée autour de l'enfant, les parents se sont efforcés de mieux satisfaire ses besoins affectifs. Ce phénomène semble être la réponse naturelle à un monde où près de la moitié des mariages finissent par un divorce, les enfants constituant dès lors la seule relation susceptible de durer jusqu'à la mort. Ceci peut aussi expliquer pourquoi nous parlons si souvent de ce que nous apportent nos enfants plutôt que de ce que nous leur apportons. Le slogan que rabâche Super Nanny dans plus de quarante-cinq pays dit tout : « Comment obtenir le meilleur de nos enfants ? »

La chute de la natalité a renforcé l'idée que les enfants sont un bien rare, donc précieux. L'Espagne, la France et quelques autres pays commencent à verser des «bonus bébé» pour encourager la procréation. Les reportages sur des femmes qui rêvent de fonder une famille, avec ou sans partenaire, ont envahi les médias, tout comme les histoires de couples qui se lancent dans de coûteux traitements pour la fertilité. « Je sacrifierai tout à une grossesse, affirme Anna, trente-huit ans, au magazine allemand *Bild*. Sans enfant, je me sens vide et incomplète. » La fécondité est devenue le truc à la mode. Des pères célèbres comme David Beckham ou Brad Pitt affichent leurs enfants comme des accessoires de mode, et une grossesse, auparavant considérée comme suicidaire pour la carrière d'une actrice, est désormais le moyen le plus rapide de faire la une des magazines people, avec des paparazzi qui vendraient leur mère pour capturer l'image du dernier bébé à la mode. Dans plusieurs pays, les statistiques suggèrent que les gens les plus nantis ont commencé à fonder des familles nombreuses. Les enfants sont désormais le symbole d'une position sociale, un hommage ultime à la culture consumériste. Oubliée la femme-trophée, voici l'ère de l'enfant-trophée.

C'est aussi une époque instable et l'histoire montre que quand les gens s'inquiètent de l'avenir, ils investissent davantage d'énergie dans leurs enfants. Ainsi, le lancement de Spoutnik par les Soviétiques en 1957, en ternissant le mythe de la prétendue supériorité de l'Occident, a contribué à accroître la pression scolaire pesant sur les enfants. La crise pétrolière des années 1970 a eu un effet similaire. De même, en exacerbant la compétitivité dans le monde du travail et ailleurs, la mondialisation nous pousse toujours plus à maximiser le potentiel de nos enfants. La science a elle aussi accentué ce phénomène : depuis que des recherches ont montré, dans les années 1990, que le système nerveux des enfants se développait dès leur naissance, la vie des tout-petits est devenue un apprentissage constant. Il suffit de lire cet avertissement donné par *Newsweek* : « Le moindre gazouillis, la moindre risette, la plus anodine des berceuses activent ses réseaux nerveux et préparent le terrain de ce qui pourrait plus tard se traduire par une passion pour l'art, un don pour le football ou une aptitude particulière à la convivialité. » Si ce n'est pas de la pression...

Un siècle de petits génies

Les médias ont également contribué à cette frénésie. Chaque fois qu'un romancier de dix ans, qu'un entrepreneur en culotte courte ou qu'un groupe de rock prépubère fait les gros titres des journaux, la barre monte d'un cran, rendant la « moyenne » beaucoup moins acceptable. Par le passé, les petits prodiges faisaient un peu peur. Désormais, ils sont exhibés comme la preuve du bien-fondé de toute cette émulation et de ce bichonnage (car si vous étiez un peu plus dégourdi, vous auriez vous aussi un super-môme). Les publicitaires sont devenus maîtres dans l'art de jouer sur notre crainte que nos enfants soient à la traîne. À Taïwan, un slogan très populaire commande : « Ne laissez pas vos enfants rater le départ ! » La BBC m'adresse régulièrement

des publicités pour Muzzy, un petit animal en peluche associé à un DVD promettant de rendre mes enfants bilingues.
La brochure montre des hordes d'enfants vêtus de t-shirts à
l'effigie de Harvard ou brandissant leur certificat de bourse
Fulbright. Chaque fois que j'en trouve une dans la boîte
aux lettres, la panique monte en moi à l'idée que mes
enfants monolingues sont voués à retourner les steaks chez
McDonald's.

Avec de tels enjeux, être parent est devenu un sport de
combat. Les concours du papa et de la maman de l'année
existent depuis la seconde guerre mondiale, mais la pression est aujourd'hui à son comble: il faut être le meilleur
parent de tous les temps. Ce phénomène touche surtout
les femmes. Les exemples offerts par des vedettes comme
Catherine Zeta-Jones ou Gwyneth Paltrow obligent la mère
du XXIe siècle à être tout à la fois une fée du logis, une maman
sexy, un coach sportif, une diététicienne, une conseillère
d'orientation, une secrétaire personnelle, Françoise Dolto et
mère Thérésa – sans oublier aussi de gagner sa vie.

Le mythe des supers parents

Bien entendu, la plupart d'entre nous savent que c'est
impossible. Reste que, dans une culture obsédée par la
compétition et qui scrute au microscope chaque aspect de
l'enfance, l'instinct qui nous pousse à chercher ce qu'il a
de mieux pour nos enfants prend le dessus. Même lorsque
nous ironisons à propos de ces parents trop zélés (la mère

qui corrige les dictées de sa fille ou le père qui agresse le prof de foot pour avoir tardé à faire entrer son fils sur le terrain), une partie de nous-mêmes s'interroge : « Et s'ils avaient raison ? Si, effectivement, je faisais du tort à mes enfants en les laissant trop libres ? » Englués dans notre culpabilité et notre peur de mal faire, nous finissons par copier ces parents arrogants que nous côtoyons sur les terrains de jeux.

Jo Shirov connaît cette sensation. Cette jolie femme d'une quarantaine d'années mène de front une carrière de directrice des ressources humaines à Toronto et l'éducation de jumeaux de sept ans. Quand je lui rends visite, la maison de la famille Shirov me semble directement sortie de *Elle Déco* avec son camaïeu de teintes neutres, ses parquets cirés et ses coussins ethniques. Les jumeaux, Jack et Michael, font leurs devoirs sur la table de la cuisine. Il y a même un gâteau au four (que des produits bio, bien entendu). Pourtant, derrière le vernis délicat de ce foyer moderne absolument parfait, Jo Shirov se débat comme un canard sous acides : « Si vous pensez que c'est dans le monde professionnel que la compétition culmine, essayez donc d'être une mère aujourd'hui, me dit-elle. Vous avez l'impression que tout le monde vous juge et – c'est affreux à admettre – vous en venez à faire des trucs dans le seul but d'impressionner les autres mères plutôt que pour le bien de vos enfants. » Exemple ? Elle réfléchit, baisse la voix et ajoute : « J'ai inscrit les jumeaux à des cours de mandarin parce que tout le monde dit que c'est essentiel, mais les garçons ont détesté ça, chuchote-t-elle. On a arrêté rapidement, mais j'ai quand même mis un mois à l'avouer aux autres mères. »

La peur d'être jugé

Parfois, la pression exercée sur les parents est plus explicite. Il existe à Taïwan une école privée où les garçons ont le nez dans leurs livres jusqu'à dix-huit heures par jour. Quand Hsiou-Mei Wang en a retiré son fils épuisé, certains amis de la famille ont crié au scandale. « Ils nous ont dit qu'obtenir une inscription à cette école était comme gagner le gros lot et que nous étions irresponsables de la quitter », me dit-elle. Son fils a obtenu le diplôme d'une école moins exigeante et c'est aujourd'hui un étudiant brillant. Du coup, leurs amis sont un peu amers : « Soit ils nous disent qu'il a eu de la chance, soit que sa réussite est injuste, rapporte Hsiou-Mei Wang. Il y a une pression insensée à faire la même chose que les autres parents. »

On peut le dire. Depuis près d'un siècle, la performance parentale se mesure au nombre d'inscriptions à des activités extrascolaires. Et l'emploi du temps des enfants est plus chargé aujourd'hui que jamais. La culture actuelle explique en partie ce phénomène. L'un de mes amis s'étonne ainsi que ses deux jeunes enfants aient été inscrits à cinq activités différentes : « Je ne sais pas comment c'est arrivé, me dit-il. Ça semble tellement normal pour des parents d'aujourd'hui. » Une autre raison tient au fait que nous sommes désormais en mesure d'offrir à nos enfants des expériences (leçons d'escrime, cours particuliers en mathématiques, stages de tennis) que nous n'avons jamais eues. Le nombre croissant de foyers à double revenus et l'augmentation du temps de travail dans beaucoup de professions a intensifié l'emploi du temps des familles modernes. Dans ce contexte, les activités extrascolaires apparaissent comme un moyen de parer à l'absentéisme parental. Marian Schaeffer est avocat en droit de la propriété intellectuelle à Boston. Presque chaque jour de la semaine, ses deux enfants quittent leur école élémentaire pour des activités extrascolaires. « Pour eux, c'est amusant et enrichissant, affirme-t-elle. Mais, pour être honnête, c'est aussi un baby-sitting très commode. »

La sécurité des enfants : une obsession moderne

Car toutes ces occupations assurent aussi la sécurité des enfants – une autre obsession moderne. Issue du XVIIIe siècle, cette idée que les enfants sont des créatures fragiles qu'il faut protéger est très présente dans notre culture et renforcée quotidiennement par la presse. Même si l'enlèvement ou le meurtre d'enfants sont heureusement assez rares, leur couverture médiatique, avec ses mises à jour en temps réel, la crudité de ses montages photos et ses points presse à sensation transforme chaque cas isolé en tragédie personnelle. Souvenez-vous du déchaînement médiatique auquel a donné lieu la disparition, en 2007, de Madeleine McCann au Portugal. Selon plusieurs études, plus nous consommons d'informations sur l'actualité, plus nous nous angoissons au sujet de nos enfants. J'ai récemment entendu un reportage à la radio sur une petite fille de sept ans qui s'était fait renverser par un 4 x 4 dans le nord de l'Angleterre. Ma première réaction a été de me dire que mes enfants ne pourraient pas aller chercher le pain tout seul au coin de la rue avant d'avoir dix ans. Tout bien réfléchi, ils attendront vingt-cinq ans...

À mesure que la sécurité de nos enfants est devenue source d'inquiétude, les efforts visant à les encadrer se sont accrus. Au début du XXe siècle, les contraintes de la circulation ont mis un frein aux jeux de rue et imposé des barrières autour des squares. Aujourd'hui, les enfants sont parqués dans de vastes complexes de jeux, sous la garde attentive d'un personnel spécialisé et d'un réseau de caméras de surveillance.

Toutes ces précautions se justifient par les risques de poursuites juridiques. En 2006, le club de natation de Chesterbrook, dans le comté de Fairfax, en Virginie, a retiré le grand plongeoir de sa piscine, simplement pour réduire le coût de sa police d'assurance. La plupart des piscines des États-Unis sont désormais privées de plongeoirs pour la même raison. Notre culture a tout simplement omis de gérer le facteur risque. Nombre de parents actuels ont connu pourtant une enfance très libre. Quand j'avais dix ans, ma mère m'envoyait dehors dès le matin en espérant ne pas me revoir avant le déjeuner ou le dîner. Désormais, cette décontraction est perçue comme un manquement grave à ses devoirs. Un album récent de la bande dessinée, *Bébé Blues,* a tourné en dérision cette toute nouvelle aversion pour le risque, sur la base d'une comparaison entre parents d'hier et d'aujourd'hui. Il met en scène un petit garçon qui se frotte le genou après être tombé d'un arbre. La mère d'hier le prend dans ses bras en disant : « Je pense que c'est une bonne leçon sur les risques qu'il y a à grimper dans les arbres » ; la mère moderne panique en hurlant : « Exigeons une loi qui impose des arbres moins dangereux ! »

La technologie nous encourage dans des proportions orwelliennes. Employée dans une compagnie d'assurance londonnienne, Sally Hensen se présente elle-même comme Big Mother. Depuis son ordinateur de bureau, elle surveille la crèche de sa fille toutes les dix minutes grâce à une web-cam et, quand son chef s'absente, elle laisse même la fenêtre vidéo ouverte dans un coin de son écran. « Après avoir acquis mon pédomètre, j'ai commencé à compter mes pas de façon obsessionnelle, raconte-t-elle. C'est la même chose avec la webcan : parce que ça existe, j'en attends de pouvoir surveiller ma fille à n'importe quel moment dans la journée. »

Des enfants sur mesure

Ce sont *nos* attentes qui sont au cœur du problème. Dans cette culture de consommation et de compétition, tout ce qui a trait à l'enfant donne lieu à des attentes vertigineuses. Nous choisissons déjà les donneurs de sperme et d'ovules comme des vêtements sur un catalogue : « Je vais prendre le grand musclé qui a fait des études supérieures – avec des yeux bleus si possible. » Il y a également Angelina Jolie, qui nous explique comment composer la famille parfaite en adoptant des bébés du tiers-monde : « Vous savez, c'est une autre petite fille, un autre petit garçon. De quel pays, de quelle race pourront s'accommoder les enfants ? » Si nous pouvons avoir des dents parfaites, une maison parfaite, des vacances parfaites, pourquoi n'aurions-nous pas aussi un enfant parfait ?

Les manuels à destination des parents existent depuis longtemps, mais leur ton est devenu beaucoup plus autoritaire au cours du XIXe siècle, avec l'avènement d'une nouvelle race d'experts assénant leurs instructions sur les heures des repas, l'apprentissage de la propreté, les techniques de bain et les rythmes de sommeil. De nos jours, cette croyance que la parentalité est une compétence qui s'apprend et se pratique fait vivre une armée de spécialistes, qui délivrent la bonne parole à travers une multitude de magazines, livres, cours, sites Internet, émissions radiophoniques et shows télévisés. Et les hommes politiques, dont l'influence sur la marche du monde ne cesse de se réduire, ont rejoint ce chœur en instituant des normes juridiquement sanctionnables sur l'éducation des enfants.

Cette avalanche de conseils, jointe à l'abondance de shows télévisés comme *The Little House of Horrors* (*La Petite Maison des horreurs*), qui « remet sur les rails » les familles dysfonctionnelles en un unique épisode d'une heure, renforce l'idée que l'éducation d'un enfant s'apparente à la confection d'un gâteau ou au bichonnage d'un Tamagotchi : suivez la recette et vous obtiendrez le modèle de vos rêves. Plus vieux et plus qualifiés que jamais, les nouveaux parents sont aussi plus enclins à respecter les « règles de l'art » en matière d'éducation, tant ils sont convaincus qu'une gestion adéquate, un savoir-faire exemplaire et un bon investissement donneront les meilleurs résultats.

Ceci se vérifie spécialement auprès des femmes, qui investissent parfois dans leur maternité la même fougue que celle qu'elles ont un jour employée pour leur carrière. Mais si les mères au foyer vivent leur rôle comme un poste de haut niveau ayant justifié l'abandon de leur ascension professionnelle, celles qui continuent à se rendre au bureau agissent de même, pour prouver que leur maternité a pour elle autant d'importance que leur carrière. Il résulte de tout cela une professionnalisation de la qualité de parents dans des proportions jusqu'à présent inconnues (et un sacré coup porté à la confiance des intéressés). Peut-être est-ce pour cette raison que certains parents engagent désormais des consultants pour inciter leurs enfants à manger des légumes ou à utiliser le pot, pour leur apprendre à faire du vélo ou les emmener acheter leurs vêtements. C'est ce qui explique peut-être aussi pourquoi certaines familles tiennent des réunions au sommet autour de la table de la cuisine, pour évaluer les performances des uns et des autres et faire un point sur les objectifs à long terme.

Des enfants heureux à tout prix

Par comparaison, les parents plus classiques font figure d'amateurs, voire de paresseux. Comment un match de catch dans le jardin pourrait-il concurrencer un entraînement de base-ball millimétré par des profs de sport qualifiés? À l'heure où toute fête d'anniversaire se doit d'inclure un magicien professionnel ou un caricaturiste, pouvez-vous faire le poids avec une simple pêche aux canards et une part de quatre-quarts? Et quel parent peut lire *Harry Potter et la coupe de feu* aussi bien que tel ou tel acteur célèbre? Au fond de vous, vous savez sans doute que les meilleures choses dans la vie sont gratuites, mais quand tous les autres dépensent sans compter, il est difficile de résister à la pression. Il y a peu de temps, je me suis surpris à me demander si je ne devrais pas engager un coach pour apprendre à mes enfants à tenir une batte de cricket.

Dans le même temps, la pression est très forte pour rendre les enfants heureux. L'idée romantique selon laquelle l'enfance devrait être un terrain de jeux a évolué progressivement vers la croyance selon laquelle le bonheur est un des droits de l'enfant. Demandez à n'importe quel parent ce qu'il souhaite pour sa progéniture: qu'elle soit heureuse est la réponse la plus courante. L'une des stratégies pour y arriver consiste à répéter à tout moment aux enfants qu'ils sont beaux, intelligents et merveilleux. Un autre moyen consiste à leur acheter tout un tas de choses. Tout en nous faisant du bien et en allégeant notre culpabilité, dépenser de l'argent

permet aussi d'éviter les conflits. D'après les sondages, 50 %
des parents affirment vouloir être « le meilleur ami de ses
enfants ». Or, rien ne ruine plus sûrement une belle amitié
qu'un refus. Dans un monde frénétique et stressé, pourquoi
gaspiller de précieux moments à discuter de l'achat d'une
barre chocolatée à la caisse du supermarché ? Il est tellement
plus facile et plus reposant de céder au pouvoir des caprices.
Je le sais parce que c'est ce que je fais. Souvent. Chaque trajet
familial en voiture est ponctué d'arrêts pour acheter chips,
bonbons, sodas ou n'importe quoi d'autre pour avoir la paix.

Toutes ces dépenses ont contribué à accroître le prix à
payer pour être parent. Élever un enfant coûte autour de
300 000 dollars[1], ce qui inclut l'habillement, le logement, la
nourriture, les transports, la santé, la garde et la scolarisation (sous réserve qu'elle se fasse dans une école publique).
Une femme qui travaille doit envisager de faire une croix
sur plus de un million de dollars[2] de revenus si elle fait
passer sa vie de mère avant sa carrière. Un reportage de
la BBC assimilait récemment le fait de devenir parent à un
suicide financier : « Les couples pourraient devenir million-
naires s'ils évitaient le piège de la parentalité [c'est moi qui
souligne] et plaçaient leur argent ailleurs. » Est-il dès lors si

---

1 Soit environ 200 000 euros. Mais ces chiffres présentent de grandes disparités
selon les pays, pour ne parler que des nations occidentales riches. Ainsi, les
politiques publiques en faveur de la famille pourront ou non contribuer à
alléger la facture. En France, le « coût moyen » d'un enfant de moins de quatorze
ans vivant avec ses deux parents est estimé à 20 % du revenu de la famille et
à 30 % s'il vit avec un seul de ses parents, mais les allocations et autres aides
publiques couvrent une part importante de ces dépenses.
2 Soit 650 000 euros.

surprenant que nous cherchions à maximiser notre retour sur investissement quand nous sommes avec nos enfants?

Le syndrome de Peter Pan

Pour notre génération, ce souci de tirer le meilleur de ses enfants a atteint un sommet : nous ne nous contentons plus de donner la meilleure enfance que l'argent puisse offrir, nous voulons aussi en profiter. Quand notre monde valorise la jeunesse comme le Saint-Graal, les adultes la prolongent, véritables Peter Pan sur le retour, en lisant *Harry Potter*, en se rendant au bureau en scooter, en écoutant 50 Cent sur leur iPod ou en sortant jusqu'à pas d'heure. Examinez seulement la façon dont nous nous habillons. Mon père n'a jamais possédé un jean ou des baskets ; ne parlons pas d'un sweat à capuche… Au bureau, il portait un complet-cravate, en dehors une chemise avec un col. Mon fils et moi sommes souvent indifférenciables dans nos shorts cargo, t-shirts et sandales de sport. Il m'est même arrivé de porter ma casquette de base-ball à l'envers. D'accord, j'étais en début de trentaine, mais quand même… Le fossé[1] des générations a été comblé par Gap.

Ce mélange des genres peut amuser, mais il réduit par ailleurs l'espace dédié à l'enfance. À Londres, les parcours de skate près de chez moi sont pris d'assaut par des hommes entre vingt et trente ans qui arborent tous l'uniforme du

---

1 Jeux de mot intraduisible en français, *gap* signifiant « fossé ». (NdT).

skater d'expérience et friment après un ollie, un kickflip ou une autre figure. Les enfants qui débarquent là-bas avec leur planche se font largement snober.

Quand les adultes s'attribuent les symboles de l'enfance, il y a forcément moins de place pour la rébellion. L'histoire semble montrer que les enfants issus de sociétés qui leur autorisent quelques années d'expérimentation, voire d'errements, ont une croissance plus saine. Mais comment ruer dans les brancards quand papa connaît par cœur le hit-parade et qu'il fait tourner en boucle Kaiser Chiefs ou Snow Patrol comme si la maison était le Stade de France ? Même chose quand maman a un piercing dans le nombril et suit des cours de pole-dance ? Il y a deux solutions : soit vous allez vers une forme plus extrême de rébellion, comme la drogue, les troubles alimentaires ou l'automutilation, soit vous ne vous révoltez pas du tout, en respectant toutes les règles et en adoptant le profil de l'« enfant managé ». Pour citer Pink Floyd, vous devenez « another brick in the wall » (« une autre brique dans le mur »).

Derrière cet effacement des frontières générationnelles se cachent l'envie et la nostalgie qui font que les adultes ont toujours eu du mal à s'éloigner de l'enfance. Convaincus que les jeunes gaspillent leur jeunesse, nous relevons nos manches pour leur montrer ce qu'il faudrait faire ou ce que nous aurions aimé faire à notre époque. Chaque culture, chaque génération réinvente l'enfance pour satisfaire ses propres besoins et ses propres préjugés. Les Spartiates glorifiaient les enfants soldats. Les Romains les encourageaient à la bravoure. Les puritains rêvaient d'enfants pieux et obéissants. Les victoriens ont même réussi à louer le gamin qui parvenait à sortir des bas-fonds, tout en s'extasiant sur l'innocente tête blonde des foyers bourgeois.

Aujourd'hui, nous nous trouvons face à une foule de contradictions. Nous voulons que l'enfance soit à la fois la répétition générale d'un âge adulte flamboyant et un jardin secret plein de joie et sans danger. Nous demandons à nos enfants de « grandir », mais supportons mal qu'ils nous obéissent. Nous attendons d'eux qu'ils accomplissent nos rêves tout en restant fidèles à eux-mêmes.

Il y a certes un fil conducteur : les enfants n'ont jamais choisi leur enfance. Les adultes ont toujours tracé le chemin. « Ce n'est jamais vraiment une histoire d'enfants, dit George Rousseau, c'est toujours une histoire d'adultes. » Et il semble qu'aujourd'hui, l'histoire concerne plus que jamais les adultes. La question devient donc : comment faire pour que l'enfance devienne un peu plus une histoire d'enfants ?

2

Les jeunes années :
un passage des étapes
au rouleau compresseur

Si les choses pouvaient surgir du néant, le temps n'aurait pas d'importance sur leur croissance, leur long chemin vers la maturité. Les bébés deviendraient de jeunes gens en un éclair et des forêts d'arbres gigantesques sortiraient du sol. Ridicule! Nous savons que toute chose grandit, petit à petit, comme le lui commande en effet son essence.

LUCRÈCE (Ier siècle avant J.-C.[1])

---

1 *De Natura Rerum* (*De la nature*), traduction José Kany-Turpin, Aubier.

Par un après-midi venteux au début du printemps, alors qu'une nouvelle journée industrieuse agite Taipei, c'est sans doute à la section « parents » de la librairie Eslite que la tension est la plus vive. Quand j'arrive, plus d'une douzaine de personnes, principalement des femmes, parcourent les centaines de titres disponibles. À part le murmure des conversations, il y règne un silence nerveux. L'éducation des enfants est un sujet très sérieux dans la capitale de Taïwan.

La librairie Eslite présente des livres d'experts occidentaux et asiatiques, et leurs titres traduisent bien la pression éprouvée par tous les parents du monde pour que leurs enfants sortent du lot. Un manuel intitulé *Prodigy Babies* (*Bébés prodiges*) se vend particulièrement bien, de même qu'un mince ouvrage, *The Genius in the Crib* (« Le Génie dans le berceau »). Un autre grand succès s'appelle *Sixty Ways to Ensure Success for Your Gifted Child* (« Soixante façons d'assurer le succès d'un enfant doué »). Dans un coin, je repère une future maman qui feuillette un volume épais. Elle fait une pause pour caresser la couverture, en fermant les yeux comme pour une prière silencieuse. Puis elle glisse le livre dans son sac Fendi et se dirige vers les caisses. Je m'approche pour découvrir l'ouvrage qui lui a fait un tel effet. Son titre est conçu pour affoler n'importe quel parent : *Children's Success Depends 99 % on the Mother !* (« La Réussite des enfants dépend à 99 % de leur mère ! »). Au dos du livre, on peut voir une photo de l'auteur, qui est coréenne. Son air suffisant s'explique parfaitement : une de ses filles étudie à Harvard, l'autre à Yale et son fils suit les cours de la Harvard Business School.

Nous voulons des bébés précoces

Cette scène me ramène au jour où ma femme m'a annoncé qu'elle était enceinte de notre premier enfant. Une fois l'euphorie retombée, nous avons fait ce que font tous les parents du monde quand un bébé est annoncé : nous nous sommes rendus à la librairie locale et avons commencé à nous constituer une bibliothèque de manuels sur l'éducation des enfants. Comme tout le monde, nous voulions donner à notre enfant le meilleur départ possible dans la vie.

Je me souviens tout particulièrement d'un livre qui suivait, mois après mois, les étapes du développement d'un nouveau-né : le mouvement latéral de la tête, le sourire, la reconnaissance d'objets, la préhension des jouets, l'expérimentation de la relation de cause à effet, et ainsi de suite. J'étais très attentif au processus. Si notre fils tardait à passer une étape, c'était la panique. Qu'est-ce qui ne va pas ? Sommes-nous de mauvais parents ? Devrions-nous consulter un docteur? Dans le même esprit, rien ne me réjouissait plus que de constater que mon fils était en avance, surtout si d'autres parents avaient pu aussi le remarquer. (Et si vous voulez savoir, il est parvenu à se retourner très tôt.)

Nos ancêtres n'en auraient pas cru leurs yeux. Par le passé, le développement des enfants n'a jamais été un véritable sujet de préoccupation. Les nouveau-nés étaient souvent confiés à des nourrices ou simplement arrimés à leur mère pendant qu'elle vaquait à ses occupations. La mort d'un bébé était en général moins pleurée que celle d'un enfant plus âgé. Les mots de Montaigne sont fameux : « ...mais j'en ay perdu en nourrice deux ou trois [enfants], sinon sans regret, au moins sans fascherie. » Sans doute madame de Montaigne n'était-elle pas dans les mêmes dispositions. Quoi qu'il en soit, une telle affirmation suffirait aujourd'hui à déclencher une enquête des services sociaux.

Cela ne veut pas dire que nos ancêtres n'ont pas été tentés de faire grandir leurs enfants un peu plus vite. Dans l'Europe du Moyen Âge, certains parents avaient recours à des atèles en bois pour inciter leurs enfants à marcher plus tôt. À la fin du XVIIe siècle, les chirurgiens sectionnaient les ligaments de la langue des enfants dans l'espoir qu'ils se mettent à parler plus tôt. Il y a seulement un siècle, la plupart des parents s'inquiétaient davantage des risques de mort prématurée que de la précocité de leurs bébés. À mesure que la mortalité infantile baissait et que les espérances se faisaient plus fortes, les préoccupations se déplaçaient progressivement vers les moyens d'accélérer le développement cognitif des bébés.

Aujourd'hui, le démarrage doit plus que jamais être ful-gurant. La science a démontré que le bébé est la machine à apprendre la plus puissante qui soit – plus puissante même que la génération précédente ne le pensait. Grâce à des spectacles de marionnettes mettant en scène des canards qu'ils faisaient disparaître, les chercheurs ont découvert que les tout-petits peuvent dès leur dixième semaine (et non pas à neuf mois, comme on le croyait avant) appréhender la « permanence de l'objet » (donc comprendre que lorsque maman quitte la pièce, elle ne cesse pas d'exister). Une étude réalisée en 2007 a permis de conclure que les bébés étaient capables de faire la différence entre plusieurs langues simplement en regardant le visage de leur interlocuteur. Au cours d'une expérience tentée au Canada, des enfants de quatre mois ont été placés devant une vidéo montrant un adulte s'exprimant tour à tour en anglais et en français, mais sans le son. À chaque fois que l'adulte changeait de langue, l'attention des bébés augmentait.

De l'émulation à l'obsession

Tout enfant en bas âge fait l'expérience d'un big bang neu-ronal générant un réseau de connexions synaptiques qui va s'organiser et s'affiner dans les années qui suivent. Pour optimiser cette phase précoce de la construction du cerveau, les bébés ont besoin de stimulations. Il en est de même dans le monde animal. Une série d'expériences fameuses a montré que des rats élevés avec d'autres rats, dans des grandes cages remplies de jouets, développaient un cerveau plus performant que ceux qui étaient isolés dans de petites cages vides. L'ennui, c'est que ces recherches se sont traduites, dans la culture collective, par un diktat puissant : plus votre bébé est stimulé, et plus tôt il l'est, plus son intelligence va se développer. Du coup, si vous ratez cette phase de développement neuronal précoce, la fenêtre des opportunités se referme brutalement à l'âge de trois ans et vous pouvez faire une croix sur les études supérieures de votre progéniture. Il devient alors tout naturel d'avoir recours à un émetteur qui diffuse via l'utérus de la musique, « neuronalement enrichissante », ou encore à une poussette sonorisée permettant au bambin d'écouter de la musique ou de suivre un cours de mandarin, faisant ainsi de la promenade au parc une « expérience multisensorielle ».

Pourtant, il n'est pas certain que cette avalanche de stimulations porte effectivement ses fruits. Le tout dernier état des neurosciences suggère que l'enrichissement dont a vraiment besoin un bébé se résume en fait à l'expérience quotidienne du bébé moyen. Plutôt que des « pages vierges » attendant passivement d'être remplies par les adultes, les bébés sont programmés pour rechercher l'impulsion qui permettra à leur cerveau de se construire. C'est la raison pour laquelle on a réussi à élever des enfants pendant des millénaires sans mobiles électroniques, ni DVD pour Einstein en herbe. Que penser alors des rats intelligents élevés dans des environnements stimulants? Et bien, avant de vous hâter de remplir la salle de jeux de cartes mémoire flash et d'écrans plasma, prenez le temps d'examiner une autre conclusion pour cette expérience, passée plus inaperçue : aucune stimulation expérimentale n'a réussi à produire des rats dotés d'un cerveau plus performants que celui de leurs congénères ayant grandi en pleine nature.

Bien sûr, certains enfants grandissent dans un environnement qui ne les prépare pas à l'école. Une étude importante menée par l'université de Londres a comparé 15 500 enfants nés entre 2000 et 2002 en fonction de leurs origines sociales. Autour de leur troisième anniversaire, les rejetons de parents diplômés (qui sont plus susceptibles d'introduire livres, récits et conversations au sein du foyer) avaient dix mois d'avance pour le vocabulaire sur les enfants de parents moins qualifiés, et un an d'avance pour reconnaître les formes, les couleurs, les tailles, les lettres et les chiffres. Les programmes d'enrichissement précoce peuvent aider les enfants de milieux moins favorisés à réduire ce fossé. Ce qui ne signifie pas que tout le monde doit suivre de tels programmes – ni que l'accumulation de stimulations peut améliorer les fonctions de base du cerveau. Auteur de *Tout est-il joué avant trois ans ?* (*The Myth of the First Three Years*) et président de la fondation James S. McDonnell, qui finance la recherche scientifique sur le cerveau, John Bruer rejette de façon péremptoire l'idée que l'augmentation des stimulations améliorerait la performance du cerveau : « Aucune observation, aucune étude scientifique n'a permis de faire un lien entre la quantité de stimulations extérieures et la formation des synapses. »

L'effet Mozart

Ce qui n'empêche pas de tenter l'expérience. Quand les scientifiques ont constaté, dans les années 1990, que le fait d'écouter du Mozart améliorait le raisonnement spatial (l'expérience était conduite sur un échantillon d'étudiants), toute une industrie s'est développée, qui prétendait que la généralisation des concertos pour piano dans les crèches doperait le cerveau des bébés. Cette idée a rencontré un tel écho que, à la fin des années 1990 et au début des années 2000, les hôpitaux de l'État de Georgie renvoyaient chaque nouveau-né chez lui avec un CD de pièces de Bach, Haendel et Mozart portant cette mention : « Développez les capacités intellectuelles de votre bébé grâce à la musique. » Et il est toujours possible d'acheter des albums et des DVD se réclamant du fameux « effet Mozart ». Seul problème : l'effet Mozart, c'est du flan. En 2007, le ministère allemand de la Recherche a fini par mandater une équipe de choc composée de neuroscientifiques, de psychologues, de spécialistes de l'éducation et de philosophes pour qu'ils évaluent l'ensemble des recherches ayant trait à ce phénomène. Leur conclusion : même si les sonates de Mozart améliorent effectivement le raisonnement spatio-temporel (mais toutes les études ne permettent pas de le démontrer), leur effet ne dure qu'une vingtaine de minutes. De plus, cette équipe allemande n'a pas pu affirmer que l'écoute de musique classique aurait un effet sur le cerveau des très jeunes enfants.

Le gavage intellectuel des tout-petits

Une interprétation erronée de l'état de la science, alliée à des attentes grandissantes, a aussi engendré quelques vaines tentatives visant à enseigner aux enfants les langues étrangères. Dans les années 1990, des recherches ayant montré que les bébés disposaient de capacités exceptionnelles pour l'apprentissage des langues, certains parents se sont rués sur des cassettes Berlitz dans l'espoir de faire de leurs enfants d'éminents polyglottes. Ça n'a pas marché. Pourquoi? Parce que les tout-petits n'impriment un langage que si celui-ci est utilisé avec eux de façon régulière, par une personne en chair et en os. Des expériences plus récentes ont montré que les très jeunes enfants exposés à des enregistrements en langue étrangère ou à des jouets bilingues n'en retirent absolument rien – pas un mot, pas une phrase, pas un son. De même, ils n'aborderont pas l'école avec une disposition particulière pour la conjugaison des verbes en anglais ou l'identification des idéogrammes chinois. En conclusion, les bébés ont besoin, pour apprendre, d'une présence humaine attentive et non de stimulations artificielles.

Cela signifie-t-il que la solution réside dans des classes de langues animées par de vrais professeurs? Dans le monde entier, d'ambitieux parents inscrivent de plus en plus tôt leur progéniture à des cours d'anglais. Dans toute l'Asie, cette langue est étudiée par des enfants qui n'en sont encore qu'à ânonner leur langue maternelle. À l'inverse, les parents occidentaux traquent les nounous de langue chinoise et les cours de mandarin pour leurs bambins. Mon voisin emmène sa fille de deux ans à des cours de chinois tous les samedis matin. « C'est l'avenir, m'affirme-t-il. Plus tôt elle commence, mieux c'est. »

Mais tout est relatif. Des études montrent que, pour devenir bilingues, les enfants ont besoin d'être exposés à une langue étrangère pendant environ 30 % de leur temps d'éveil. Ce qui implique de suivre de vrais cours d'immersion ou de consacrer une bonne partie de la journée à parler la langue en question, avec un parent, une nounou ou encore avec d'autres enfants dans une crèche. Par contre, pas question de caser une heure de mandarin entre le cours de gym et les courses du samedi matin. « En vérité, il n'existe pas de méthode simple pour apprendre une langue – il faut la vivre, l'étudier, la lire, la manger et la respirer, nous dit Ellen Bialystock, experte en bilinguisme à la York University au Canada. On peut toujours donner à l'enfant l'expérience linguistique la plus riche possible, encore faut-il que cela ait un sens à la maison ; cela ne peut pas être artificiel et s'ajouter aux autres points de la liste des choses à faire absolument. » En fait, il se trouve que ne pas apprendre une deuxième langue dans les premières années ne condamne pas au monolinguisme. « L'apprentissage des langues devient un peu plus difficile à mesure que l'on vieillit, mais rien ne prouve que c'est impossible après un certain âge, affirme Ellen Byalistock. Les gens peuvent découvrir de nouvelles langues toute leur vie. La manière dont ils les apprennent est bien plus importante que l'âge auquel ils le font. » Et cela ne s'applique pas seulement aux langues. Des recherches très récentes ont montré que le cerveau continue à se développer bien après les premières années et que, pour la plupart des connaissances et des aptitudes, il n'existe pas de « fenêtre critique » qui se fermerait pour toujours après le troisième anniversaire.

Au bout du compte, il semble bien que le bourrage de crâne des tout-petits soit sans fondement et qu'il puisse même conduire à l'échec. Bien souvent, les compétences acquises par gavage doivent être réapprises plus tard. Un professeur de musique londonien nous rapporte l'histoire d'une petite fille que ses parents avaient voulu inscrire à des cours de violon dès ses trois ans. Elle montra tout d'abord des capacités exceptionnelles par rapport à ses camarades mais, à partir de l'âge de six ans, sa technique s'avéra si peu orthodoxe qu'elle dut consacrer des mois à réapprendre les bases. « Ce qui était terrible, c'est que les autres enfants, qui avaient joué selon leur niveau, ont commencé à vraiment progresser et qu'ils l'ont laissée loin derrière, raconte ce professeur. Le cas classique du lièvre et de la tortue. »

Trop de stimulations peuvent affecter le sommeil, indispensable au bébé pour digérer et consolider ce qu'il a appris durant ses heures d'éveil. Quand les parents commencent à angoisser sur les étapes du développement, quand ils en viennent à consacrer plus de temps à la culture de leur bébé qu'à son bien-être, le jeune enfant peut lui aussi donner des signes de stress. Or, si le cerveau d'un bébé est fréquemment inondé d'hormones de stress comme l'adrénaline ou le cortisol, ce changement chimique peut devenir permanent, rendant l'apprentissage et le contrôle des pulsions plus difficiles par la suite, tout en augmentant le risque de dépression.

Privilégier les échanges

Alors, quelle est la bonne façon de s'occuper d'un petit enfant? Eh bien, la question elle-même n'a pas de sens. Compte tenu des lacunes de notre savoir sur le développement du cerveau, la science n'est pas en mesure de satisfaire nos demandes pressantes pour un guide détaillé des premiers pas. De plus, chaque enfant et chaque famille ont leurs caractéristiques propres, et il n'y a pas de recette unique pour élever un bébé.

Mais on peut s'arrêter sur quelques grands principes très clairs. L'un d'eux commande que le tout-petit puisse interagir avec une seule personne à la fois, celle-ci devant multiplier les contacts oculaires. Toutes les études montrent que les bébés sont fascinés par les contrastes et les couleurs vives, ce qui correspond exactement à ce qu'ils perçoivent d'un visage humain, avec son réseau complexe de rides, de bosses, de creux et d'ombres. Quand un bébé observe le visage de son père ou de sa mère, qu'il décrypte les émotions et les expressions qui l'animent, il effectue un exercice cérébral équivalent à une séance d'aérobic avec Jane Fonda. Dans ces conditions, n'espérez pas qu'une vidéo éducative, un mobile électronique bourré de lumières clignotantes ou un poster aux motifs blancs, noirs et rouges puissent concurrencer une telle expérience. Il suffit de noter la manière dont, sans aucun gadget, un parent échange avec son enfant : en scrutant son regard, en souriant, en frottant son nez contre lui, en grimaçant, en le chatouillant, en prononçant les mots très lentement, en l'embrassant, en l'imitant... Cela n'a l'air de rien comparé aux manifestations bien plus expressives du langage des signes, mais il s'agit pourtant d'une conversation tout à fait riche et stimulante (et vous n'avez pas besoin de consulter un spécialiste pour l'apprendre, parce que c'est inné...). Source de joie et d'émerveillement, cette conversation élémentaire, ce jeu affectueux entre un parent et son petit participe aussi à la construction de son cortex préfrontal, c'est-à-dire la partie « sociale » de son cerveau qui gouverne l'empathie, le contrôle de soi et la capacité à comprendre les signaux non verbaux que nous adressent les autres (ces signaux que les enseignants considèrent comme essentiels au développement au stade de la crèche, mais aussi par la suite). Les experts s'accordent à penser que la formation de liens étroits avec un proche est la pierre de touche du développement infantile et de l'apprentissage. Cela peut par ailleurs immuniser les enfants contre le stress tout au long de leur vie.

Ce message commence peut-être à faire son chemin. Dans le monde entier, des experts en développement infantile donnent le même conseil aux parents anxieux et impatients : chaque bébé se développe à un rythme qui lui est propre. Les premières années sont importantes, mais elles n'ont rien d'une course contre la montre. Passez moins de temps à essayer de rendre votre bébé plus performant et davantage de temps à le découvrir. Suivez votre instinct au lieu d'imiter ce que fait la super-maman du terrain de jeux.

Les bébés ne se managent pas

Certains parents apprennent cette leçon dans les larmes. Pendant plus de dix ans, June Thorpe a organisé des manifestations de prestige à Miami, en Floride. Devenue mère à trente-six ans, elle a abordé la maternité comme on organise une conférence. Elle a imaginé un emploi du temps ultra-rigide pour les repas, les temps de sommeil, les séances de yoga, de massage et de jeux interactifs avec son bébé Alexia, et elle l'a affiché sur le réfrigérateur. « Je voulais qu'elle adopte une bonne routine le plus tôt possible pour lui faire prendre un bon départ », raconte June. Mais cette routine ne convenait pas à Alexia, qui s'obstinait à se réveiller plusieurs fois par nuit et tardait à trouver seule la position assise. Quand elle rencontrait d'autres mères, June se sentait nulle en les entendant raconter à quel point leurs enfants s'endormaient facilement, comment ils avaient commencé à ramper très tôt ou la facilité avec laquelle ils avaient accepté une nourriture solide. Elle en venait à considérer la maternité comme une mission ennuyeuse, démoralisante et sans issue.

Tout a changé quand elle a découvert la blogosphère. June y a trouvé de nombreux récits de mères confrontées au même problème ; nombre d'entre elles s'en sortaient finalement en suivant leur propre chemin. L'enseignement qu'elle en a tiré, c'est que la maternité recouvre des réalités très diverses, qu'il peut être vain et frustrant d'appliquer les recettes ou les méthodes de quelqu'un d'autre, et elle a découvert au bout du compte l'aspect le plus fascinant et le plus gratifiant du rôle de parent : apprendre à connaître son propre enfant. En d'autres termes, il n'est pas nécessaire de courir à une séance de yoga pour bébés ou de consacrer des heures à faire de sa maison un modèle pour *The World of Interiors*. Au diable les apparences. Il n'y a aucun mal à passer l'après-midi étendue avec votre bébé sur un lit, à le câliner, à l'allaiter ou à piquer du nez. Il vous arrivera aussi de consacrer des nuits presque entières à tenter de calmer, sans succès, ses pleurs, et ça aussi c'est normal.

« Quand je suis sortie de mon cercle social, je me suis aperçue que je n'étais pas la seule à éprouver que cette pression pour devenir une super-maman faisait de la maternité une corvée, se rappelle June. Et je pense aussi qu'Alexia ressentait mon angoisse. » Alors, June a changé de méthode. Elle a décidé d'écouter son instinct. Et elle a jeté au feu les emplois du temps, les courbes de développement et les DVD interactifs pour laisser Alexia téter et dormir quand bon lui semblait. À la place des séances de yoga pour bébé, la mère et la fille s'offrent désormais une petite sieste sur le canapé du salon, au milieu de coussins moelleux et d'animaux en peluche.

June Thorpe adore sa nouvelle vie. Elle lui semble plus reposante et elle se sent beaucoup plus proche d'Alexia, plus apte à comprendre ses humeurs, ses besoins. Alexia fait maintenant ses nuits. « Elle paraît plus heureuse depuis que je ne cherche plus à la faire ressembler à l'idée que je me faisais d'un bébé. Et je suis moi aussi plus heureuse, maintenant que je sais que je n'ai pas à me conformer à l'image que d'autres se font de la mère parfaite. L'important est ce qui est bon pour Alexia et pour moi. »

Le mieux est l'ennemi du bien

Edward Hardy en est arrivé tout de suite à la même conclusion pour son fils Emmanuel. Dès le début, sa femme et lui ont refusé les courbes de développement, les activités structurées et les outils de stimulations destinés aux jeunes enfants. Ils ont opté pour des choses simples et sans ambitions démesurées. Les brochures sur le yoga des bébés, la langue des signes et les DVD éducatifs sont allés droit à la poubelle.

Au cours des premiers mois, Edward, qui travaille comme rédacteur technique à Londres, a consacré beaucoup de temps aux soins ordinaires d'Emmanuel (le baigner, l'habiller, changer ses couches, le calmer, le masser et le nourrir). Les trajets quotidiens au square de Watford se sont avérés plus pénibles que profitables (compte tenu du coût, du transport, du stress et de la perturbation qu'ils entraînaient sur le rythme des siestes d'Emmanuel). Alors Edward a préféré emmener son fils en porte-bébé jusqu'au parc situé au coin de leur rue. Père et fils ont aussi passé un certain temps au café voisin, où Emmanuel pouvait jouer avec ses peluches, grignoter un morceau de pain et flirter avec la serveuse. « Beaucoup de gens doivent trouver cela monotone et ordinaire, mais c'était pour lui l'occasion d'un changement d'environnement, avec plein de choses à regarder et de stimulations diverses, explique Edward Hardy. Et cela nous a tout simplement permis de passer beaucoup de temps ensemble et d'apprendre à nous connaître. » Edward admet qu'il a connu quelques moments d'ennui et que la perspective d'une expédition pour un musée du centre de Londres l'a parfois tenté. Mais sa ténacité a porté ses fruits : « Avant l'arrivée d'Emmanuel, je pensais que les bébés n'avaient aucun intérêt, se souvient-il, mais quand vous leur consacrez vraiment du temps et que vous apprenez à les connaître, vous repérez le moindre changement, le moindre détail de leur évolution et de leur développement, et vous réalisez qu'ils sont fascinants. »

Edward a une relation très forte avec Emmanuel, qui a quatre ans maintenant et qui est un petit garçon malicieux, heureux et curieux. Tout cela s'explique par les nombreuses heures que tous deux ont tout simplement passées ensemble au lieu de chercher à atteindre des objectifs de développement. « Est-ce que ce ne serait pas la culpabilité qui conduirait les parents à ces égarements ambitieux ? Les pâtés dans le bac à sable du square voisin ne sont-ils plus assez bien ? se demande-t-il. J'ai découvert que l'ampleur des efforts consentis – argent, organisation, stress – est inversement proportionnelle aux bénéfices obtenus. En fait, je crois maintenant que le bac à sable du coin a quelque chose de magique. » La morale de cette histoire : en matière de bébé, le mieux est souvent l'ennemi du bien.

Bien entendu, les étapes du développement continuent à jouer leur rôle. Elles peuvent s'avérer cruciales pour repérer la petite minorité d'enfants qui ont besoin d'un soutien précoce. Mais ces étapes sont plutôt à envisager comme des lignes directrices plutôt que comme un mode d'emploi détaillé gravé dans le marbre. Les recherches montrent que l'on peut faire confiance à l'instinct des parents pour repérer un vrai problème concernant leur enfant, surtout s'ils parviennent à s'abstraire de la frénésie compétitive.

Redonnons toute sa place au jeu

Pour parler maintenant de ce que les enfants devraient faire dans leurs premières années, soulignons que le jeu est plus important que les étapes du développement. Le mot jeu est aujourd'hui un terme trop connoté. Dans une société obsédée par le travail et la réussite, jouer est presque une hérésie – un plaisir coupable, une excuse à l'indolence ou à la perte de temps. Pourtant, le jeu recouvre une réalité bien plus large que le fait de ne pas travailler. Dans sa forme la plus pure, il constitue un moyen essentiel pour entrer en contact avec le monde environnant et avec soi-même. Le véritable jeu est spontané et incertain : vous ne savez jamais quand il vous surprendra. Il ne s'agit pas de gagner ou de perdre, d'atteindre un but ou de franchir une étape. Le jeu défie tous les outils de notre culture du dépassement de soi : les objectifs, les programmes et les profits mesurables.

Les artistes ont toujours su qu'un esprit ludique pouvait découvrir les secrets les plus riches – et que les enfants comprennent le jeu mieux que quiconque. Pablo Picasso a parlé du besoin qu'il avait de préserver son âme d'enfant pour peindre. Henri Matisse a pour sa part observé que les gens les plus créatifs ont toujours eu « un sens incroyable de l'aventure et un amour du jeu ». Et même dans le monde scientifique, aussi rigoureux soit-il, une approche ludique des limites, une acceptation presque enfantine de l'incertitude, un refus de se laisser enfermer par l'orthodoxie des autres, représentent souvent le premier pas vers l'idée lumineuse, l'éclair de génie qui révolutionnera le monde. Sir Isaac Newton a ainsi écrit : « Je me fais l'impression de n'être qu'un petit garçon qui joue sur la plage, prenant plaisir à trouver de-ci de-là un galet un peu plus lisse, ou un coquillage un peu plus beau qu'à l'ordinaire, alors que les réalités que j'ignore s'étendent devant moi comme une mer immense. » Albert Einstein l'a formulé en des termes encore plus clairs : « Pour stimuler la créativité, il faut développer une inclination puérile au jeu et un désir infantile de reconnaissance. »

Ce que le jeu apporte aux enfants

Si les adultes peuvent décupler leurs facultés intellectuelles en jouant comme des enfants, que peut alors apporter le jeu aux enfants eux-mêmes ? À vrai dire, beaucoup de

choses. Les dernières découvertes scientifiques suggèrent
que le jeu, quand il est libre, représente une part essentielle
du développement – et pas seulement chez les humains.
Cela est également vrai chez les mammifères. Il semble en
effet que les ébats, les bagarres et les poursuites auxquels
se livrent les louveteaux et les lionceaux aient une raison
d'être. Les petits mammifères consacrent 2 à 3 % de leur
énergie à jouer. Cela peut sembler infime, mais les spécialistes de l'évolution affirment que c'est un investissement
trop important pour être complètement gratuit. En outre,
le jeu est parfois dangereux : près de 80 % des décès chez
les jeunes phoques à fourrure sont dus au fait que les petits
sont trop occupés à batifoler pour repérer la présence de
prédateurs.

Quel profit tirent les animaux de tout cet exercice et des
risques encourus? Et bien, il semble que le jeu est ce que
Mère Nature a trouvé de mieux pour nous rendre intelligents.
Les études montrent que les animaux qui s'adonnent le plus
au jeu, comme les dauphins et les chimpanzés, sont ceux
qui ont le cerveau le plus développé. Or, selon certaines
théories, les cerveaux plus développés sont plus sensibles
aux stimuli extérieurs et ont donc besoin de plus de jeu pour
se préparer à l'âge adulte. L'observation de chats, de rats et
de souris a permis de conclure que la phase de jeu culmine
chez eux précisément au moment où leur cerveau est le plus
élastique. « Il est vraisemblable que les animaux qui jouent
contrôlent mieux la structure de leur propre cerveau », nous
révèle John Byers, l'un des plus éminents chercheurs de

l'université d'Idaho. Les échographies montrent par ailleurs que durant des phases de jeu, le cerveau humain travaille plus intensément et plus pleinement que l'on pourrait le croire. Faut-il en conclure que le fait de priver un enfant de jeu affecterait sa créativité et sa capacité d'apprentissage ? Nul ne peut l'affirmer avec certitude compte tenu de l'état actuel de la recherche. Quelques études réalisées sur des animaux paraissent cependant démontrer qu'un manque de jeu peut occasionner des dégâts. Les scientifiques ont ainsi découvert que les bébés rats que l'on prive de jeu sont dotés d'un plus petit néocortex, partie du cerveau qui contrôle les fonctions les plus avancées comme la perception sensorielle, le raisonnement dans l'espace, la motricité et le langage (du moins chez les humains). Plus tard, ces rats se révèlent également moins sociables. Or, les enfants chez lesquels est diagnostiqué un trouble déficitaire de l'attention avec hyperactivité (encore appelé TDAH ou ADHD) présentent des symptômes similaires.

Le jeu est primordial

Ainsi, il semble évident que le jeu répond à une impulsion naturelle chez l'enfant. Il y investit 15 % de son énergie et paraît en avoir un besoin presque physique. Je me rappelle que, à l'heure du déjeuner, mon fils faisait en courant le trajet de la crèche à la maison pour pouvoir poursuivre une aventure imaginaire qu'il avait été contraint d'interrompre dans la matinée. Même dans l'adversité, les enfants trouvent toujours un moyen de jouer. Les archives sur la vie dans les usines de l'époque victorienne parlent d'enfants-ouvriers qui s'échappaient de leur poste de travail pour aller taper dans un ballon, se raconter des histoires ou jouer à cache-cache. J'ai passé une année à m'occuper de *meninos de rua* (« enfants des rues ») à Fortaleza, une ville pauvre de la côte nord-est du Brésil. Pour ces mômes, la vie typique d'un enfant occidental ne peut être qu'une image furtive entra-perçue sur un téléviseur. Ils vivent au sein de favelas ou de bidonvilles dans lesquels la nourriture est rare et la violence ordinaire. À l'âge de quatre ou cinq ans, ils quittent la mai-son pour gagner leur vie en cirant des chaussures ou en lavant des voitures. En général, ces meninos adoptent un air affranchi et désabusé, mais leur instinct pour le jeu prend parfois le dessus. Alors ils posent subitement leur attirail pour taper dans une cannette de Coca ou jouer à chat per-ché. Il leur arrive même d'improviser une belote avec des cartes de fortune et des cailloux. C'est dans ces moments de jeu, quand ils peuvent oublier un peu leurs responsabi-lités et les ravages causés par le monde des adultes, que les meninos sont les plus heureux – quand ils se souviennent qu'ils ne sont que des enfants.

Dans ces moments, il devient évident que le jeu est, à bien des égards, bénéfique pour les enfants. Il leur permet de créer des mondes imaginaires où ils peuvent affronter leurs peurs et imiter les adultes. Comme des scientifiques en herbe, les enfants formulent des théories sur le monde (la Terre est ronde et tous les barbus sont des sorciers), puis les testent et les corrigent. Les jeux collectifs, sans l'arbitrage d'adultes, aident les enfants à deviner les émotions des autres et à gérer les frustrations et les compromis qui font partie de toute relation. Il suffit d'observer des enfants de trois ans qui construisent une cabane dans un jardin. Ils rassemblent leurs matériaux, discutent de la manière de les assembler, échafaudent des plans, négocient qui fait quoi. Dans ces jeux sans règles, les enfants apprennent aussi à identifier leurs sources d'intérêts et de passions, ainsi que leurs forces et leurs faiblesses.

Nigel Cumberland est un ancien chasseur de tête devenu coach pour la jeune élite de Hong-Kong. Il s'est aperçu que beaucoup de candidats qui paraissent impeccables sur le papier manquent de jugeote, de sens social et d'esprit d'initiative. Ils préfèrent qu'on leur dise ce qu'il faut faire plutôt que de prendre un problème à bras-le-corps pour le résoudre par eux-mêmes. Nigel Cumberland pense que c'est parce que ces personnes ont été privées de jeu quand elles étaient enfants. « Si les mômes pouvaient jouer plus, vous auriez de meilleurs ingénieurs, de meilleurs managers et un peu plus d'inspiration dans le travail, affirme-t-il. Si vous ne permettez pas à un bébé ou à un jeune enfant de jouer, que vous l'envoyez dans une maternelle qui l'expose à la compétition et l'évalue en permanence, vous engendrez la crainte, laquelle génère une aversion pour le risque. Vous en faites des adultes ennuyeux. »

Le jeu n'est que la forme naturelle de l'apprentissage plus structuré qui a lieu à l'école (il peut même fonder les bases de la lecture, de l'écriture et du calcul). Pour les besoins de ses recherches, Herbert Ginsberg, professeur de psychologie et d'éducation à l'université de Columbia, a observé 80 enfants et a découvert qu'ils consacraient 46 % de leur temps libre à compter, à examiner des formes et des motifs, à trier des objets – en d'autres termes, à faire des mathématiques.

Pour maîtriser la lecture, l'écriture et le calcul, un enfant doit d'abord comprendre que les chiffres et les lettres sont des symboles représentant des quantités et des sons. Or, vous ne l'apprenez pas dans les livres et les cahiers; vous l'apprenez à travers le jeu et les échanges sociaux qu'il suscite. Anna Kirova, une spécialiste de l'éducation de la petite enfance à l'université d'Alberta, explique: « Quand on demande à un enfant de mettre la table, puis de parler de ce qu'il vient de faire – une assiette par personne, une fourchette par personne –, il s'agit de concordance. Il pourrait aussi bien associer un caillou et un bâtonnet, cela n'a aucune importance. C'est la notion de concordance que les enfants retiennent. » L'étape suivante consiste à réussir à associer des chiffres à des quantités, des lettres à des sons.

Laissons les enfants jouer selon leurs règles

Pour les enfants, le problème majeur du jeu tient à ce qu'il ressemble beaucoup trop à une perte de temps aux yeux des adultes. Ce préjugé nous vient de loin. Quand la première crèche au monde a ouvert ses portes en Allemagne, en 1840, son fondateur, Friedrich Froebel, fut ridiculisé pour avoir suggéré que le jeu constituait une part essentielle du développement des enfants. Aujourd'hui encore, même si nous évoquons volontiers l'importance du jeu, nous peinons à lui laisser libre cours. Nous voulons le contrôler et le quantifier, l'adapter à nos objectifs et à nos calendriers, en faire une sorte de travail. Cela ne veut pas dire que les adultes doivent totalement s'abstenir d'intervenir dans les jeux d'enfants. Leur contribution est essentielle, mais davantage en tant que public attentif ou comme source de suggestions légères. Cela implique de laisser les jeunes enfants jouer selon leurs propres règles.

Peu à peu, les parents en prennent conscience. Martha Hoffman, ancienne lobbyiste devenue mère au foyer, a commencé par jouer avec son fils, Theo, comme s'il s'agissait d'un jouet. Elle s'asseyait par terre ainsi que le recommandaient les experts, mais ne pouvait jamais s'empêcher de prendre les commandes. Si Theo construisait un château avec des cubes, Martha se tenait à côté de lui pour ramasser les cubes et consolider la structure afin qu'elle finisse par ressembler au modèle figurant sur l'emballage. Sur la plage, elle remplissait toujours d'eau son seau et réparait ses châteaux de sable. « Je savais que j'étais ridicule, mais je ne pouvais pas m'en empêcher », se rappelle-t-elle. Tout a changé quand elle a consulté un thérapeute familial afin de comprendre pourquoi Theo, à bientôt trois ans, avait du mal à jouer avec les enfants de son âge. Quand il s'affairait autour d'un puzzle, elle le guidait vers les bonnes pièces.

Puis elle lui choisissait un autre puzzle. Le thérapeute s'est montré horrifié : « Il m'a juste regardé en disant : "Qui joue, au juste, vous ou votre enfant?" raconte Martha Hoffman. Ça a été le signal dont j'avais besoin. » Elle a donc décidé de prendre du recul. Elle se met encore à quatre pattes pour jouer avec Theo, mais pas à chaque fois qu'il s'apprête à saisir un jouet. Et quand elle joue avec lui, elle refrène son besoin de guider ses mouvements et de corriger ses créations. « C'est difficile parce que je suis perfectionniste et que je veux pour lui ce qu'il y a de meilleur, mais il a fallu que je lâche du mou, dit-elle. Un enfant a besoin de jouer à sa façon sans que sa maman rapplique systématiquement. » Quelques mois plus tard, Martha m'a adressé un courriel pour me dire que Theo s'entendait de mieux en mieux avec ses camarades et qu'elle-même avait plus de plaisir à jouer avec lui, maintenant qu'elle ne cherchait plus à optimiser chacun des moments passés ensemble.

L'avenir de nos bébés
ne dépend pas que de nous

De bien des manières, la science nous commande de cesser de nous inquiéter pour des petites choses. Si l'enfance est le moment où le cerveau est le plus malléable, cela ne veut pas dire qu'un bébé a besoin d'une stimulation constante ou qu'il souffrira à jamais si vous l'avez laissé crier deux minutes dans son berceau pendant que vous alliez ouvrir la porte au facteur. Ces moments de frustration peuvent au contraire lui apprendre que rester seul n'est pas la fin du monde et que les choses ne se passent pas toujours selon nos désirs. L'ennui donne aussi aux enfants l'occasion de remarquer des détails dans leur environnement (la mouche sur la fenêtre de leur chambre, la façon dont le vent agite les rideaux) et leur apprend à utiliser leur temps et à s'occuper. De plus, nous savons aujourd'hui que, contrairement à ce qu'affirmait John Locke, les bébés ne sont pas des morceaux d'argile dont l'avenir dépendrait entièrement de leurs parents. Chacun de nous est venu au monde avec un patrimoine génétique particulier qui joue un grand rôle dans l'élaboration de notre intelligence, de notre personnalité et de nos aptitudes. En d'autres termes, un enfant qui parle tôt y parvient peut-être parce que ses gênes le prédisposent à maîtriser le langage de façon précoce, et non pas parce que ses parents ont passé de longues heures à lui montrer des programmes éducatifs. Certains experts avancent aujourd'hui que les autres enfants, les enseignants et les gens qui l'entourent ont une place plus importante dans la formation des enfants que l'on ne le pensait précédemment. D'autres estiment que ce que sont les parents (selon leur niveau d'éducation et de revenus, leur âge, leur niveau d'intelligence, leur approche de la lecture) influence bien plus largement le devenir des enfants que ce qu'ils font. Après avoir analysé des tonnes de données et d'études pour leur livre *Freakonomics*, Steven Levitt et Stephen Dubner ont conclu que, en général, l'éducation ne peut pas transfigurer la nature : « À cet égard, un parent trop intrusif ressemble beaucoup à un candidat à une élection qui croit que l'argent le fera élire, alors qu'en réalité tout l'argent du monde ne le fera pas gagner si, pour commencer, les électeurs ne l'aiment pas. »

Au final, il est faux de croire que la moindre de nos actions de parents laisse une marque indélébile, bonne ou mauvaise, sur nos enfants, même au cours de leurs premières années. Les parents ont certes une importance énorme, mais la réussite d'un enfant ne dépend pas à 99 % de sa mère – ni de son père d'ailleurs.

En marketing, il existe un vieil adage qui veut que seule la moitié des spots publicitaires porte ses fruits… sans nous dire quelle moitié. Dans une certaine mesure, cela s'applique aussi à la parentalité. Mais que faire avec cet adage ? Vous pouvez en faire le fondement de vos obsessions à contrôler le moindre détail de la vie et du développement de votre enfant (au cas où…). Ou alors vous pouvez vous détendre un peu en sachant que les moments où votre enfant est soustrait à vos sollicitations et votre attention, voire ceux où il s'ennuie, font naturellement partie de sa progression vers l'âge adulte. Investir toute son énergie pour atteindre l'étape suivante le plus vite possible est souvent une perte de temps et peut même causer des dégâts.

Martha Hoffman a choisi pour sa part cette dernière approche : « Savoir que vous n'avez pas besoin de cogiter en permanence autour de votre bébé vous retire un sacré poids des épaules, dit-elle. Il faut juste que je trouve une école maternelle qui sera d'accord avec moi. »

3

La maternelle : le jeu est un travail d'enfant

En matière d'éducation, le plus important est la formation reçue au jardin d'enfants.

PLATON

Il n'y a pas si longtemps, les années de maternelle étaient plutôt confortables. À la maison, et même à la crèche, les enfants faisaient des choses naturelles. J'ai passé mes jeunes années à écouter des histoires, à m'habiller, à m'essayer au dessin de façon assez anarchique et à chanter des chansons. Je m'amusais avec mes jouets et je construisais des châteaux dans le bac à sable; je me chamaillais et je gambadais avec mes copains. La plupart du temps, j'étais libre d'explorer le monde selon mes propres règles. Quant à mon objectif, si l'on peut dire, il était assez modeste: arriver à mon premier jour de CP heureux, confiant et capable de m'entendre avec les autres.

Comme tout cela semble dépassé aujourd'hui. Pour la dernière génération, les années de maternelle se sont transformées en un parcours du combattant académique. Qui donc a encore le temps de faire de la peinture au doigt ou de jouer avec des marionnettes quand il faut tracer des lettres et apprendre des chiffres? Oublié le bac à sable: il est temps de se préparer à l'entretien d'entrée en maternelle. Gymboree, groupe américain spécialiste du jouet, organise une formation en douze semaines qui promet de changer des enfants de deux ans en « citoyens du monde », en les exposant aux arts, aux danses et aux musiques du monde entier. Dans la ville portuaire de Tianjin, en Chine, un pensionnat huppé accepte désormais les enfants de trois ans.

Face à une telle pression pour maîtriser les bases (lire, écrire, compter) dès le plus jeune âge, des sociétés de tutorat ont commencé à créer des départements consacrés aux classes de maternelle. Les écoles de bachotage de Tokyo ouvrent déjà leurs portes aux enfants de deux ans. Dans le monde entier, les centres Kumon[1] enseignent à des enfants de trois ans l'alphabet, les additions et les syllabes de base. Les enfants y apprennent aussi à écrire les chiffres et à compter jusqu'à 200. Les crèches, surtout celles du secteur privé, ont restreint la place donnée au dessin, à la musique et au théâtre au profit de cours centrés sur les lettres et les chiffres. Et quand les enfants arrivent au primaire, ils sont submergés de programmes de travail et de devoirs dès la première semaine. Pour couvrir le programme officiel, de nombreux jardins d'enfants américains ont aboli les siestes du matin et de l'après-midi. Et il n'est plus question de jouer pendant la pause déjeuner.

---

1 Kumon est un groupe franchisé d'enseignement parascolaire conçu pour aider les enfants à maîtriser les bases des mathématiques et de la lecture. Le programme Kumon a été créé au Japon il y a cinquante ans, et les franchises sont présentes dans beaucoup de pays, en Asie bien sûr, mais aussi aux États-Unis et au Canada. Il n'existe en revanche aucun centre en France.

Du bachotage dès la maternelle…

Pourquoi imposer une telle charge à un si jeune âge? Pourquoi toute cette hâte? L'une des raisons tient à l'impatience et à l'hypercompétitivité de notre société. Sur toute la planète, on impose de plus en plus aux enseignants de maternelle de classer leurs élèves. Ma fille fait-elle partie des cinq premiers? Non, et pourquoi? Que pouvons-nous faire pour améliorer son classement? Quand un enfant de quatre ans est capable de lire *Le Chat botté*, imaginez ce qu'il lira à dix ans… et à trente-cinq! Nous sommes sans doute nombreux à soupçonner que c'est aberrant de faire des plus jeunes années un marathon académique: est-il naturel pour un enfant de passer de longs moments assis devant une table? Mais une fois encore, quand sonne le signal de la compétition, nous oublions vite notre bon sens.

Dans le même temps, les politiques ont placé l'apprentissage précoce en tête de leurs priorités. Dans les années 1960, les gouvernements ont commencé à mettre en place des programmes pour aider les enfants défavorisés à suivre le rythme scolaire. De nos jours, compte tenu de la demande des entreprises pour des cadres mieux formés et de la pression des parents pour des standards d'éducation plus élevés, le discours officiel recommande que les jeunes années soient consacrées à l'apprentissage des bases de la lecture et du calcul.

Regardons plutôt sur le long terme

Tout comme la paix dans le monde, l'« éducation précoce » apparaît comme une évidence (comment pourrait-on remettre en question la nécessité de préparer les enfants à un démarrage fulgurant?). L'ennui, c'est que l'intensification de l'apprentissage reste fonction de la loi des rendements décroissants. Il est vrai que cela peut engendrer des résultats qui impressionnent les enseignants et ravissent les parents : des enfants qui atteignent la maternelle en sachant déjà lire des livres sans image, écrire leur nom ou maîtriser les tables de multiplication. Mais que se passe-t-il à long terme? Cet apprentissage précoce porte-t-il ses fruits par la suite? Eh bien, non. Les dernières recherches semblent prouver que le fait de franchir précocement une étape d'apprentissage ne garantit pas pour autant la réussite scolaire ultérieure. Une étude menée à Philadelphie a révélé que, vers sept ou huit ans, on ne pouvait pas déceler de différences tangibles entre les résultats d'enfants issus de maternelles traditionnelles et de maternelles pratiquant des méthodes plus souples basées sur le jeu. À vrai dire, la seule différence palpable semble tenir à une plus grande anxiété et à une moindre créativité chez les enfants ayant fait l'objet d'un apprentissage très surveillé.

Alors que beaucoup de gens pensent que la meilleure des préparations pour l'école consiste à connaître les lettres, les chiffres, les formes et les couleurs, les enseignants ont une opinion tout à fait différente. Ils nous disent que les enfants qui arrivent en maternelle en étant adaptés socialement, qui savent partager, faire preuve d'empathie et obéir, sont ceux qui ont les meilleures chances de maîtriser par la suite les connaissances de base que sont la lecture, l'écriture et le calcul.

Ce qui ressort de tout cela, c'est que les êtres humains sont programmés pour apprendre dès leur naissance et qu'il vaut mieux, pour leur bien, qu'ils abordent les grandes étapes de l'apprentissage scolaire au moment où ils sont émotionnellement et psychologiquement prêts. Certains auront un déclic plus tardif que d'autres, mais la plupart finiront par y arriver: le cancre d'hier pourrait bien devenir l'intellectuel de demain. Cela exige de la patience, denrée très rare dans notre société obsédée par la vitesse. Je me souviens de la première fois que mon fils, à cinq ans, est rentré de l'école avec des devoirs de lecture. Il faisait de gros efforts pour associer les sons afin d'en faire des mots et pour se remémorer la prononciation des combinaisons les plus difficiles. C'était assez désespérant, et j'ai fini par me demander s'il n'était pas dyslexique. Puis, tout d'un coup, comme s'il avait appuyé sur un bouton dans sa tête, sa lecture est devenue fluide. Peu de temps après, il s'endormait tous les soirs avec un livre.

Les scientifiques s'accordent à dire que l'apprentissage de la lecture a de meilleurs résultats autour de l'âge de six ans, quand les enfants ont plus de facilité à appréhender les notions abstraites et que les différences de développement se sont nivelées. Un apprentissage prématuré pourrait même les dégoûter d'apprendre, les rendant ainsi moins aptes à leur future scolarisation. Une étude de 2003 a souligné que, au Danemark et en Finlande, pays où l'âge officiel de scolarisation tourne autour de six à sept ans, les enfants avaient de meilleures capacités de concentration qu'en Grande-Bretagne, où la scolarisation commence deux ans plus tôt.

La liberté d'explorer le monde

Il semble que ce qui profite le plus aux enfants de maternelle, c'est la liberté d'explorer le monde qui les entoure, dans un environnement sécurisant et détendu, foisonnant d'histoires, de rimes, de chansons, de discussions et de jeu. Ils ont besoin de se dépasser et de faire des efforts, mais pas au sens où beaucoup d'adultes l'entendent.

Certaines écoles s'écartent pourtant des sentiers battus, comme dans la ville de Reggio Emilia. Cette petite bourgade du nord de l'Italie a commencé à se faire connaître dans le monde de l'éducation après la seconde guerre mondiale. Rentrant de la guerre pour découvrir son village détruit, un jeune enseignant du nom de Loris Malaguzzi décida que la meilleure façon de le reconstruire serait de commencer par le commencement, en réinventant la maternelle. Malaguzzi n'était pas un simple pédagogue; c'était aussi un réformateur social charismatique, doté d'un vrai projet. Ayant mis au travail une équipe de choc formée d'enseignants acquis à ses idées, il entreprit de créer des maternelles qui devaient

« changer la culture de l'enfance ». Dans la pratique, cela le conduisit à miser sur la curiosité naturelle des enfants et à les laisser s'exprimer en toute liberté. « De nos jours, on considère en général que l'enfant requiert en permanence d'être guidé et conseillé par un adulte pour atteindre des standards qui sont eux-mêmes définis par des adultes, explique Claudia Giudici, enseignante et porte-parole de Reggio. Nous pensons, pour notre part, que l'implication des adultes doit être limitée le plus possible, de façon à ce que les enfants puissent bâtir leur propre savoir et leurs propres relations. »

Reggio ou les enfants aux commandes

Les maternelles de Reggio n'enseignent ni la lecture, ni l'écriture, ni le calcul. Elles n'ont d'ailleurs aucun programme défini. Au lieu de cela, les élèves travaillent à des projets imaginés à partir de leurs propres centres d'intérêts. Après avoir observé un vol d'oiseaux dans le ciel d'automne, ils peuvent décider de passer les deux ou trois mois qui suivent à étudier les différentes espèces d'oiseaux, à construire des nids à partir de matériaux collectés dans la nature et à examiner les phénomènes de migration. Le dessin est considéré comme le moyen naturel dont dispose l'enfant pour explorer, analyser et comprendre le monde, plutôt que comme une activité optionnelle supplémentaire ou le début d'une carrière prometteuse. Ajoutons à cela que les enfants ne font pas l'objet d'un classement et que l'apprentissage est avant tout un travail de groupe. Quand un enfant est absent, les autres discutent de la façon dont il aurait réagi aux activités du jour ou aux questions qu'il pourra poser le lendemain. Il n'y a pas de compétition pour produire le plus beau dessin ou rendre le cahier le plus propre. Il n'y a pas non plus d'urgence à finir un projet, l'emploi du temps évoluant en fonction des enfants.

Reggio n'édite pas de manuels pédagogiques parce son approche est en constante évolution et que chaque enfant, ou chaque groupe d'enfants, est unique. Le seul précepte est que l'enseignant ne doit jamais prendre les commandes. Il peut apporter au groupe de nouvelles idées ou de nouveaux matériaux, mais toujours de manière à permettre aux enfants de faire des découvertes par eux-mêmes. Les erreurs sont autorisées et les projets démarrent sans qu'existe toujours une idée bien claire de ce à quoi ils mèneront. En fin de journée, les enseignants et les élèves discutent de ce qu'ils ont appris et le mettent en forme. Cette mise en forme peut emprunter n'importe quel chemin, selon ce qui semble le plus naturel : des mots, des dessins, des peintures, des sculptures, des collages, de la musique, des mouvements. Elle permet notamment aux enseignants d'en savoir plus sur les enfants dont ils s'occupent et sur le processus d'apprentissage lui-même ; elle donne aussi aux enfants l'occasion d'approfondir leurs connaissances en revenant sur leurs découvertes et en les expliquant aux autres.

L'ambition de Reggio est de former des enfants qui soient capables de réfléchir, de rêver, d'analyser, de jouer, d'imaginer et d'avoir une vie sociale. Cela paraît d'ailleurs bien fonctionner. À ce jour, à Reggio Emilia, la moitié des enfants de moins de six ans sont inscrits dans une école de ce style, ces établissements étant tous financés par la municipalité. Beaucoup d'élèves sont les enfants d'anciens disciples de Reggio. Dans les années 1990, *Newsweek* a placé les maternelles de Reggio au premier rang mondial, faisant de cette ville La Mecque des enseignants, des universitaires et des hommes politiques de toute la planète. Près de 20 000 observateurs étrangers s'y sont rendus pour des missions d'enquête depuis 1994.

Une école ouverte sur la vie

Pour voir la méthode Reggio en action, je me suis joint à cette horde au printemps dernier. La ville elle-même est assez classique, selon les standards italiens, avec ses 140 000 habitants vivant dans des immeubles plus ou moins récents, autour d'un centre médiéval. Ma visite a coïncidé avec celle de près de quatre cents chercheurs venus des États-Unis et des pays scandinaves. Tels des pèlerins suivant le chemin de la Sainte Croix, ils allaient d'une école à l'autre en serrant sur leur cœur, non pas une Bible, mais un calepin et des dossiers frappés du logo Reggio Children, l'organe constitué pour canaliser ce déluge international. Pour échapper à cette cohue, je me suis rendu à Pratofontana, un hameau distant d'environ huit kilomètres. Ici, les maternelles Reggio sont appelées Prampolini et elles illustrent parfaitement le credo de Reggio, qui dit que la beauté élève l'esprit et enflamme l'imagination. La campagne offre une véritable fête pour les sens : les rosiers sont couverts de boutons rose et blanc ; les papillons s'égarent dans des jardins où poussent la sauge, le romarin, la menthe, le thym et le basilic ; une cabane d'observation des oiseaux fait face au plateau qui s'étend aussi loin que l'horizon. Cette région d'Italie est réputée pour son lait et son fromage, ainsi que pour son vin rouge de Lambrusco ; aussi, les champs environnants accueillent beaucoup de vignes et de paisibles ruminants. Sur le côté de l'école qui fait face à la ville, nichée dans un arbre, se trouve une splendide cabane avec sa table, ses chaises et ses couverts. Quand le vent se calme, on peut presque entendre le murmure de la petite fontaine de pierre située au fond du jardin.

L'école elle-même est une jolie construction de briques, avec des fenêtres ombragées par de grands volets et un toit de tuiles. À l'intérieur, les murs sont blancs et les plafonds très hauts. Dans le moindre recoin, le regard est attiré par des objets qui aiguisent la créativité : un endroit a été aménagé pour accueillir de multiples costumes, un autre est réservé à une série de chevalets de peintre ; les étagères croulent sous les pots remplis de crayons, de feutres, de pinceaux et de règles ; il y a aussi des plumes, des boulons, des pâtes, des crochets en plastique et des bouts de ferraille. La cantine ressemble à un café, avec ses petites tables bleues décorées de plantes, de sculptures d'argile et de bols en céramique remplis de noix. À l'heure du déjeuner, un parfum de lasagnes maison s'échappe de la cuisine. Il est évident que les enfants, âgés de trois à six ans, s'y sentent bien. Sous une treille, dans le jardin, un groupe s'affaire à réaliser des figurines en argile tout en discutant de la provenance de cette terre et de la façon dont elle réagit à la température. Tout près, des enfants de trois ans décorent un aigle en métal avec des lanières de cuivre et de vieux fils électriques.

Apprendre à regarder

Giulia et Marco peignent les rosiers. Un enseignant vient les voir de temps en temps, mais ils sont généralement livrés à eux-mêmes. Derrière leur chevalet, le pinceau à la main, ils semblent absorbés par leur travail. Giulia saisit une rose, respire son parfum et l'observe sous tous ses angles. Puis elle la place sur son chevalet et la photographie : « Pour m'en souvenir plus tard, explique-t-elle, et la comparer à mon tableau. » De temps en temps, Giulia et Marco discutent des rosiers, évoquant les nuances de leurs couleurs, la manière dont la lumière les éclaire, la façon dont le vent transforme leur feuillage. C'est cela qu'évoquait Blake en parlant de voir un monde dans un grain de sable. Pourtant, ces deux enfants n'ont que cinq ans.

Une petite fille les rejoint pour leur montrer une coccinelle posée sur son doigt et tous les trois se la passent de main en main. Marco compare le rouge de l'insecte à celui des fleurs. Giulia affirme que la coccinelle est un porte-bonheur. Puis ils retournent à leur chevalet. Après quarante-cinq minutes environ, les enfants appellent la maîtresse parce qu'ils ont fini. Leurs peintures, surtout celle de Giulia, sont réellement belles. Marco est très satisfait de la sienne : « C'est exactement comme ça que je la voyais dans ma tête », rayonne-t-il.

Le reste des activités est tout aussi élaboré. Au premier étage, un groupe d'enfants de quatre à cinq ans travaille à un projet sur l'eau, dont l'idée a germé quand l'un d'eux a visité un aqueduc voisin et en est revenu avec une foule de questions. Au cours des six derniers mois, ils sont allés voir des rivières, des canaux et des circuits d'irrigation pour examiner les variations de couleur, de profondeur et de mouvement des eaux, ou réfléchir sur l'importance de l'eau dans notre vie quotidienne. Pour mieux présenter leurs découvertes à leurs camarades, ils ont pris une quantité de photos. Quand j'entre dans la pièce, ils sont en train de classer les clichés sur l'ordinateur. Au moyen de cubes de bois, un petit garçon et une fillette s'emploient à rafraî-chir leurs souvenirs d'un bateau passant une écluse à trente kilomètres de là. « Où se trouvait la machine qui actionnait les portes ? » demande l'instituteur. « Elle était cachée dans les murs, qui étaient en ciment », répond le garçon. Cela déclenche une discussion animée sur la façon dont l'eau peut endommager une machine et sur les conséquences des gaz d'échappement sur la qualité de l'eau.

Une école qui respecte les enfants

Dans la pièce voisine sont exposés les résultats d'un autre projet. Celui-ci est né quand certains enfants ont décidé que l'un des ronds-points de Pratofontana méritait d'être amélioré. Chacun a élaboré son plan, puis les enfants ont mis en commun leurs idées pour concrétiser des modèles à partir de leur vision collective. L'un d'eux présente un rond-point transformé en jardin coloré, réalisé au moyen de petits cailloux, de brins d'herbe et de pétales de fleurs, et entouré de personnages et de voitures en papier.

Le tout dernier projet est en train de voir le jour au grenier. Il a débuté parce que certains élèves ont suggéré de faire un cadeau musical à la fontaine du jardin, qui s'était tue après un hiver glacial. Cinq petits de quatre ans entourent une table basse couverte d'objets hétéroclites : des tuiles, des pierres, des bouts de bois, des boutons, des coquillages et différentes sortes de papier. Il y a aussi une chaîne stéréo et un micro. « Le projet en est à ses débuts, alors nous ne savons pas encore ce que nous voulons construire ou apprendre, me dit Alessandro, l'instituteur. Nous n'imposons rien aux enfants ; nous préférons les laisser libres dans leur expérimentation et observer d'abord comment ils abordent le sujet. »

Les enfants sont en quête de matériaux qui reproduiraient le bruit de l'eau coulant d'une fontaine. Lorenzo agite une feuille de papier absorbant : « On dirait plutôt le bruit de la pluie », dit-il. Claudia, près de lui, est d'accord. Elle saisit alors un bout de fil électrique pour le frotter contre un épi de maïs séché : « Ça ne va pas non plus », constate-t-elle. Dario, avec ses boucles brunes et sa bouille souriante, s'empare du micro : « Quand le vent souffle, cela fait comme ça », affirme-t-il en soufflant dans le micro. Puis il fait claquer sa langue et produit un son étrangement proche de celui de l'eau qui s'égoutte. Alors les enfants applaudissent et éclatent de rire.

Alessandro les laisse faire, mais les guide aussi de temps en temps. Il désigne une bouteille en plastique remplie de sable. « Quel bruit pensez-vous que cela fasse ? » demande-t-il. Claudia s'empare de la bouteille et l'agite : « Ça ressemble plus au vent, comme le vent qu'on entend dans les champs derrière chez moi », dit-elle. Puis Dario l'agite encore plus vigoureusement : « Maintenant, ça ressemble à la tempête. »

Alessandro est content : « J'espère qu'ils en retireront des connaissances sur la musique et le monde des bruits, ce qui pourrait les amener à parler des sens, mais nous verrons bien où leur imagination va les conduire, dit-il. Il se passe des choses incroyables quand on laisse les enfants suivre leurs intuitions. »

Dans les écoles Reggio, l'une des premières choses que les gens remarquent est le respect montré aux enfants. Il ne s'agit pas d'un endroit où les enfants sont livrés à eux-mêmes, avec tous les droits, y compris celui de tout casser ou d'insulter les adultes. Mais plutôt que de s'adresser aux enfants avec une voix idiote ou de remplir la classe de peluches de Disney, plutôt que de leur faire apprendre tout un tas de matières, les enseignants les encouragent à interagir avec le monde en suivant leurs propres règles.

Libres de s'amuser, tout simplement

Ce qui m'a le plus frappé dans les écoles Prampolini, c'est la façon dont un travail sérieux s'accommode parfaitement de l'excitation enfantine. Les enfants s'attaquent à leurs projets avec une concentration à la fois touchante et impressionnante, mais il y a autant de rires dans ces classes que dans n'importe quelle assemblée de jeunes enfants. Bien avant que les images du cerveau ne nous apportent la preuve de l'importance du jeu, ce dernier était déjà au cœur de la philosophie de Reggio. Tous les projets y sont menés dans un esprit d'amusement. L'un des principes posés par Malaguzzi est de « ne rien faire sans joie ». Dans les écoles Prampolini, il peut s'écouler entre chaque projet de longs moments durant lesquels les élèves sont libres de s'amuser. Au cours de ma visite, j'ai vu quatre enfants se passionner pour un jeu de rôles complexe qui se déroulait dans la cabane perchée sur l'arbre à côté de l'école. Pendant ce temps, d'autres jouaient sur l'un des terrains de jeu, habillés en chevaliers du Moyen Âge.

À la fin de mon séjour, j'ai parlé à quelques-uns des observateurs étrangers venus à Reggio. Tous étaient impressionnés par la sophistication du travail des enfants et par leur capacité de concentration. Ils admiraient aussi la subtilité avec laquelle les enseignants guidaient leurs activités, sans pour autant interférer avec leur imagination.

Mary Hartzell, qui dirige une école maternelle inspirée de Reggio à Santa Monica, en Californie, se rend régulièrement

à Reggio pour garder le contact. Ses élèves quittent sa maternelle pour des écoles de tous types. « Quand ils s'en vont,
ils font preuve d'une grande créativité et ont une capacité
d'apprentissage remarquable, du fait de leurs excellentes
aptitudes à socialiser, à communiquer et à résoudre les problèmes ; ils s'accommodent très bien d'un travail d'équipe,
tout en sachant parfaitement qui ils sont. »

Bien sûr, l'approche pratiquée à Reggio n'est pas exempte
de critiques. Certains estiment qu'elle ne peut fonctionner
que pour des enfants privilégiés, et que ceux qui sont issus
de milieux populaires ont besoin d'être davantage guidés dans leur vie. D'autres jugent que cette méthode est
difficilement exportable en dehors de l'Italie, où les liens
sociaux restent très forts. Les supporters de Reggio rétorquent
que ces écoles accueillent avec succès des enfants de tous
les milieux sociaux. Les Prampolini acceptent les enfants
issus de familles à faibles revenus, de familles immigrées
ou de minorités. La philosophie de Reggio voyage d'ailleurs
très bien. J'ai visité à Manhattan une crèche inspirée de
cette pédagogie, une sorte de maternelle Prampolini sans
les champs alentour. Les techniques appliquées à Reggio,
depuis l'élaboration des projets jusqu'à leur formalisation,
fonctionnent également très bien hors d'Italie.

La pédagogie Montessori

Parallèlement, d'autres méthodes pédagogiques qui laissent
les enfants être des enfants gagnent du terrain dans les

maternelles du monde entier. Les écoles Montessori, Steiner ou Waldorf en sont trois exemples. Tout comme à Reggio, elles évitent de recourir aux tests, aux classements et aux disciplines trop académiques, afin de libérer la curiosité naturelle des enfants et leur esprit ludique. Comme l'exprime Maria Montessori, « le jeu est un travail d'enfant ».

Une fois encore, cette approche semble donner des résultats. Des études menées sur des enfants issus de milieux similaires montrent que ceux qui vont dans les maternelles Montessori arrivent en primaire mieux préparés à la lecture et aux mathématiques, et qu'ils sont mieux à même de résoudre des problèmes complexes. Les enfants Montessori sont tout particulièrement doués pour jouer et travailler en équipe.

Après ma visite des Prampolini, je me suis rendu à l'autre bout du monde pour observer une école Waldorf en action. Highgate House est située sur une colline qui surplombe l'île de Hong Kong. La vue qu'elle offre sur la mer et sur de magnifiques villas nichées dans des coteaux boisés est à couper le souffle. Les gratte-ciel bien connus de Hong Kong, situés sur l'autre côté de l'île, sont ici invisibles.

Le choix du jeu au pays de la performance

Highgate House est la seule école Waldorf dans un pays où l'apprentissage précoce est presque sacré. Ce que j'y découvre est à cent lieues du quotidien des autres maternelles de Hong Kong. Ici, le jeu est roi. Les enfants ne passent pas des heures devant leurs pupitres à étudier les caractères chinois. Au contraire, certains sont assis en cercle pendant que leur instituteur allume une bougie et joue quelques notes sur un xylophone avant de leur lire une histoire. D'autres s'amusent tranquillement sur la terrasse où se trouvent une structure d'escalade, de grands paniers avec des pommes de pin, des cubes de bois, des pneus, un bac à sable et un clapier à lapins qui accueille Holly, Thumper et Fluffy.

Julie Lam, la coordinatrice d'éducation, me dit que les enfants qui se trouvaient avant dans des maternelles traditionnelles arrivent ici souvent épuisés, parfois même malades du fait du rythme de l'enseignement. Certains ne savent tout simplement pas jouer ou se faire des camarades et restent immobiles au milieu de la pièce. Après tout, Hong Kong est un lieu où les enfants savent souvent mieux réciter leurs tables de multiplication que nouer leurs lacets. « En notre for intérieur, nous savons pourtant tous ce qui est bon et ce qui est mauvais pour notre enfant, dit Lam, mais quand tous les gens qui vous entourent font la même chose, il faut beaucoup de courage pour choisir la voie opposée. »

Wisdom Chan en est un bon exemple. À la tête d'une société d'investissement, il fait partie de l'élite professionnelle de Hong Kong. Mais, contrairement à la plupart de ses pairs, il a décidé de résister à la pression et de ne pas placer sa fille de deux ans, Béatrice, dans le TGV académique. Tandis que la plupart des enfants de son âge passent de longues heures devant un tableau noir, Béatrice va jouer à Highgate House trois fois par semaine durant deux ou trois heures.

J'ai rencontré Wisdom Chan au moment où il venait récupérer Béatrice. Pendant que nous discutions, elle est allée s'amuser dans le bac à sable avec un petit copain. Les deux enfants ont commencé à se disputer une pelle, mais sont parvenus à un compromis satisfaisant, sans qu'un adulte ait à intervenir. Ils ont alors creusé ensemble un trou qu'ils ont rebouché, et ont recommencé plusieurs fois.

Les préjugés ont la vie dure

« Ce que j'apprécie tout spécialement dans cette école, c'est la décontraction; ici, on ne pousse pas les enfants à faire ceci ou cela, à apprendre avant qu'ils ne soient prêts ou à se conformer à une idée unique de ce que devrait être un enfant, me dit Chan. J'ai lu beaucoup de livres sur le développement des enfants et, à cet âge, la priorité pour Béatrice c'est de s'amuser, de s'intéresser à ce qu'elle est en train de faire et d'interagir avec d'autres enfants. L'enseignement formel ne vient qu'après. »

Il ne lui a pourtant pas été facile d'abandonner le système scolaire traditionnel. Ses amis et sa famille disaient que Béatrice allait stagner. Lui-même avait quelques doutes : « Je craignais surtout que, en venant ici, elle ait du bon temps, mais à ses dépens, alors je l'ai inscrite à l'essai pour deux mois, me raconte Wisdom Chan. Elle a vraiment adoré et beaucoup appris – le nom des différents animaux, ou la différence entre un avion et un hélicoptère. Elle s'exprime aujourd'hui mieux que la plupart des enfants de son âge qui vont dans des maternelles classiques et paraît en savoir beaucoup plus sur le monde. Elle montre aussi de meilleures aptitudes sociales. Quand viendra le moment de rentrer à l'école primaire, elle sera plus que prête. »

À Hong Kong, les enseignants du primaire sont du même avis. Certains d'entre eux se plaignent que les enfants issus des maternelles traditionnelles arrivent à l'école épuisés et socialement inaptes. Par contraste, ceux de Highgate, tout comme ceux de Reggio ou des écoles Montessori, débarquent pleins d'énergie et avec une grande soif d'apprendre. Un groupe de parents d'élèves vient de lancer une campagne pour obtenir la création à Hong Kong d'une école primaire Waldorf, qui accueillerait les enfants en âge de quitter la colline de Highgate House.

Et pourtant, Highgate House s'est vue contrainte de proposer des options axées sur l'apprentissage des lettres et des chiffres pour les enfants de quatre ans et plus, pour faciliter l'entrée des élèves dans les écoles primaires traditionnelles. Ces cours font la part belle au dessin et au mouvement – les enfants y manipulent de grosses lettres sur le sol –, mais Lam les juge inadaptés à des enfants si jeunes : « Cela prouve combien les préjugés ont la vie dure », soupire-t-il.

Cela n'empêche pas la plupart des parents d'élèves de Highgate House de s'en tenir au modèle originel de l'école. Wisdom Chan ne voit aucun intérêt à pousser Béatrice à apprendre l'alphabet avant le primaire. Comme elle est heureuse et épanouie, Wisdom Chan et sa famille sont tout acquis au modèle Waldorf. Et leurs amis, initialement sceptiques, parlent aujourd'hui d'y inscrire leurs enfants.

Pendant que je réunis mes documents, Béatrice se rue sur son père. Elle est tout excitée par quelque chose dans le bac à sable : « Araignée, dit-elle rayonnante, avec plein de pattes. » Son père éclate de rire et la prend dans ses bras. « Voilà des moments dont vous vous souvenez pour le restant de vos jours, me dit-il. Mon fils, Albert, fera sa rentrée ici dès le trimestre prochain. »

Des écoles en plein air

Cette tendance à libérer les enfants de la tyrannie d'un apprentissage trop formel est en train de faire le succès d'une école maternelle encore plus radicale. Celle-ci ignore les livres, les cahiers de coloriage, les crayons, les parcours de gymnastique, les balançoires, les cubes en plastique et les jouets en bois, les caméras de surveillance, les ordinateurs ou les aires de jeux matelassées. Elle n'a ni toit ni murs. En fait, tout s'y passe en pleine nature, comme le recommandait Jean-Jacques Rousseau au XVIIIe siècle. Présentes en Scandinavie depuis les années 1950, les « maternelles de plein air » gagnent aujourd'hui du terrain en Europe et au-delà.

Quiconque a pu observer des enfants passer une après-midi dans les bois sait que la nature est le terrain de jeux suprême. Mais c'est également le lieu de la salle de classe originelle : bien avant les tableaux noirs ou blancs, c'était dehors que les enfants apprenaient à regarder, à manipuler et à tirer parti du monde qui les entourait.

L'école Lakeside, une école privée de Zurich, a décidé d'ouvrir une maternelle de plein air en 2003. C'est la baisse des standards de développement qui a déclenché le projet. Les enseignants ont en effet constaté que les petits qui arrivaient en maternelle avaient des capacités motrices inférieures et attendaient qu'on leur dise quoi faire au lieu de prendre des initiatives. Ces enfants avaient aussi du mal à se concentrer, à remarquer les petits détails et à s'amuser, tellement ils étaient impatients de passer à l'activité suivante. Pour Lakeside, la solution se trouvait dans un retour à la nature.

Deux fois par semaine, quel que soit le temps, une douzaine d'enfants de trois à quatre ans partent crapahuter dans les bois qui s'étendent autour de Zurich. L'école a d'abord mis en place un programme prédéfini pour ne pas effrayer les parents, mais elle s'en est rapidement affranchie, car celui-ci s'est avéré contre-productif. Les enfants choisissent donc ce qu'ils veulent étudier chaque matin, sans contenu déterminé. Récemment, au cours d'une semaine du début du printemps, ils se sont ainsi consacrés à l'examen des bourgeons parsemant les branches des arbres et des arbustes. Puis il s'est mis à neiger et la classe a décidé de se lancer dans la construction d'un igloo. En fin de semaine, après une tempête, les enfants ont passé la journée à aider les gardes forestiers à couper les arbres déracinés avec des scies miniatures. Petit à petit, presque par osmose, ils retiennent des rudiments que d'autres s'ennuient à étudier en classe.

Ils apprennent les formes en comparant des pierres et les chiffres en amassant des brindilles ou des fleurs. La connaissance des couleurs leur vient de l'inspection des plumes d'oiseaux ou de l'étude des feuilles d'automne. L'apprentissage des sons se fait en écoutant les bruits de la faune locale. Quand ils arrivent en primaire, ils ont confiance en eux et sont autonomes, avec une vraie envie d'apprendre.

Tout comme à Reggio ou dans les écoles Waldorf et Montessori, les enseignants de ces maternelles de plein air évitent l'interventionnisme. L'essentiel est de donner aux enfants un espace et un temps suffisants pour qu'ils fassent leur propre apprentissage. La directrice de l'école Lakeside, Liz Blum, estime que la nature facilite les choses : « Quand vous regardez des petits évoluer dans les bois, explorer, jouer, prendre des responsabilités, commettre des erreurs et en tirer des leçons, s'adonner à leurs activités, vous réalisez que les enfants sont faits pour ça. »

Que retirer de tout cela? Que la formation académique traditionnelle peut attendre un peu. Que le jeu en toute liberté est un élément essentiel de la petite enfance. Qu'il existe beaucoup de façons d'apprendre et qu'il y a donc beaucoup de manières d'aborder l'éducation.

Voir sa fille heureuse à Highgate House a sans doute aidé Wisdom Chan à se détendre sur le sujet : « Il faut donner aux enfants du temps et de l'espace, et appliquer cette philosophie en dehors de l'école, affirme-t-il. Je veux que Béatrice vive sa vie pour elle-même, pas pour moi. »

4

Les jouets : il suffit d'appuyer sur « Marche »

Vous pourriez penser qu'un animal en bois est une chose simple. Ce n'est pas le cas.

HILDA DOOLITTLE, poète (1886-1961)

Hamleys est le plus grand magasin de jouets du monde, et l'un des plus anciens. Quand il a ouvert ses portes à Londres, en 1760, son fondateur espérait en faire un endroit où les enfants pourraient fuir le monde des adultes, et ce côté Peter Pan perdure. Avec 40 000 jouets répartis sur sept niveaux, le Hamleys d'aujourd'hui est aussi une attraction touristique qui concurrence le Buckingham Palace et la tour de Londres, attirant des millions de familles chaque année. Beaucoup viennent pour acheter, mais d'autres s'y rendent juste pour l'atmosphère qui y règne.

Cerné par les boutiques pour « grands » de Regent Street, Hamleys continue à faire figure de refuge contre l'âge adulte. Le rez-de-chaussée est le sanctuaire des animaux en peluche de toutes espèces : des lions, des ours, des grenouilles, des cochons, des chiens, des hippopotames. La présentation des jeux est assurée par un personnel costumé, créant ainsi une atmosphère de carnaval. Quand j'y arrive, un lundi matin pluvieux, un clown armé d'un pistolet en plastique mitraille de bulles de savon les hordes d'enfants qui se pressent à l'entrée. À l'intérieur, un jeune homme portant un bouc lance un boomerang léger en forme d'avion au-dessus de la foule. Tout près, des enfants se groupent autour d'un magicien qui fait disparaître des piles de pièces pour les faire réapparaître dans de petites coupes en métal doré.

Ce magasin incite à fuir la réalité, à entrer dans un monde merveilleux, à oublier vos soucis d'adulte et à retomber en enfance… jusqu'à ce que vous parveniez au deuxième étage. Vous arrivez alors au département « petite enfance », et là, on ne rigole pas avec le jeu. Cet étage est principalement dédié à des produits qui promettent de transformer votre petite boule de joie en génie. Les noms de ces jouets parlent pour eux : Brainy Baby (Bébé intello), Clever Clogs (Savants en herbe), Amazing Baby (Bébé d'exception). Même l'ambiance est plus sobre. Tous les autres niveaux vibrent du rire des enfants et de leur excitation, mais la plupart des clients du quatrième étage sont des adultes et il y règne un silence tendu. Ce n'est pas sans rappeler la section « parents » de la librairie Eslite à Taipei.

Au pays des innovations

Je suis venu à Hamleys pour offrir une poupée Madeline à ma fille, qui va fêter son troisième anniversaire. Pourtant, je m'aperçois que je suis irrésistiblement attiré par le département « petite enfance ». La tentation est grande, avec tous ces jeux qui assurent à votre enfant un décollage en fanfare en se fondant sur les toutes dernières avancées technologiques et les découvertes les plus récentes sur le cerveau. On trouve là des DVD qui prétendent enseigner l'alphabet et les langues étrangères à des nourrissons, des fermes en plastique qui reproduisent le cri des animaux et des livres électroniques sonorisés. Conçu pour se fixer sur le dossier du siège auto, le jeu musical Tiny Love est assorti d'un volant, qui permet d'occuper et de stimuler votre bébé grâce à un déchaînement de sons et de lumières (il est même vendu avec une commande à distance pour bébé). L'espace d'un instant, je songe avec regret que cette merveille aurait pu transformer nos « voyages pour l'enfer » en « chemins du paradis », à l'époque où notre fils hurlait en peinant à trouver le sommeil dans son siège auto.

Les notices sont en général élaborées pour emballer le cœur des parents modernes. Le Baby Tad de Leapfrog est une balle en mousse qui joue de la musique et émet des cris d'animaux ; il promet à votre petit « un monde d'éveil infini » ! Nombre de fabricants publient des statistiques qui vantent les mérites de chaque jouet en termes d'apprentissage. Tiny Love propose sept options : les sens, les capacités motrices de base, les capacités motrices avancées, la reconnaissance d'objets, la connaissance, la communication et le langage, et, enfin, l'Intelligence Émotionnelle. Subitement, ma poupée Madeline me semble totalement inadaptée.

Il se trouve que je ne suis pas le seul parent à errer dans le magasin en proie à la culpabilité et à la panique. Certains sondages semblent montrer que beaucoup de clients des départements « petite enfance » sont partagés entre acheter un jouet amusant et choisir un jeu qui développera le cerveau de leur enfant. Bien entendu, tout dispositif combinant ces deux aspects emporte les suffrages. Angela Daly, qui est physiothérapeute, est venue chercher un train en bois pour son fils de trois ans. Elle en a trouvé un, mais elle a aussi acquis un ordinateur portable pour enfant de chez VTech qui doit « programmer son jeune enfant pour un apprentissage précoce ». « Une partie de moi me dit que les jouets devraient être de simples objets d'amusement, comme ceux que nous avions à leur âge, dit-elle. Mais une autre partie me dit : "Tout cela est le résultat des progrès technologiques et scientifiques, et puisque mon enfant jouera, pourquoi ne le ferait-il pas avec des jouets qui le rendront plus intelligent ?" »

Le jouet est aussi vieux que le monde

De telles pensées étaient sans doute totalement étrangères aux parents de l'ère prémoderne. Les enfants ont des jouets depuis que le monde est monde et nombre de ces jouets n'ont pratiquement pas évolué depuis. Les archéologues qui ont fouillé les sites de la civilisation de la vallée de l'Indus ont déterré de petites cartes et des sifflets en forme d'oiseaux, vieux de plus de cinq mille ans. Autour de l'an 1100 avant J.-C., en Perse, les parents donnaient à leurs enfants des wagons taillés dans de la craie et munis d'essieux en bois. Dans la Grèce et la Rome antiques, les gamins jouaient avec des ballons, des crécelles en argile, des petits chevaux et des toupies. Pourtant, il n'est jamais venu à l'idée de ces civilisations anciennes que les jouets pourraient contribuer à un meilleur développement de leurs enfants. Nos ancêtres achetaient ou créaient ces objets pour amuser et distraire leurs petits; parfois, ils les laissaient fabriquer eux-mêmes leurs jouets à partir de morceaux de bois, de cailloux ou de ce qui se trouvait sur place. L'idée qu'un jouet adéquat pourrait un jour leur permettre de faire un meilleur mariage ou de s'élever socialement n'entrait pas dans leur démarche.

Tout cela a évolué à partir du XVIIe siècle, quand les enfants sont devenus une priorité et que l'industrie du jouet a pris son essor en Europe. Les jouets ont alors cessé d'être considérés comme de simples objets d'amusement. Ils sont devenus des outils pour modeler les jeunes cerveaux, un moyen visant une fin. Les penseurs de l'époque, comme John Locke, encourageaient les parents à acheter des jouets destinés autant à éduquer qu'à divertir, et les fabricants ont suivi. On a vu d'abord apparaître des cartes figurant les lettres de l'alphabet. Puis les puzzles, créés en Angleterre peu après l'ouverture de Hamleys, sont devenus un outil pour apprendre l'histoire et la géographie, tandis que les tout premiers jeux de société étaient censés faciliter l'apprentissage des mathématiques.

Des outils pour mieux modeler les cerveaux

Cependant, la conception de jouets spécifiquement destinés à développer l'intelligence et à améliorer les capacités motrices et cognitives est un phénomène beaucoup plus récent. Même si leur origine remonte aux années 1920, le marché des jouets éducatifs n'a véritablement pris son envol que dans les années 1990, au moment où s'intensifiait la pression pour élever des enfants compétitifs. Aujourd'hui, près de la moitié des dépenses de jouets effectuées dans les pays développés est consacrée aux enfants en âge d'entrer en maternelle, la quasi-totalité de ces sommes étant investie dans des jeux promettant d'améliorer les capacités cérébrales. Dans son discours de 2007 sur l'État de l'Union, le Président américain George Bush a rendu hommage à trois citoyens pour leur contribution extraordinaire au bien public du pays. L'un d'eux était la fondatrice de la société The Baby Einstein Company[1].

Bien sûr, de nombreux jeux « éducatifs » ne sont rien d'autre que des jeux traditionnels passés à la moulinette du marketing. Le xylophone de chez Hamleys est à peu près le même que celui qu'utilisent les enfants depuis presque quatre mille ans, à cela près que son emballage dresse désormais la liste des bienfaits éducatifs que l'on peut en tirer, depuis la stimulation des sens jusqu'à l'amélioration des aptitudes sociales.

Des promesses pas toujours tenues

La controverse est plus grande en ce qui concerne les jeux produisant des sons, des lumières et autres curiosités inte-

---

1 The Baby Einstein Company est un fabricant de jouets américain spécialisé dans les jeux d'éveil. [NdT.]

ractives destinées à amuser les petits tout en les éveillant. Car la question demeure : ces jeux offrent-ils effectivement tout ce qui est annoncé sur l'emballage ?

Commençons par la question du divertissement. À une époque qui entretient le flou générationnel, nous supposons que les enfants ont des goûts identiques aux nôtres et que, entre une poupée Madeline (qui ne fait rien) et un gadget qui sonne, siffle et clignote, l'enfant du XXIᵉ siècle choisira nécessairement le second. Mais en sommes-nous si sûrs ?

Pour le savoir, j'ai participé à une expérience à Buenos Aires. Dans ce pays, les ventes de jouets électroniques explosent, mais les parents commencent à se demander s'ils en ont vraiment pour leur argent. Un dimanche matin, le siège local de l'International Play Association (Fédération internationale du jeu) a organisé sa propre version du test à l'aveugle entre un Coca et un Pepsi : une douzaine d'enfants âgés de trois à huit ans sont placés devant une série de jouets tandis que des adultes observent leurs réactions. La salle est spacieuse, avec un parquet ciré et de grands lustres qui pendent au plafond. Il y a des peintures d'enfants sur les murs. Chaque jouet est installé sur un présentoir, associé aux leurres habituels : des piles de Lego, des cubes en bois et des dominos, des poupées et des animaux en peluche, des puzzles, des jeux d'équilibre et d'adresse de type Jenga, des cabanes en toile et un tas de jeux électroniques.

La vérité sort de la bouche des enfants

Un jeune homme prénommé Leo (qui me rappelle Che Guevara, moins le béret) présente chaque jouet, puis l'expérience commence. Deux petits garçons se dirigent immédiatement vers les Lego. Un trio de petites filles se lance à l'attaque de Leo avec un poulpe en peluche. Un enfant de cinq ans, casquette de base-ball à l'envers, va tout droit sur les jeux électroniques. Il ouvre l'ordinateur portable et commence à pianoter sur le clavier. Chacune de ses réussites est saluée par une musique. Au début, il semble fasciné, mais après quelques minutes il abandonne ce jeu pour les Lego. Une fillette de quatre ans s'empare alors d'un jouet électronique multicolore et s'emploie à appuyer sur les différents symboles qui y sont dessinés. À chaque fois, le jouet formule le mot correspondant au symbole choisi : « Arbre », « Maison », « Voiture » claironne une voix aigrelette. Leo est assis près d'elle et essaie de rendre le jeu plus amusant en lui posant des questions et en émettant de curieux bruits, mais la petite se désintéresse bientôt. « C'est plus drôle de parler avec quelqu'un », assène-t-elle avant de se lever pour aller jouer avec les poupées.

Les jouets les plus simples semblent finalement susciter plus d'intérêt que les jeux plus sophistiqués, car ils laissent davantage de place à l'imagination. Agenouillé sur un tapis, un garçon de huit ans en survêtement bleu assemble des cubes en bois en une série complexe de tours : « Je ne sais pas encore trop ce que c'est, dit-il. C'est peut-être un château ou une prison, ou un bateau, ou alors un vaisseau spatial. Oui, c'est un vaisseau spatial. » Il se lance alors dans une longue explication agitée impliquant des astronautes qui partent à la découverte d'un caillou spécial de l'autre côté de la galaxie, et doivent combattre de cruels extraterrestres sur leur chemin. Cependant, à mesure que l'heure passe, de plus en plus d'enfants se groupent autour des Lego. Les sourcils froncés par la concentration, ils s'affairent à bâtir des voitures, des fusées et des maisons, dans un silence recueilli, s'arrêtant parfois pour montrer leurs réalisations, chercher une pièce plus adaptée ou aider un camarade plus jeune à assembler deux pièces. De temps en temps, l'un des enfants explique son invention. Sur le tapis voisin, les jeux électroniques gisent, oubliés. Quand Leo annonce que la séance est terminée, des cris de protestation fusent. Après une courte pause, les enfants s'assoient en cercle pour parler de leur expérience. Leo leur demande quels jeux ils souhaiteraient emporter chez eux. La majorité vote pour les Lego, les puzzles et les cubes de bois. Quand Leo évoque les jouets électroniques, les enfants secouent la tête : « On en a plein à la maison, mais au bout d'un moment ils ne sont plus très drôles parce qu'ils se ressemblent tous, explique une fillette de six ans. Moi, j'aime les jouets avec lesquels on peut faire des trucs. »

Cette expérience ne suffit pas à elle seule à tirer des conclusions : seule une gamme limitée de jouets a été utilisée et elle ne comprenait pas les gadgets électroniques les plus populaires, tels que les jeux vidéo. Mais elle soulève d'intéressantes questions. Et elle remet en cause l'idée selon laquelle, à l'ère de l'électronique, les enfants préféreraient naturellement les jouets électroniques.

La plupart des parents ont connu des expériences similaires. Au matin de Noël, votre bambin déchire le papier cadeau emballant un jouet ultra-sophistiqué qui vous a coûté les yeux de la tête. Vous vous attaquez au mode d'emploi, mettez les piles dans l'appareil et le rendez à l'enfant, en espérant bien que ce sera l'attraction de la journée. Mais votre petit a d'autres idées en tête. Il repose le jeu et s'intéresse plutôt à l'emballage, qui devient un des personnages d'une histoire inventée pour l'occasion, un casque ou une maison.

Même un grand prêtre de la haute technologie comme Bill Gates comprend le besoin qu'ont les enfants d'organiser leurs propres jeux plutôt que de se les laisser dicter par un jouet : « Si vous avez déjà observé comment, avec un carton et des crayons, un môme peut créer un vaisseau spatial muni d'un tableau de bord très élaboré ou si vous avez écouté les règles qu'il invente – les voitures rouges vont plus vite que toutes les autres –, alors vous comprenez que cette envie que le jouet en fasse plus est au cœur des jeux si inventifs des enfants. C'est aussi l'essence même de la créativité. »

À l'issue de l'expérience sur les jouets, les parents se sont réunis pour en discuter les conclusions. Certains étaient surpris que les jeux électroniques sophistiqués aient reçu un accueil si réservé : « On en vient à se demander si les trucs électroniques ne sont pas destinés aux parents plutôt qu'aux enfants, remarque une des mères. En fait, nous achetons peut-être ces jouets pour frimer ou pour avoir l'impression d'être de meilleurs parents. »

Les jouets éducatifs : un mirage ?

D'autres persévèrent dans la voie « éducative » : « Les enfants n'aiment pas beaucoup les légumes, mais cela ne signifie pas qu'ils ne doivent pas en manger, fait remarquer un papa. Les jeux éducatifs sont peut-être comme les légumes – moins rigolos, mais bon pour le développement. »

Mais le sont-ils vraiment ? Toute cette recherche, ce design, ces circuits, ces tests, ce marketing associés aux gadgets électroniques se justifient-ils vraiment au regard des progrès réellement accomplis par les enfants ? Pour faire bref, on répondra que personne ne peut l'affirmer avec certitude.

Les neurosciences en sont à un stade trop embryonnaire pour pouvoir démontrer que le cerveau réagit différemment selon les types de jouets. Même les fabricants sont un peu gênés quand ils doivent s'expliquer sur les promesses extra-ordinaires imprimées sur les emballages. Selon certains, les enfants d'aujourd'hui sont différents de ceux des générations précédentes et il leur faut davantage de suggestions, de sollicitations et de guidage pour exciter leur créativité. Dans ce contexte, les jouets éducatifs orienteraient le jeu dans un sens qui améliorerait les performances du cerveau.

« Alors que d'autres jouets laissent les enfants découvrir par eux-mêmes ce qui arrive quand ils s'en servent, les nôtres suscitent l'apprentissage dès qu'on les manipule, affirme Scott Axcell, directeur marketing de Leapfrog. Cela donne aux enfants l'envie d'apprendre, si bien que quand ils entrent à l'école, leur esprit est préparé à l'idée que l'apprentissage peut être amusant. » D'autres fabricants sont plus prudents, conscients qu'il n'existe aucune preuve tangible de la supériorité des jeux éducatifs en matière d'éveil. Le docteur Kathleen Alfano, directrice de recherche au sein de la société Fisher-Price, n'y va pas par quatre chemins : « Il n'existe aucune preuve que ce type de jouets rend les enfants plus intelligents. »

Si tel est le cas, alors la question est : avons-nous vraiment besoin de jeux électroniques? Leurs détracteurs avancent que, quels que soient les bienfaits d'une exposition précoce à des DVD interactifs ou à des jeux de haute technicité, on peut susciter un apprentissage tout aussi efficace avec les jouets traditionnels. Beaucoup d'experts ne voient d'ailleurs dans l'étiquette éducative de ces nouveaux jeux qu'un simple coup marketing. En Grande-Bretagne, le *Good Toy Guide* (« Guide du bon jouet ») a résisté à la pression de l'industrie du jouet et refusé d'intégrer un chapitre « Jeux éducatifs » distinct à son rapport annuel sur les nouveaux produits. « Une mention précisant qu'un jouet est éducatif ne signifie absolument rien, et il n'est pas nécessaire que les parents revoient leur budget à la hausse pour acheter ces produits, affirme Carole Burton, éditrice de ce guide et chargée d'études sur les jouets par la National Association of Toy and Leisure Libraries (Fédération nationale britanni-que du jouet et des bibliothèques de loisirs). Si les parents choisissent un jouet sur un autre rayon que celui des jeux éducatifs, ils s'apercevront qu'il offre les mêmes avantages à moindre coût. »

L'International Toy Research Centre (Centre international de recherche sur le jouet), basé à Stockholm, suit la même ligne : « Je m'interroge sur le concept même de jouet éducatif, dit son fondateur et directeur, Krister Svensson. C'est le phénomène du jeu lui-même qui est éducatif, pas le jouet en soi. Vous pouvez toujours inventer des jouets complexes forçant les enfants à les utiliser d'une certaine façon, mais les enfants apprennent tout autant quand ils enlèvent et remettent en boucle le couvercle d'une boîte de chaussures. »

Les jouets deviennent plus directifs

Il existe par ailleurs une approche plus controversée, selon laquelle les jouets électroniques ne sont pas seulement un gaspillage d'argent, mais aussi des objets dangereux. Selon cette approche, parce qu'ils en font trop, ces jeux transforment l'enfant en observateur passif, en chien de Pavlov qui apprend à suivre une recette (« appuie sur le bouton et telle chose va se passer »), au lieu de stimuler son imagination ou de lui enseigner à résoudre un problème. Même certains jouets traditionnels sont devenus plus directifs, laissant moins de latitude aux enfants pour inventer leur propre jeu. Il suffit de regarder les Lego. Leur fabricant a bâti presque

toute sa fortune en vendant des boîtes de briques de différentes tailles que les enfants utilisent pour construire ce que
leur imagination leur dicte. Aujourd'hui, plus de la moitié
des profits de Lego proviennent de kits à thèmes destinés
à réaliser un modèle unique : un vaisseau impérial de *Star
Wars* ou un Bionicle Inika. Mon fils possède plusieurs de ces
kits et, pour chacun d'eux, il s'est borné à réaliser le modèle
une fois et n'a plus utilisé les pièces pour d'autres constructions. « Le danger tient à ce que les enfants risquent de devenir dépendants de suggestions qui leur sont données par
d'autres, regrette Krister Svensson. Ce dont les enfants ont
surtout besoin, c'est de plus de temps sans interférence, plus
de temps consacré à élaborer leurs propres expériences. »

Les fabricants de jouets rétorquent que l'enfant du XXIᵉ siècle
a un plus grand besoin de scénarios prédéfinis et de personnages connus – de plus de guidage des adultes – pour s'amuser. Sottises ! répondent les experts : les enfants ont aujourd'hui
des besoins identiques à ceux d'il y a cinq cents ans. Le docteur Michael Brody, qui donne un cours sur « Les enfants et
les médias » à l'université du Maryland, et préside le comité
Télévision et Médias de l'American Academy of Child and
Adolescent Psychiatry (Académie américaine de psychiatrie
de l'enfant et de l'adolescent), fait partie de ceux qui pensent
que les jouets modernes sont souvent beaucoup trop structu-
rés : « Le jeu est une tâche sérieuse pour les enfants, et c'est ce
qui explique que les meilleurs jouets sont les jouets de base :
les cubes, les poupées, les objets qui s'emboîtent, la pâte à
modeler, les crayons et le papier, affirme-t-il. [Beaucoup de

jouets modernes] imposent aux enfants des histoires conçues par quelqu'un d'autre, les empêchant de développer leur imagination. »

Quand les jouets étaient mal vus

Comme pour tous les sujets qui concernent l'enfance, de tels avertissements ne doivent pas être pris au pied de la lettre. Après tout, depuis le XIXe siècle (au moins), des esprits chagrins nous promettent que les jouets entraîneront la fin de notre civilisation. La romancière anglo-irlandaise Maria Edgeworth critiquait déjà les poupées et les soldats de plomb comme étant des obstacles à l'exercice physique et aux jeux imaginatifs. Ralph Waldo Emerson s'en prenait pour sa part à tous les jouets issus de la main de l'homme, qu'il considérait comme des distractions dangereuses à l'apprentissage de la nature. « Nous remplissons les mains de nos enfants de toutes sortes de poupées, tambours et chevaux, détournant leurs yeux de l'image simple et suffisante des choses de la nature, le soleil et la lune, les animaux, l'eau et les pierres qui, eux, devraient être leurs jouets », écrivait-il. Bien avant les vidéos de Brainy Baby et les centres d'apprentissage interactif, des esprits critiques ont clamé que des jouets trop stimulants finiraient par engendrer des enfants passifs. « Plus l'imagination et l'ingéniosité de l'inventeur du jouet sont grandes, moins ce dernier laisse de place à l'imagination et à la créativité de l'enfant », notait un observateur autour de 1890. Pourtant, le monde a continué à produire des générations d'enfants sains et créatifs.

Trouver le juste équilibre

Cela dit, ces craintes ne sont pas si infondées de nos jours. Les jouets que l'on trouve désormais au rayon « petite enfance » de chez Hamleys en font très certainement beaucoup plus que tout ce qui se vendait au début du XIXe siècle. Il est vraisemblable que votre petit sera plus passif devant une boule surprise magique de chez VTech que face à une poupée en chiffon ou à un cheval à bascule. À l'heure des nouvelles technologies, les jeux électroniques ont certes un rôle à jouer, mais les fabricants eux-mêmes préviennent des risques liés à une utilisation intensive de leurs gadgets : « L'un de nos plus grands défis est de faire comprendre aux parents que, en matière d'électronique, le principe selon lequel "Si c'est bien à petite dose, ce sera encore mieux avec une dose plus forte" ne s'applique pas, nous dit le directeur du développement éducatif d'un grand fabricant de jouets. Les parents doivent faire preuve de bon sens pour trouver le juste équilibre. » Dans le même temps, il est de plus en plus clair que des jouets simples, qui offrent aux enfants la possibilité de jouer selon leurs propres règles, peuvent favoriser l'apprentissage. Lors d'une expérience récente, l'International Toy Research Centre (Centre international de recherche sur le jouet) a confié à différentes écoles primaires suédoises des trains et autres jouets en bois de chez Brio. Les enfants ont été encouragés à les utiliser durant les récréations. Résultat : des enfants plus calmes et des élèves plus concentrés. « Les instituteurs étaient impressionnés, raconte Krister Svensson. Au lieu de passer une heure à se calmer, les enfants entrent désormais en classe prêts à apprendre. »

Les parents en arrivent à des conclusions identiques à la maison. À San Diego, en Californie, Michael et Lucy Noakes ont dépensé une fortune en jeux électroniques éducatifs pour leur fils Sam : « La maison résonnait tellement de sonneries, de cris d'animaux, de mots en espagnol et d'autres bruits bizarres que nous avions l'impression d'être à Luna Park », se souvient Michael. Mais Sam ne devenait pas le petit génie dont rêvaient ses parents. Il était surexcité et agressif, tardait à parler et montrait peu d'imagination quand il jouait. Quand il a eu trois ans, un ami psychologue a émis l'hypothèse que Sam faisait l'objet de trop de stimulations. Du coup, ses parents ont décidé de voir ce qui se passerait si on remplaçait ses gadgets par des jouets en bois tout simples. En quelques semaines, Sam a commencé à changer. Il s'est mis à inventer des histoires en utilisant tout ce qui lui tombait sous la main pour en faire des personnages. Il est aussi devenu moins anxieux. Aujourd'hui, à quatre ans, Sam s'éclate à la maternelle. « Je pense qu'en lui donnant des jouets qui faisaient tout, il n'avait plus rien à faire, dit Michael. Une fois qu'il a eu accès à des jeux qui le laissaient libre de chercher et de s'exprimer, sans le pousser à faire telle ou telle chose, il a commencé à se développer. » Lucy ajoute : « En bons parents, nous pensions que les jouets les plus récents et les plus chers, surtout s'ils étaient "éducatifs", étaient ce qu'il y avait de mieux pour lui. Mais ce n'est pas toujours vrai. En fait, les enfants ont besoin de jouets qui les laissent être des enfants. »

Le mirage de la technologie

Les fabricants de jouets sont-ils à l'écoute? Certains analystes de l'industrie du jouet détectent les débuts d'une désaffection pour les jeux qui en font trop. Pour me rendre compte de la situation, j'ai passé la journée au Salon britannique du jouet en 2007. Pour cette occasion, près de trois cents exposants du monde entier s'installent dans un énorme centre d'affaires situé dans le quartier londonien d'East End. Tous les plus grands noms de l'industrie du jouet sont là, de même que quelques sociétés moins connues qui espèrent y lancer le « prochain grand succès ». Des armées d'acheteurs et de vendeurs déambulent dans les allées et font de ce salon légèrement déprimant une foire commerciale ordinaire. Ça me rappelle un peu le deuxième étage de Hamleys.

Parmi les fabricants présents, beaucoup agitent le drapeau éducatif. Les stands affichent des slogans comme « Apprendre grâce au jeu » et « Jouer pour apprendre ». Il apparaît très vite que la technologie est reine dans ce lieu. Même la société Brio a lancé une gamme de produits appelée Smart Track, qui intègre des puces permettant à la locomotive d'émettre des bruits et de s'arrêter devant la gare. Un jeune inventeur, Imran Hakim, est venu à ce salon pour y promouvoir son tout nouveau iTeddy, un nounours tout doux qui dispose d'un programme audio et vidéo miniaturisé permettant de télécharger des contes, des dessins animés et des cours en ligne. « Les parents veulent donner à leur enfant le meilleur départ possible dans la course au

savoir », me dit Imran Hakim. Je lui réponds : « Peut-être.
Mais les enfants, dans tout ça? Êtes-vous bien sûr qu'ils
souhaitent utiliser votre nounours comme plateforme multimédia ? » Imran conteste avec l'enthousiasme du vrai pas-
sionné : « Les tout-petits aiment aussi la technologie. Grâce
à elle, ils peuvent emmener leur lecteur audio/vidéo partout où ils vont, même dans leur lit. »

Une semaine plus tard, je tombe par hasard sur Imran
Hakim, invité de *Dragon's Den* («"L'Antre du dragon" »),
l'émission télévisée de la BBC, au cours de laquelle des
entrepreneurs présentent leurs inventions à cinq investisseurs sans pitié. L'un d'eux, Duncan Bannatyne, s'en prend
au iTeddy : « C'est le père qui doit lire des histoires au
moment du coucher. Je n'ai pas envie d'être remplacé par
un nounours. J'espère bien que ce produit ne va pas marcher. » Il se pourrait bien que son vœu ne soit pas exaucé.
Deux autres investisseurs sont déjà d'accord pour financer le
lancement du iTeddy, et Imran Hakim affirme que certains
grands distributeurs l'ont contacté.

Retour aux sources

Au Salon du jouet, pourtant, d'autres exposants désap-
prouvent manifestement que la technologie s'empare
du monde des jouets. Le stand voisin de iTeddy est tenu
par Dave Pateman, un sexagénaire affable de Bournemouth,
une ville calme de la côte sud de l'Angleterre. Charpentier
de métier et fabricant de cuisine, il est devenu une sorte

de David qui s'attaquerait avec un canif aux microprocesseurs du Goliath de l'industrie du jouet.

Pour lui, tout a commencé quand il a vu que ses deux petits-fils, alors âgés de cinq et neuf ans, étaient rivés en permanence à leurs Game Boy : « Ils n'arrêtaient pas d'appuyer sur des boutons et restaient plantés devant leur écran, se rappelle Dave Pateman. Et quand ils arrêtaient, ils grommelaient qu'ils s'ennuyaient. » Un été, alors que toute la famille était installée dans le jardin, les deux gamins se sont plaints qu'il n'y ait rien à faire. Dave Pateman a pris la mouche. Il est allé chercher dans le garage quelque chose pour les occuper et en est revenu avec un vieux morceau de tube et une balle de tennis qui partait en lambeaux. Il a posé le tube debout sur le sol et a défié quiconque de lancer la balle dedans ; cet exercice s'est révélé bien plus difficile – et plus amusant – qu'il n'y paraissait. Deux heures plus tard, toute la famille continuait à se relayer, avec force rugissements et moqueries, pour essayer de lancer la balle dans le tube. Deux semaines plus tard, ses petits-fils lui demandaient de rejouer à ce jeu. « J'avais complètement oublié cet épisode, mais les garçons s'en souvenaient, et ça m'a fait réfléchir », se souvient Dave Pateman. Après une petite étude du marché, il a donc décidé de transformer son bricolage en un jeu commercialisable. Il a fait quelques croquis et s'est envolé pour la Chine afin d'y trouver un fabricant. Il en est sorti « The Frog in the Hole » (« La grenouille dans le trou »), un jeu à moins de quinze euros : un tube en plastique capable de résister aux intempéries et deux balles de caoutchouc, le tout aux couleurs de la grenouille.

Quand j'arrive au stand de Dave Pateman, une sœur et un frère de quatre et six ans sont en train d'essayer le jouet. Ce sont les seuls enfants que j'ai vus de la journée et ils s'amusent comme des fous, riant et criant à chaque fois que l'autre rate la cible. Leurs parents réussissent enfin à les arracher à leur jeu. C'est donc mon tour. Après des heures à tester les jeux électroniques ultra-sophistiqués qui ont envahi cette foire, je trouve cette grenouille spécialement attirante. « C'est un truc tout simple – viser un trou avec une balle –, mais les enfants adorent ça, remarque Dave. Bien sûr, ça améliore aussi les capacités de coordination entre l'œil et la main, et nous mettons cet élément en valeur dans nos brochures, mais à la base c'est surtout un truc très amusant. Et ça éloigne les gosses des Game Boy et de la télé. » Le jeu de la grenouille a d'ailleurs suscité un très grand intérêt chez les acheteurs et les chaînes de distribution de jouets.

Des jouets pour rêver

D'autres entrepreneurs se sont inscrits au Salon du jouet pour y commercialiser des jeux qui en font moins, afin que les enfants puissent en faire plus. Tina Gunawardhana me dit que l'Occident a beaucoup à apprendre de pays pauvres comme son Sri Lanka natal, où les enfants passent des heures à inventer des mondes et des jeux complexes à base de branches, de pierres et d'objets de rebut : « Les enfants occidentaux sont assistés pour tout, y compris pour le jeu, affirme-t-elle. De ce fait, leur imagination se ferme et ils s'ennuient facilement, puisqu'ils attendent toujours le dernier gadget électronique qui les stimulera ou la nouvelle expérience qu'on leur apportera sur un plateau. » Tina Gunawardhana vend de magnifiques jouets en bois qui encouragent la créativité. Parmi ses meilleures ventes, il y a des animaux et des poissons multicolores qui s'insèrent comme des pièces de puzzle dans de petites boîtes. « Nous aurions pu y ajouter un bateau ou un aquarium, mais nous avons choisi de ne pas le faire afin de laisser libre cours aux idées personnelles de l'enfant, note Tina Gunawardhana. Ils peuvent ainsi inventer eux-mêmes un bateau à l'aide d'une boîte à chaussures ou d'une vieille bouteille en plastique. Nous souhaitons que leur imagination se déchaîne. »

Mais les sociétés isolées ou artisanales ne sont pas les seules à proposer des jouets laissant plus d'espace à l'inventivité. Certains géants de l'industrie s'intéressent eux aussi à des gammes de produits qui seraient moins dirigistes et plus à même de susciter le vrai jeu. Au stand Lego, je retrouve plusieurs acheteurs en train d'examiner le tout dernier-né de la série Creator, lancée en 2003. Chaque boîte contient un diagramme détaillant la construction de trois modèles différents (le modèle Fast Flyers, par exemple, donne naissance à un avion de chasse, un aéroglisseur et un hélicoptère), ainsi qu'une douzaine de photos proposant d'autres façons d'utiliser les pièces. Celles-ci sont par ailleurs moins compliquées, pour permettre aux enfants de les intégrer à une boîte de Lego de base et de les employer pour construire d'autres structures qui pourraient naître de leur imagination.

« J'aime le fait que cette gamme soit moins contraignante, me dit l'un des acheteurs. Vous n'êtes pas limité à la construction d'un modèle unique. Là, l'enfant est poussé à inventer de nouvelles constructions au moyen des mêmes pièces. »

Tandis que je m'éloigne de ce stand, mon moral fléchit un peu. Il y a quelque chose d'indécent à mélanger jouets et gros sous. En plus, je viens de passer la journée à parler d'enfants au lieu de parler à des enfants. J'ai l'impression d'assister à une conférence sur le multiculturalisme où tous les conférenciers seraient blancs. C'est alors que je tombe en arrêt devant la garderie organisée pour ce Salon du jouet. Première surprise : il y a là de véritables enfants. Seconde surprise : au lieu de regorger des tout derniers jeux électroniques, la pièce déborde de jeux traditionnels qui laissent l'imagination et la créativité se déchaîner : cubes en bois, livres d'images, déguisements, peluches, structure d'escalade, pâte à modeler, crayons de couleurs et papier. Hormis une pauvre PlayStation isolée dans un coin, cette garderie est une zone sans électronique.

Eh bien, vous savez quoi? Les enfants s'éclatent. Deux fillettes de six ans environ se pressent autour de la table à dessin pour habiller des princesses qu'elles ont découpées dans du papier de couleur. Un petit bonhomme marche en cadence, déguisé en centurion romain. Deux enfants sont absorbés par un livre qui parle de dragons.

Un papa venu rechercher sa fille a toutes les peines du monde à l'arracher à la table à dessin. Malgré son insistance, elle campe sur ses positions : « Allez, viens Olivia, on va aller voir tous les nouveaux jouets, implore son père. Peut-être que nous pourrons même en acheter un pour toi. » Olivia secoue la tête et lui notifie un refus de nature à rassurer tout parent ayant déjà expérimenté un vrai beau caprice et à faire frémir les équipes de vendeurs des stands qui entourent la garderie. « Je veux pas de nouveaux jouets, hurle-t-elle, accrochée à la table à dessin, je veux juste rester ici et jouer. »

5

Technologie : la dure réalité

*La technologie... L'art d'arranger le monde pour ne pas
être forcé de l'affronter.*

MAX FRISCH, architecte (1911-1991)

Au beau milieu de l'été 2005, un homme d'une vingtaine d'années entre dans un cybercafé à Taegu, une des quatre plus grosses villes de Corée du Sud. Son nom est Lee Seung Seop. Il allume un ordinateur et commence à jouer à *Star-craft*, un jeu en ligne de simulation de combats dont les images rythmées déroulent une bonne petite histoire sur un groupe d'exilés qui lutte pour sa survie à la frontière d'une galaxie. M. Lee s'installe pour un marathon. Au cours des cinquante heures qui vont suivre, il ne quittera son siège que pour de courtes pauses aux toilettes ou une sieste rapide sur un lit de fortune. Il boit de l'eau, mais s'alimente à peine. Ses amis finissent par le trouver et le supplient d'arrêter de jouer. M. Lee leur répond qu'il a bientôt fini et qu'il rentrera alors chez lui. Quelques minutes plus tard, son cœur lâche. Il s'effondre sur le sol et meurt quelques instants après.

Aux yeux des passionnés du jeu, M. Lee est un martyr ou tout simplement quelqu'un qui n'a pas eu de chance. Pour d'autres, sa mort donne à réfléchir. Elle est la preuve que les gadgets électroniques qui envahissent notre monde doivent faire l'objet d'une mise en garde. Effrayés par cette histoire de crise cardiaque, certains parents sud-coréens se sont empressés de supprimer chez eux les jeux sur ordinateur. Un réflexe bien compréhensible, certes, mais était-il avisé?

Nous ne pouvons échapper au fait que nous vivons dans une société high-tech et que la technologie de l'information a transformé le monde de bien des manières. Aujourd'hui, combien d'entre nous feraient le choix de vivre sans courrier électronique, téléphone portable ou Internet? Comparés aux jeux informatiques balbutiants d'antan, comme *Asteroids* ou *PacMan*, *Starcraft* et certains de ses concurrents sont bien plus subtils, sophistiqués et amusants.

Vive le high-tech?

À l'instar du monde qui les entoure, les enfants se tournent plus que jamais vers l'électronique. Plusieurs études révèlent qu'en Angleterre, la tranche des onze-quinze ans reste en moyenne sept heures par jour devant un écran, soit une hausse de 35 % depuis 1994, sans compter le temps dévolu aux chats et aux SMS. Aujourd'hui, les petits Américains de moins de six ans passent autant de temps à regarder un écran qu'à jouer dehors. Les colonies et autres camps de vacances, qui étaient autrefois l'occasion d'explorer les bois et de batifoler dans un lac, sont devenus des sanctuaires informatiques où les enfants consacrent cinq à six heures quotidiennes à un écran. Même les bébés sont connectés. Dans de nombreux pays, des chaînes de télévision spéciales offrent désormais aux enfants de six mois et plus un service non-stop. Un quart des Américains de moins de deux ans possèdent une télé dans leur chambre. Et peut-être avez-vous déjà investi dans un iTeddy pour votre petit dernier?

La technologie semble être le plus beau cadeau à faire à un enfant. Nous voulons que nos petits reçoivent le meilleur de ce qui existe et nous sommes poussés à leur offrir les mêmes choses que leurs copains du square. Les gadgets high-tech promettent de les préparer à un monde high-tech. On prétend aussi qu'ils peuvent les protéger. Vous pouvez joindre votre enfant à tout moment s'il a un téléphone portable. Et votre fils de neuf ans ne risque pas de se faire renverser par une voiture, kidnapper par un pédophile ou convertir au crack, lorsqu'il est à la maison, rivé à sa console Nintendo. Comme le savent tous les parents qui travaillent, les outils multimédias offrent une solution impromptue de baby-sitting tout à fait tentante. Qui parmi nous n'a jamais collé ses enfants devant un dessin animé ou une Game Boy dans l'espoir de gagner quelques minutes de tranquillité pour répondre à un courriel, préparer le repas ou simplement lire le journal? Je le sais, je l'ai fait.

Mais alors même que nous confions nos enfants à un écran, une question reste sans réponse: toute cette technologie est-elle une bonne chose? Selon certains gourous de l'électronique, la réponse est oui! À l'instar des fabricants de jouets qui prétendent que l'enfant moderne a besoin d'être fortement stimulé pour jouer, ces gourous saluent l'arrivée d'une nouvelle génération sans aucun point commun avec celles qui l'ont précédée. Ils affirment que l'enfant du XXIᵉ siècle est *digital native* et s'épanouit quand on lui permet de passer de longues heures devant un écran, un clavier et un joystick ; qu'il représente l'avant-garde qui doit conduire l'humanité vers un nouveau monde enchanté de relations virtuelles, de missions multitâches et de disponibilité vingt-quatre heures sur vingt-quatre.

Sans pour autant être un dangereux réactionnaire, il est légitime de remettre en question cette vision ou de se demander si nous ne consacrons pas un peu trop de temps à la technologie. De plus en plus de signaux indiquent que la révolution de l'information nous mène droit à l'indigestion digitale, adultes et enfants compris. Depuis l'apparition du CrackBerry[1], les courriels, appels téléphoniques et SMS nous poursuivent où que nous soyons : à table, dans la salle de bain, au lit. Selon une étude récente, un adulte sur cinq interrompait une séance de câlins pour passer un coup de fil. Même les fabricants de ces outils technologiques commencent à se poser des questions quant à l'opportunité d'une connexion permanente. Une étude menée en 2005 par Hewlett Packard a conclu qu'un bombardement constant de courriels, coups de téléphone et autres messages instantanés réduisait de dix points le QI de l'employé moyen (deux fois plus que la consommation de marijuana). Une étude encore plus récente a découvert qu'il fallait en

---

1 Le BlackBerry est une technologie permettant d'envoyer et recevoir des courriels en temps réel via le réseau de téléphonie mobile. Il a donné le mot « crackberry » pour caractériser la dépendance à cette technologie

moyenne quinze minutes à un salarié de chez Microsoft pour se remettre à une tâche délicate (écrire un code informatique ou un rapport) après avoir géré un courriel ou un message du même type. La plupart des personnes concernées en profitent pour répondre à d'autres messages ou surfer sur Internet.

Attention à l'overdose

Autre crainte : trop de temps passé devant un écran, surtout devant des images saccadées, ne risque-t-il pas d'infliger à de jeunes cerveaux une surstimulation permanente ? Au cours d'une étude officielle publiée par Pediatrics en 2004, des chercheurs américains se sont aperçus que chaque heure passée devant la télévision entre un et trois ans augmentait d'environ 10 % les risques de trouble déficitaire de l'attention avec hyperactivité (TDAH ou ADHD). Cela signifie qu'un tout jeune enfant qui regarde la télévision trois heures par jour a un risque supérieur de 30 % de connaître des difficultés de concentration à l'école. Des études avaient déjà démontré que des programmes télévisés violents encourageaient des comportements violents chez certains enfants. De nouvelles investigations ont en outre conclu que des jeux vidéo violents étaient de nature à favoriser l'agressivité et à habituer leurs utilisateurs à des images choquantes. L'une de ces études a notamment découvert que trente minutes de jeu vidéo violent abaissaient le niveau d'activité du lobe frontal de l'enfant, c'est-à-dire la région du cerveau qui agit sur la concentration et le contrôle des impulsions.

Et il y a aussi une épidémie de myopie. Peu répandue il y a encore cinquante ans, celle-ci affecte désormais un quart de la population mondiale (et ce chiffre ne cesse d'augmenter). L'Asie du Sud-Est est en tête, avec plus de 80 % d'adolescents concernés à Singapour et à Taïwan. Mais une partie de l'Occident s'engage sur le même chemin. Aujourd'hui, 50 % des enfants suédois de douze ans sont myopes et les experts prédisent que ce chiffre passera à 70 % quand ils atteindront dix-huit ans. Certains en attribuent la cause – au moins en partie – au fait que les enfants passent trop d'heures enfermés devant un écran.

Ne diabolisons pas

Que faire de tels avertissements? Une fois encore, la leçon que nous donne l'histoire nous incite à prendre ces données avec un peu de recul. De tout temps, l'émergence d'une nouvelle technologie a commencé par déchaîner une vague d'angoisse. Platon affirmait que la lecture entraînerait la fin de la civilisation en détruisant la mémoire, la rhétorique et la tradition orale. Aux débuts du cinéma, ses adversaires craignaient que le défilement des images n'affecte la vue du public et ne le rende dément. La radio a elle aussi été vilipendée au motif qu'elle changeait les enfants en zombies en réduisant à néant leur vie intérieure ou qu'elle en faisait des « psychopathes ». Puis ce fut le tour de la télévision et des magnétoscopes. La technologie de l'information et les jeux vidéo sont devenus les nouveaux croque-mitaines. Sommes-nous tout simplement en train de projeter sur nos enfants l'angoisse que nous causent les perturbations issues de la révolution technologique?

Certes, les critiques ne sont pas toutes fondées sur des données avérées. Le lien entre l'utilisation d'un écran et la myopie n'est pas prouvé. De même, l'essor des jeux vidéo n'a pas correspondu à une explosion de la violence chez les jeunes. D'autres chercheurs émettent des doutes quant à l'influence de la télévision sur les troubles déficitaires de l'attention avec hyperactivité. En 2006, deux ans après la publication d'une étude démontrant cette influence, la revue *Pediatrics* a fait paraître un rapport concluant à une absence d'impact. À l'instar d'autres chercheurs, les rédacteurs de ce rapport sont en effet parvenus à la conclusion que ce trouble dépendait d'un terrain génétique et neurologique présent dès la naissance et que ce n'était donc pas une maladie causée par trop de télévision à un très jeune âge.

Des progrès avérés…

Par ailleurs, il devient de plus en plus évident que le recours à une technologie adaptée, à des doses adaptées, peut être bénéfique. Les recherches suggèrent que les enfants qui regardent des programmes télévisés bien conçus, sans excès et de préférence en présence d'un adulte, ont une bonne connaissance du monde et un apprentissage plus aisé de la lecture et du calcul. De tels programmes peuvent également stimuler l'imagination dans le jeu. Mon fils puise dans la télé des idées pour ses propres histoires. Il regarde de temps en temps un épisode de *Star Wars*, puis se rue dans sa chambre pour inventer sa version à lui de la guerre intergalactique.

Les scientifiques ont même démontré que les jeux sur ordinateur pouvaient accélérer l'apprentissage. Une étude récente a conclu que l'utilisation de jeux vidéo polyvalents améliorait la capacité à distinguer de petits objets dans un espace cloisonné et à passer rapidement d'une tâche à une autre. Une autre étude menée à Barcelone avance que les jeux sur ordinateur peuvent stimuler les fonctions mentales de patients atteints de la maladie d'Alzheimer. Et cela concerne aussi des jeux plus lents, moins générateurs d'adrénaline. De nos jours, les produits qui se vendent le mieux ne sont pas ceux qui s'appuient sur la destruction massive ou le bain de sang que les journaux épinglent régulièrement. Ce sont les jeux de stimulation, qui exigent plusieurs heures pour en venir à bout, en obligeant leurs participants à comprendre des règles, valider des informations, résoudre des problèmes, analyser des données, former des hypothèses et prendre des décisions rapides mais avisées. Soit exactement le genre d'aptitudes requises en classe ou au travail.

Dans le monde entier, le niveau moyen du QI est en augmentation régulière depuis des dizaines d'années. Ce phénomène est connu sous le nom d'« effet Flynn ». Le niveau des aptitudes littéraires et mathématiques est resté sensiblement le même, mais celui concernant l'intelligence visuelle et spatiale, ainsi que la capacité à compléter des séries de formes, a décollé. Les scientifiques ne sont pas sûrs de l'explication à donner à ces découvertes et envisagent des théories allant d'une meilleure nutrition, avec des familles moins nombreuses, à une familiarité grandissante avec les tests de QI et l'évolution de ces derniers. Mais certains fondent résolument l'effet Flynn, qui semble à son apogée dans les pays industrialisés, sur une plus forte stimulation visuelle et intellectuelle engendrée par la culture multimédia. Dans son livre *Everything Bad is Good for You* (*Tout ce qui est mauvais est bon pour vous*), Steven Johnson démontre de façon très convaincante que, d'une certaine façon, la technologie qui nous entoure nous rend plus intelligents....

... Et des risques certains

Ceci dit, même si la technologie présente des avantages, trop de temps passé devant un écran risque bel et bien d'entraîner la disparition d'autres activités qui sont nécessaires à une enfance saine. Une étude fondamentale publiée en 2006 par le King's College de Londres a révélé que les petits Anglais âgés de onze à douze ans avaient un retard de deux ou trois ans sur les enfants du même âge dans les années 1970, pour appréhender des concepts tels que volume et densité, cette aptitude étant un indicateur de l'intelligence générale et de la capacité à gérer des idées nouvelles complexes. Les chercheurs ont avancé que l'une des causes de ce phénomène pourrait être la tendance qu'ont les jeunes à passer moins de temps à jouer dehors avec du sable, de la boue ou de l'eau, et plus de temps à rester devant la XBox ou la télévision. Dans ce contexte, est-il si surprenant que la génération digitale soit la plus grasse de toute l'histoire de l'humanité ? Il n'est pas nécessaire d'être diététicien pour savoir que le fait de rester assis devant une rediffusion de *Newport Beach* ou face à une console de jeu pour un Maelstrom ne permet pas de brûler beaucoup de calories. The Institute of Child Health (Institut britannique de la santé de l'enfant) estime que chaque heure supplémentaire passée devant la télévision au cours d'un week-end augmente de 7 % le risque de devenir obèse à l'âge adulte pour un enfant de cinq ans. Une étude menée par l'université de Harvard a quant à elle conclu qu'une heure de télévision par jour peut, sur un an, ajouter jusqu'à sept kilos au poids d'un enfant. Une autre étude récente portant sur la communauté mennonite au Canada est parvenue aux mêmes conclusions. Plutôt que de s'avachir devant un écran, les enfants mennonites passent leurs journées dehors à marcher, faire du vélo ou effectuer des travaux à la ferme. Or, les chercheurs ont observé que ces enfants étaient plus forts, plus minces et en meilleure santé que l'enfant canadien moyen, même si ce dernier s'adonne à des activités sportives structurées ou fait de l'éducation physique à l'école. Dans le même esprit, au Japon, pays réputé pour sa passion pour la technologie, le Central Council for Education (Conseil central de l'éducation) a noté une baisse constante des capacités motrices depuis le milieu des années 1980 : les enfants japonais courent, sautent, attrapent et lancent moins bien que les générations qui les ont précédés. Ils ont une musculation moins puissante, des réflexes plus lents et une énergie inférieure. Certaines études notent aussi que les enfants sont moins sujets à la myopie quand ils pratiquent un sport qui leur impose de se concentrer sur des objets distants et de passer du temps en extérieur : la lumière y étant meilleure, ils n'ont pas besoin de focaliser leur vision de façon précise.

Les heures passées devant un écran privent par ailleurs les jeunes enfants d'une interaction véritable avec des gens ou des objets, celle-ci étant pourtant essentielle à leur développement. Cette façon de vivre empiète aussi sur les temps de réflexion et de repos. Or, le manque de sommeil peut affecter la croissance physique et endommager la capacité de concentration et la mémoire. Des études menées dans le monde entier montrent pourtant que l'enfant moyen dort jusqu'à deux heures de moins par nuit que la génération précédente. La principale raison en est que la plupart des chambres d'enfant ressemblent désormais à la piste de décollage du vaisseau amiral de *Star Trek* avec, en bruit de fond, un téléviseur, des consoles de jeu, des téléphones et un ordinateur. Cependant, on ne compte plus les études qui indiquent que la présence d'appareils électroniques dans une chambre à coucher entraîne de moins bons résultats à l'école.

Même si elle jure de nous relier les uns aux autres dans un paradis de connectivité haut débit, la technologie peut aussi parfois s'interposer entre les gens, en les emmurant dans leur propre bulle digitale. De nos jours, il est souvent plus simple et plus rapide de visiter le blog ou le site d'un copain pour savoir où il en est que de le rencontrer en personne pour en parler. Et les gadgets peuvent arriver à isoler des individus partageant pourtant le même espace. Ainsi, la famille Cole, qui habite à Phoenix, en Arizona, a récemment acquis un monospace offrant pour les adultes, à l'avant, téléphone portable et iPods, et pour les enfants, à l'arrière, écrans télé intégrés. Pour leur première expédition, parents et enfants sont allés au Grand Canyon, à quatre cents kilomètres de chez eux. Aucun d'entre eux n'a prononcé un mot durant les quatre heures qu'a duré le trajet. « La technologie nous a permis de ne pas nous disputer pour des bêtises, dit Julie, la mère, mais elle nous a aussi coupés les uns des autres. Nous étions comme les passagers anonymes d'un autocar. C'était plutôt bizarre et pas très agréable. » Les Cole limitent désormais l'utilisation de leur matériel électronique quand ils font de longs trajets : pour chaque tranche de quarante minutes pendant laquelle ils sont branchés à un gadget, ils s'obligent à passer vingt minutes sans électronique. « De cette façon, nous retirons le meilleur des deux mondes, dit Julie. Nous profitons d'un moment de divertissement, mais nous pouvons aussi parler entre nous. » Même les plus fervents supporters de la révolution technologique commencent à souligner que les enfants ont besoin de quelque chose de plus qu'une simple clef USB pour se connecter au monde qui les entoure. En sa qualité de rédacteur en chef de la revue *Children's Technology Review* (« Revue de la technologie pour enfants »), mensuel américain qui évalue les nouveaux logiciels et gadgets destinés aux enfants, Warren Buckleitner est un grand promoteur de la technologie. Au fil des ans, il a fait découvrir à ses deux filles tout ce qu'il y avait de plus récent dans ce domaine (« c'est un peu comme si elles avaient grandi dans un magasin de jouets »). Aujourd'hui, celles-ci se passionnent pour les messageries instantanées, que ce soit pour discuter avec leur téléphone portable ou surfer sur Internet, comme n'importe quel adolescent.

Toutefois, la maison Buckleitner n'est pas tout à fait le libre-service high-tech auquel vous pourriez vous attendre. On y pratique des règles strictes : téléphones portables et téléviseurs doivent être éteints pendant les repas ; le seul ordinateur autorisant un accès Internet est situé près de la cuisine, de façon à ce que les parents puissent en surveiller l'utilisation qu'en font leurs filles. Warren Buckleitner considère que la plupart des outils technologiques récents peuvent être à la fois amusants et éducatifs, mais il craint que leur utilisation excessive ne soit de nature à engendrer l'isolement social. En plusieurs milliers d'années, l'homme a constitué un arsenal de moyens de communication complexes, subtils et instinctifs (le langage corporel, les expressions du visage, les phéromones) dont les capacités, en termes de transmission d'informations et de tissage de liens émotionnels, sont bien supérieures à celles de l'Internet. Que se passe-t-il quand ces connexions directes sont supplantées par des échanges virtuels en rafale ? « Grâce à l'électronique, les enfants sont en mesure d'entrer en relation avec d'autres gens, à différents niveaux, mais ils n'exercent pas véritablement leurs muscles sociaux quand ils sont assis seuls dans une pièce, rappelle Warren Buckleitner. Selon l'écologie globale de l'enfance, le môme né il y a cent ans, celui né aujourd'hui ou celui qui naîtra dans cent ans ont les mêmes besoins, notamment celui de consacrer un certain temps à pratiquer leurs aptitudes relationnelles dans des conditions réelles. À défaut, vous créez une société dont les engrenages sociaux sont assez mal huilés. »

Différentes preuves semblent aujourd'hui étayer cette thèse. Par le passé, il a été démontré à plusieurs reprises que, placés devant une série d'éléments incluant un visage humain, les bébés et les jeunes enfants avaient tendance à regarder celui-ci avant tout autre chose. C'est de cette manière que les petits apprennent à communiquer.

Se fondant sur différentes expériences organisées dans des écoles primaires britanniques en 2006, des chercheurs ont découvert que cet instinct pouvait évoluer. En règle générale, les enfants continuent à préférer un visage à une maison de poupée, un bateau en plastique ou un petit train, mais quand ils aperçoivent un écran de télé (même sans image), la plupart des enfants de six à huit ans se tournent vers lui, comme des alcooliques face à un verre de bière ou de vin. Les scientifiques ont aussi observé que la majorité des enfants de cinq ans continuaient à favoriser le visage, ce qui laisse penser que ce phénomène n'est pas inné : la recherche instinctive d'une interaction sociale reste ancrée dans le cerveau humain, mais l'apprentissage tend à la faire disparaître.

Pour un code de bonne conduite

Les enseignants de différents pays ont remarqué que les représentants de la nouvelle génération *digital native* paraissent moins aptes à s'exprimer et à s'entendre entre eux. Dans de nombreux pays, on observe de plus en plus fréquemment des comportements brutaux, dans les cours de récréation comme sur Internet. En Grande-Bretagne, une enquête officielle a révélé qu'entre 1986 et 2006 le nombre d'adolescents affirmant ne pas avoir d'ami à qui se confier est passé d'un sur huit à près d'un sur cinq, et ce à une époque où tout ado qui se respecte liste des dizaines, voire des centaines, d'« amis » sur sa page personnelle dans MySpace.

En facilitant l'expression de l'indicible et en incitant à cliquer sur « Envoi » avant de réfléchir, la technologie de l'information peut très certainement devenir un handicap social. Les adolescents et les étudiants usent de leur blog pour diffuser des commentaires injurieux sur leurs professeurs ou leurs colocataires, mais ne comprennent pas que ces derniers viennent leur demander des comptes après avoir lu leur prose. Tombant dans un piège similaire, d'autres s'autorisent à dire par courriel, SMS ou messages instantanés des choses qu'ils n'imagineraient jamais exprimer en face à face, puis s'étonnent que, dans la vraie vie, les relations soient parfois tendues. À quinze ans, Adam Turner observe continuellement ce genre de phénomènes dans son lycée de Boise, dans l'Indiana : « Parfois, l'atmosphère est un peu tendue quand on rencontre les gens après coup, dit-il. On n'en parle pas, mais c'est là, dans l'air. » Déjà, quelques pionniers du boom Internet, comme Jimmy Wales (le fondateur de Wikipedia) ou Tim O'Reilly (l'homme à l'origine du concept de Web 2.0), proposent l'institution d'un code de bonne conduite recommandant notamment de ne pas dire en ligne « ce que l'on ne dirait pas en présence de la personne concernée ».

La technologie d'aujourd'hui renforcerait-elle par ailleurs le narcissisme qu'engendre parfois une enfance trop bien gérée? Ce danger existe sans aucun doute. Les sites de *social networking* (mise en relation de personnes) comme Bebo assurent que le moindre détail de notre vie privée mérite d'être diffusé à un public mondial. En outre, grâce au standard RSS qui nous retransmet des bulletins d'informations – actualités ou commérages – en provenance de nos sites favoris, grâce aux boutiques en ligne qui analysent nos dépenses pour nous adresser des publicités adaptées à nos goûts, grâce à Google qui fait la même chose en surveillant nos recherches sur Internet, le contenu du Web est aujourd'hui si personnalisé qu'il n'est plus vraiment la fenêtre sur le monde qu'il promettait d'être : il est plutôt devenu la chambre d'écho de nos propres préjugés. Cette situation affecte spécialement les enfants qui, pour se développer, doivent se confronter au plus grand nombre d'opinions possibles.

Les règles de l'équilibre

Après dix ans de révolution technologique, deux principes se dégagent. Le premier nous dit que toutes les technologies ne se valent pas (il est plus que probable que la télévision fasse beaucoup moins travailler le cerveau que les jeux vidéo ou Internet). Le second principe pose que, en général, moins on utilise un écran, mieux on se porte.

Voilà donc lancée la bataille pour une relation plus équilibrée avec la technologie. Avec leur subtilité habituelle, les autorités chinoises ont pris des mesures visant à interdire les cybercafés aux jeunes de moins de dix-huit ans. Ailleurs, la technologie elle-même est devenue le moyen d'éloigner les enfants des écrans. Voyez le succès de *Lazy Town*, une série télévisée islandaise diffusée dans plus de cent pays. Sportacus, son héros cuirassé de Lycra, a incroyablement réussi à inciter les enfants à mener une vie plus active. Son régime alimentaire exemplaire a même conduit les cinémas islandais à remplacer les glaces et les pop-corn par des bâtonnets de carotte; il a aussi permis d'augmenter de 22 % les ventes de légumes dans ce pays. Désormais, pour faire comme Sportacus, la plupart des enfants islandais vont se coucher à 20 h 08 tapantes. Partout, la série *Lazy Town* encourage les enfants à abandonner le canapé pour aller dehors danser, sauter, taper dans un ballon ou explorer le voisinage. « Dans la mesure où nous vivons dans une société high-tech, il est nécessaire de recourir à la technologie pour toucher les enfants, explique Magnus Scheving, qui a créé la série et joue le rôle de Sportacus. La télévision peut montrer l'exemple d'une vie saine. Souvenez-vous des vidéos d'exercices physiques réalisées par Jane Fonda. »

L'industrie technologique elle-même cherche aujourd'hui des moyens pour faire bouger les enfants. Les nouvelles consoles de jeux, comme par exemple la Nintendo Wii, exigent que les joueurs fassent eux-mêmes, devant leur écran, les mouvements de la boxe, de la danse ou du tennis. Certains produits s'appuient aussi sur la technologie pour faire sortir les enfants de la maison et les éloigner de l'écran. Une toute nouvelle génération de jouets high-tech qui volent, marchent ou roulent avec un réalisme extraordinaire vient d'arriver sur le marché. Si tout se déroule comme prévu, les enfants devraient passer moins de temps à conduire une voiture devant un écran et plus de temps à courir après un engin volant dans le jardin. Gene Khasminsky est directeur du design pour Interactive Toys Concepts, société canadienne qui fabrique le Micro Mosquito, un hélicoptère miniature radiocommandé : « Je crois que notre industrie est en train d'opérer un revirement pour faire en sorte que les enfants abandonnent le canapé où ils jouaient aux jeux vidéo. »

Moins d'ordinateur, c'est possible

Malgré tout, les parents estiment que le seul moyen d'empêcher leurs enfants de devenir de gros mollassons téléphages consiste à imposer un moratoire sur les outils technologiques. Prenons l'exemple de la famille Hyde, qui vit dans un faubourg de Sydney, en Australie. Les deux enfants, Jasmine, douze ans, et Lachlan, dix ans, avaient l'habitude de passer plusieurs heures par jour à surfer sur Internet, à jouer avec leur XBox ou à regarder la télévision. La maisonnée était tellement connectée que Maureen, la mère, envoyait en général un courriel à la ronde pour appeler tout son monde à l'heure des repas. Même s'ils s'inquiétaient du fait que leurs enfants passent tant de temps devant des écrans et si peu à courir dans le jardin, les Hyde avaient cessé de lutter pour faire évoluer les choses. Tout a changé en une nuit. Vers 21 heures, Maureen a envoyé un courriel à Lachlan pour lui demander de descendre ranger ses affaires d'écoles avant d'aller au lit. Il n'a pas répondu. Elle a alors réitéré sa demande en l'appelant de vive voix. Toujours rien. Quand elle s'est décidée à aller le chercher, elle l'a trouvé immobile, la tête sur son bureau, avec sa XBox allumée à côté de lui. Elle a d'abord cru qu'il venait de connaître le même destin que M. Lee après son marathon de *Starcraft*: « J'ai eu un choc terrible parce que j'ai vraiment cru qu'il était mort, qu'il avait succombé à son fichu jeu », se souvient-elle. En fait, Lachlan s'était simplement endormi, mais cet épisode a fait l'effet d'une douche froide sur la famille Hyde. Dès le lendemain, elle s'est réunie pour revoir la place laissée à la technologie au sein du foyer. Les parents ont décidé de rationner le temps consacré aux gadgets selon un programme très strict: terminés les portables à l'heure des repas; finis aussi les repas pris devant la télé, sauf occasion exceptionnelle ; oubliée l'utilisation d'écrans pendant les devoirs, à moins qu'un travail particulier ne requière une recherche sur Internet. Les Hyde ont en outre enlevé l'ensemble des gadgets électroniques de la chambre à coucher des enfants pour les regrouper dans la salle de jeux du rez-de-chaussée. Les enfants ont râlé ferme, mais les parents ont tenu bon. Afin d'utiliser le temps ainsi libéré, les parents ont installé un terrain de badminton dans le jardin. Succès immédiat. Désormais, toute la famille joue presque chaque jour : maman contre papa, mère contre fille, doubles mixtes, etc. Les enfants passent ainsi des heures à se renvoyer le volant, en discutant ou en blaguant, pour le plaisir de jouer ou de se mesurer.

Maureen considère que ce régime allégé en technologie leur apporte une bouffée d'air frais. Au dîner, les conversations sont plus fréquentes maintenant que les enfants n'essaient plus d'envoyer un SMS en cachette sous la table. Jasmine et Lachlan terminent leurs devoirs plus rapidement et ont de meilleurs résultats à l'école. Ils sont aussi moins apathiques : leur sommeil n'est plus gêné par les bips et autres sonneries des gadgets. Aujourd'hui, Lachlan saute de son lit le samedi matin au lieu de s'y attarder avec sa console de jeu. Les enfants apprécient aussi ce changement : « J'adore toujours mon ordinateur, mais c'est bien de le laisser de temps en temps pour faire autre chose », dit Jasmine. Son frère acquiesce : « Avant, je préférais jouer avec ma XBox plutôt que d'aller dehors, mais c'est encore mieux de faire les deux. »

Réagir face à un enfant dépendant

D'autres parents sont allés plus loin encore en éliminant toute technologie de leur maison. Alessandro Basso, qui vit avec ses parents à Philadelphie, s'est pris de passion pour les PlayStation à l'âge de onze ans. Il pouvait y jouer cinq ou six heures par jour dans sa chambre, y prenant ses repas et négligeant ses devoirs. Avant, Alessandro avait toujours fait beaucoup de sport, mais il s'est progressivement mis à jouer au foot avec sa PlayStation plutôt que dehors avec ses copains. Il a dans le même temps commencé à prendre du poids. Ses parents s'en sont suffisamment inquiétés pour intervenir, mais leurs efforts pour canaliser sa passion ont été accueillis avec défiance et colère. Quand ils lui ont imposé de limiter le temps de jeu, Alessandro a désobéi. Quand ils ont mis la PlayStation dans le salon, il s'est mis à jouer la nuit en cachette. Finalement, ses parents ont décidé qu'il était temps de prendre des mesures radicales. Un matin, alors qu'Alessandro était à l'école, ils ont vendu la PlayStation sur eBay. Alessandro a fait un raffut de tous les diables et est resté invivable pendant plusieurs semaines, mais il a fini par se calmer. Il a recommencé à jouer au foot avec ses copains, a perdu du poids et ses résultats scolaires se sont améliorés. Aujourd'hui, il parle de sa PlayStation comme un alcoolique repenti le ferait de son ancienne drogue : « Au début, j'ai vraiment détesté mes parents de s'en être débarrassés et elle me manquait vraiment. Mais je dois reconnaître que ma vie est plus agréable sans. » Puis il passe une main dans ses cheveux bouclés et regarde le sol : « Je continue à jouer à des jeux sur ordinateur chez mes copains, mais je n'aimerais pas qu'on en ait à la maison. Si nous avions une PlayStation ici, je me remettrais sans doute à y jouer tout le temps. »

Alessandro est un cas extrême. Certains individus sont plus sujets que d'autres à des comportements addictifs. Pour la plupart des enfants, une interdiction totale semble exagérée. La meilleure politique consiste plutôt à fixer des limites qui leur permettent de se partager entre jeux high-tech et jeux traditionnels. Mais où se situent ces limites ? Combien d'heures d'écran sont envisageables pour des enfants ? Malheureusement, il n'y a pas de réponse claire. Certains experts, y compris ceux de l'American Institute of Pediatrics (Institut américain de pédiatrie), recommandent de ne jamais placer les enfants de moins de deux ans devant un écran. Mais quiconque s'est déjà occupé d'enfants, surtout dans un pays où la météo est incertaine ou quand il y a aussi des enfants plus grands, sait qu'une telle règle est quasi impossible à respecter. C'est la raison pour laquelle il existe des points de vue moins draconiens. La Canadian Pediatric Society (Société canadienne de pédiatrie) conseille ainsi de limiter le temps d'écran à trente minutes par jour pour les enfants de moins de deux ans.

Ensuite, la situation est plus floue. Les enfants plus âgés ont certes besoin d'avoir accès à des ordinateurs pour faire leurs devoirs, apprendre et créer, mais il faut limiter le temps de loisirs passé devant un écran, en contrôlant l'usage de la télévision ou des jeux vidéo par exemple. Dans ce domaine, le meilleur guide est encore le bon sens.

Si un adolescent passe davantage de temps à rencontrer des gens en ligne que dans le monde réel, quelque chose cloche. Warren Buckleitner exhorte les parents à suivre leur instinct: « C'est principalement un truc qu'on sent, dit-il. Tout comme vous sentez qu'il est temps que votre enfant cesse de manger des bonbons, vous sentez quand il passe trop de temps devant un écran. »

Dit ainsi, cela paraît très simple. Pourtant, il s'agit de la plus importante de nos responsabilités en matière d'éducation: apprendre à faire confiance à notre instinct pour ensuite réagir. Nous connaissons nos enfants mieux que quiconque. Par conséquent, le premier pas pour atteindre le bon équilibre avec la technologie consiste à les observer. Quand on débranche leurs gadgets, est-ce qu'ils deviennent susceptibles, agressifs, apathiques et renfermés? Si c'est le cas, mieux vaut limiter le temps qu'ils passent devant un écran. Commencez par retirer les jeux high-tech de leur chambre et par les enlever de vos valises quand vous partez en vacances: ces dernières peuvent être l'occasion de mettre fin aux mauvaises habitudes et d'élargir l'horizon de chacun. Songez à instituer des journées sans écran. Vous pouvez aussi fixer des limites de temps aux jeux sur écran selon ce qui pourra convenir à toute la famille (beaucoup de foyers s'accommodent de deux heures par jour). Vous aurez peut-être du mal à atteindre vos objectifs, mais certaines règles auront été posées.

La meilleure manière de couper court aux inévitables protestations et aux comportements d'enfermement consiste à offrir des alternatives à la technologie : du sport, des jeux, des histoires au moment du coucher, des séances de cuisine, plus de liberté pour jouer dehors, plus de visites aux copains, plus de discussions et de projets en famille. Tout cela demande du temps, des efforts et de l'imagination de la part des parents, mais n'est-ce pas ce à quoi ils se sont engagés quand ils ont décidé d'avoir des enfants?

Traitons aussi les parents dépendants...

Mais les parents doivent aussi montrer un front uni en s'accordant par exemple sur le temps d'écran autorisé quand les enfants vont chez leurs amis. Ils doivent aussi revoir leur propre rapport à la technologie. Si eux-mêmes regardent la télévision pendant des heures, vérifient constamment leur messagerie électronique et ont un téléphone portable vissé à l'oreille, ils n'offrent pas le meilleur exemple pour leurs enfants. Nous devons aussi réviser notre dépendance aux activités multiples. De nos jours en effet, les outils high-tech nous en donnent de plus en plus pour notre argent. Une étude menée par la Kaiser Family Foundation[1] datant de 2005 a révélé que les Américains entre huit et dix-huit ans consacraient 6 h 30 par jour à des médias électroniques, mais que cette durée équivalait en réalité à 8 h 30 d'exposition dans la mesure où ils faisaient plusieurs choses à la fois : discuter avec des copains sur messageries instantanées

[1] La Kaiser Family Foundation mène des études et des analyses sur les grands problèmes de santé aux États-Unis.

tout en téléchargeant de la musique, en vérifiant son courrier électronique, en regardant *Loft Story* et en jouant avec *Les Sims*. Nous savons tous, par expérience, que ce jonglage peut faire monter l'adrénaline, mais que l'impression d'hyperproductivité qu'il engendre s'avère totalement illusoire. Dans leurs laboratoires, les scientifiques s'appuient sur les tout derniers outils d'analyse du cerveau pour observer la manière dont celui-ci fonctionne quand nous accomplissons plusieurs tâches à la fois. Eh bien, pour de nombreux adeptes du multitâche, les résultats ne sont pas fameux.

En vérité, le cerveau humain – et cela vaut aussi pour les enfants de l'ère de l'information – n'est pas très doué pour le traitement multitâche. Bien sûr, notre pilote automatique nous permet d'accomplir certaines actions courantes (faire du vélo, couper des carottes, etc.) en pensant à autre chose. Mais les chercheurs ont démontré qu'au moment de décider d'un changement dans l'action (en tournant le guidon du vélo vers la gauche par exemple, ou en ajoutant une carotte supplémentaire à la recette), toute l'attention du cerveau est requise. Une fois la décision prise, l'action elle-même (tourner le guidon ou couper la carotte supplémentaire) peut être effectuée alors que l'on pense déjà à l'action suivante. Différentes pensées peuvent donc se chevaucher.

En fait, ce qui passe souvent pour du traitement multitâche n'en est pas vraiment. Il s'agit plutôt de traitement séquentiel. Quand votre fils est assis devant cinq fenêtres ouvertes sur son écran d'ordinateur et qu'il tripote son téléphone portable tout en regardant la télévision, il se contente d'effectuer une tâche pendant quelques secondes, tâche qu'il cesse d'accomplir pour passer à la suivante l'espace d'un très court moment, et ainsi de suite. Comme vous pouvez l'imaginer, ce genre de picorage est une utilisation totalement inefficace de son temps et de sa capacité cérébrale. Quand on passe sans cesse d'une tâche à l'autre, on fait davantage d'erreurs et on perd plus de temps (parfois le double ou plus) que si on termine une tâche avant de passer à la suivante. C'est ce qui peut expliquer que votre fille ait passé deux heures sur un devoir d'histoire qui vous semblait n'en exiger qu'une.

Le cerveau a des limites

David E. Meyer, directeur du Brain, Cognition and Action Laboratory (Laboratoire sur le cerveau, la connaissance et l'action) au sein de l'université du Michigan, estime que rien n'y fera (ni les séances précoces de DVD éducatifs, ni les stages d'informatique pendant les vacances), le traitement multitâche restera toujours une perte de temps : « On ne peut pas simultanément réfléchir à sa déclaration d'impôt et lire un roman, de même qu'on ne peut pas se raconter deux histoires à la fois, explique-t-il. Si un adolescent essaie de chatter sur une messagerie instantanée tout en faisant un devoir de maths, il sera beaucoup moins efficace que s'il se consacre entièrement à son devoir. Les gens qui pensent le contraire se trompent. Face à des tâches aussi complexes, vous ne pourrez jamais dépasser les limites inhérentes au cerveau et traiter plusieurs informations à la fois. C'est tout simplement impossible, tout comme il est impossible pour un être humain, quelles que soient ses aptitudes, de courir un 100 mètres en cinq secondes. »

Or, s'agissant des limites neurologiques au traitement multitâche, les enfants sont tout spécialement handicapés. Grâce à IRMF (Imagerie par résonance magnétique fonctionnelle), les scientifiques ont identifié, dans le cortex préfrontal antérieur, une région qui emmagasine de l'information sur les tâches en cours. Cette fonction nous permet d'abandonner une tâche, puis de la reprendre quelques secondes, quelques minutes, voire quelques heures plus tard là où nous l'avions laissée. Cette partie du cerveau est celle qui nous facilite le traitement multitâche ou, plus exactement, le fait de passer d'une tâche à une autre. Or, elle arrive à maturité tardivement. Cela signifie donc que les jeunes enfants sont moins armés que les adultes pour jongler d'une tâche à l'autre. En d'autres termes, tout ce battage autour du fait que la nouvelle génération, *digital native* et multitâche, représente un grand pas en avant dans l'évolution de l'humanité n'est en fait que du battage.

Le zapping technologique est contre-productif

Les traitements multitâches chroniques sont contre-productifs à un point qui va au-delà de la perte de temps. Les recherches suggèrent en effet que le cerveau humain a besoin de moments de calme et de repos pour traiter et consolider les idées, les souvenirs et les expériences. Il a aussi besoin d'un état apaisé pour accéder à un niveau de pensées plus riches et plus créatives. Or, comment y arriver quand chaque seconde est dédiée à un chat électronique ? Zapper constamment, surfer sur l'Internet ou chatter sur messagerie ne favorisent pas vraiment la capacité à creuser un sujet ou à l'étudier suffisamment pour en découvrir toutes les finesses et les complexités. Les professeurs d'université se plaignent de plus en plus que les étudiants d'aujourd'hui rechignent à lire des livres en entier, leur préférant de courts extraits ou des articles les résumant. Ces étudiants semblent par ailleurs indisposés par l'ambiguïté et exigent des réponses brèves et tranchées. Tout cela constitue un lourd handicap face à des sujets comme le terrorisme ou l'immigration, qui ne se déclinent qu'en nuances. La démocratie peut-elle fonctionner correctement quand les jeunes électeurs demandent que chaque problème leur soit présenté en style SMS? Les enfants d'aujourd'hui sont extrêmement doués pour trouver et manipuler des informations et pour analyser des données visuelles, mais même les apôtres de la révolution informatique s'inquiètent désormais, car ce jonglage électronique finit par affecter leur capacité de concentration et de réflexion. Au cours d'une récente conférence sur les technologies du futur, Dipchand Nishar, directeur des produits sans fil chez Google, sonne l'alarme : « Nous avons eu la génération X et la génération

Y, dit-il. Nous avons aujourd'hui la génération TDA[1]. »

Comment détourner les enfants de cette folie multitâche ? Simon Blake, ingénieur informatique en Californie, a limité le nombre de programmes que sa fille de douze ans, Chrissy, peut lancer sur l'ordinateur familial quand elle fait ses devoirs. Elle peut utiliser Internet pour ses recherches, mais ne peut pas échanger des messages avec ses copains sur MySpace. Elle ne peut vérifier ses courriels que toutes les trente minutes et son téléphone portable doit rester éteint pendant ce temps-là. Le point positif? Ses devoirs prennent désormais moitié moins de temps et les professeurs l'ont félicitée pour l'amélioration de son travail. « Il est évident qu'elle a maintenant de meilleures capacités de concentration, même quand elle n'est pas devant un écran », rapporte son père. Chrissy n'a certes pas apprécié ces nouvelles règles, mais elle a fini par s'y faire : « Au début, c'était pénible de devoir attendre les courriels et les messages, mais on s'habitue. Je me rends compte que je suis moins distraite aujourd'hui. »

Les nouvelles technologies à l'école

Aujourd'hui, la bataille visant à définir la place de la technologie dans la vie des enfants se déroule dans les salles de classe. Le modèle traditionnel, où le professeur fait face aux élèves pour leur présenter un sujet, paraît dépassé

---

1 Trouble Déficitaire de l'Attention. [NdT.]

dans notre monde interconnecté. Dans les cercles pédagogiques, on s'accorde à penser que l'école doit s'adapter aux nouvelles technologies. Car il ne faut pas oublier
que les enfants d'aujourd'hui ont besoin de bien plus que
de simples faits. Ils doivent apprendre à résoudre des problèmes en groupes, à faire la différence entre une bonne et
une mauvaise information, à relier des idées entre elles et à
les partager avec des enfants du monde entier, à penser de
façon transversale. Et la technologie de l'information peut
les y aider.

Dans une école de Vancouver, les élèves peuvent utiliser
une messagerie électronique et une webcam pour échanger
des idées sur le réchauffement climatique avec des enfants
indonésiens du même âge, qui ont connu les ravages d'un
tsunami. Une discussion sur l'esclavage peut être étayée par
une recherche Internet sur les nouveaux trafics humains.
Même les jeux vidéo high-tech peuvent servir à enseigner
les bases. À Chew Magna, petite école primaire de Bristol,
en Angleterre, Tim Rylands enseigne l'anglais à des enfants
âgés de dix à onze ans grâce au jeu informatique *Exile*.
Les enfants ne jouent pas à proprement parler : en fait, Tim
Rylands a recours à un tableau blanc interactif pour les guider dans des paysages mystérieux, par des portes décorées
qui débouchent dans des pièces baignées d'une lumière
dorée. Les dessins sont incroyables, presque irréels, et les
enfants sont fascinés. Après ce voyage, Tim Rylands leur
demande de décrire ce qu'ils viennent de voir et ce que cela
leur inspire. Les enfants s'éloignent alors du tableau pour

prendre leurs stylos et commencer à écrire. Chew Magna est une école publique et fait partie des établissements qui obtiennent les meilleurs résultats aux tests d'anglais donnés en Grande-Bretagne. Tim Rylands a d'ailleurs obtenu des prix pour la façon dont il utilise les nouvelles technologies à des fins pédagogiques. « Je me contente de recourir à la technologie pour enseigner des choses basiques de façon originale, dit-il. Je m'efforce de faire naître la magie et le plaisir tout en apprenant aux enfants les matières fondamentales. »

Pourtant, Tim Rylands convient que la technologie n'a rien de magique. Des recherches sur l'impact des outils technologiques sur les performances scolaires montrent que ceux-ci peuvent se révéler bénéfiques... ou non. Leurs supporters justifient ce constat par la mauvaise utilisation que nous en faisons, mais il est clair que ce type de média a ses limites en matière d'apprentissage et que, en règle générale, l'enseignement classique donne de meilleurs résultats pour les expériences pratiques. C'est particulièrement le cas pour les plus jeunes enfants. Une expérience a ainsi été conduite pour apprendre à deux groupes d'enfants de douze à quinze mois comment utiliser une marionnette. Le premier groupe a bénéficié d'une démonstration filmée tandis que le second a pu observer une personne en chair et en os effectuer la même démonstration. Le second groupe savait manipuler la marionnette dès la fin de la première leçon, alors que le premier groupe a dû regarder la vidéo six fois avant de maîtriser les mêmes gestes.

Face à l'essor de la technologie, les établissements scolaires commencent à prendre des mesures pour aider les enfants à trouver le bon équilibre. Beaucoup d'écoles ont interdit les téléphones portables dans leur enceinte. Certaines universités bloquent l'accès à Internet dans les amphithéâtres pour inciter les étudiants à écouter le cours au lieu d'en profiter pour mettre à jour leur page personnelle sur Bebo.

Rien ne remplace la nature !

Un autre moyen dont disposent les écoles pour lutter contre l'indigestion technologique consiste à faire une place à la nature dans les programmes scolaires. Nous avons déjà vu que de tout jeunes enfants peuvent s'éclater dans des crèches en plein air ; cette possibilité est aussi ouverte à leurs aînés. Les jeux de plein air permettent aux enfants, si souvent maintenus à l'intérieur, d'évacuer un peu la pression ; ils peuvent aussi être l'occasion d'un apprentissage riche et fondé sur la pratique. Aux États-Unis, en 2002, une étude portant sur 150 écoles élémentaires et collèges situés dans 16 États différents a montré que le recours à la nature pour enseigner certaines matières améliorait les résultats en science naturelle, langues, sciences humaines et mathématiques. Cette méthode a par ailleurs eu un impact bénéfique sur le comportement des enfants : à la suite de ce programme en extérieur, les problèmes de discipline ont chuté de 90 %.

Le contact avec la nature, même s'il se limite à une heure passée dans un potager derrière l'école, aide également à mieux comprendre le fonctionnement de la planète et le rôle joué par l'homme dans sa préservation. Il apprend aux enfants que les blancs de poulets ne naissent pas dans des emballages en polystyrène et que les frites proviennent de pommes de terre qui poussent dans le sol. Si nous voulons sauver la planète, il va bien falloir que les jeunes générations fassent un peu de place à la nature dans leur vie citadine high-tech.

Perdue au milieu des montagnes du nord de Taïwan, l'école Forest est une oasis low-tech au milieu d'un monde entièrement tourné vers les écrans électroniques. Comme le laisse supposer son nom, les élèves, âgés de six à douze ans, passent de longues heures à grimper dans les arbres, à patauger dans les trous d'eau et à étudier la nature de près, tout comme les enfants de l'école Lakeside de Zurich. De nombreux projets de classe et une grande partie des devoirs sont conduits en pleine forêt. Si les enseignants appuient parfois leurs cours sur un documentaire vidéo et que l'écran de l'école accueille un film hebdomadaire, télévision, jeux vidéo et ordinateurs en sont bannis. J'ai rencontré certains élèves de cette école, ainsi que leurs parents, dans la ville de Taipei. À mon arrivée, les enfants courent partout, se cachant sous les tables ou s'amusant avec un personnage de leur invention. Pas une console Nintendo en vue. La directrice de l'école Forest, Ching-Lan Lin, m'explique que les enfants qui sortent de son école ont la réputation de savoir s'exprimer, d'apprécier le travail d'équipe, d'adorer apprendre, de connaître leurs forces et faiblesses et d'être très sensibles aux questions d'environnement. Ils sont aussi très à l'aise avec la technologie dans la mesure où la plupart d'entre eux disposent d'un ordinateur et d'une télévision chez eux. L'école a d'ailleurs une longue liste d'attente.

Un des garçons présents s'appelle Hong. Il a neuf ans, un regard très vif et un rire contagieux. Il semble appartenir à une espèce particulière, différente des enfants que vous voyez plantés devant une Game Boy un peu partout dans la ville. Il me raconte combien il s'amuse à l'école Forest : « On est libre de sortir pour jouer dehors quand on veut. » Est-ce qu'il se sent frustré par l'absence de technologie ? Absolument pas. Il peut utiliser ordinateur et télévision à la maison : « À l'école, on s'amuse bien et on apprend plein de choses sans les ordinateurs », me dit-il avant de courir rejoindre ses copains. Sa mère affiche un large sourire : « Hong a toute la vie pour rester assis devant un ordinateur, dit-elle. Pourquoi devrait-il aussi passer son enfance à le faire ? »

L'école :
le temps des examens

L'éducation, c'est ce qui reste quand on a oublié
tout ce qu'on a appris à l'école.

ALBERT EINSTEIN

Il n'y a pas très longtemps, Marilee Jones vérifie son courrier électronique dans son bureau du Massachusetts Institute of Technology (MIT). Cela se passe peu après que l'école a adressé son paquet annuel de lettres d'acceptation ou de refus. En sa qualité de directrice des admissions, Marilee Jones s'apprête à affronter les réclamations des candidats déçus. Certains appellent en larmes, d'autres lui envoient des lettres d'injures. Ce jour-là, une lettre retient son attention du fait de son agressivité. Le père de l'un des candidats y a inscrit trois courtes phrases, juste en dessous de l'en-tête : « Vous avez rejeté la candidature de mon fils. Il est effondré. À bientôt au tribunal. » Trente années de métier ont fini par endurcir Marilee Jones, et la perspective d'un procès ne l'a pas empêchée de dormir cette nuit-là. Au matin suivant, la promesse d'une telle procédure lui semble encore plus improbable, quand arrive une lettre du fils de Papa Furieux. Elle ne contenait que deux phrases : « Merci de ne pas avoir retenu ma candidature au MIT. C'est le plus beau jour de ma vie. »

Marilee Jones me raconte cette histoire au cours d'un petit-déjeuner à Palo Alto, en Californie. Elle doit y donner une conférence visant à démontrer qu'une valorisation obsessionnelle des résultats scolaires et universitaires tend à priver les écoles – et leurs élèves – de leur énergie vitale. Marilee Jones évoque l'épisode de Papa Furieux pour illustrer ce qui arrive quand les résultats aux examens et une admission dans la « bonne » école deviennent une fin en soi. « Cela va si loin qu'il n'est ici plus question d'enfants ni de ce qui est bon pour eux ; il s'agit seulement de ce que veulent les parents ; il s'agit pour une mère de pouvoir dire à ses amies que sa fille a excellé à son examen ou pour un père de parader sur l'entrée de son fils au MIT ou à Harvard, explique-t-elle. Que devient l'éducation dans tout cela ? Quand donc la passion de nos enfants pour le savoir ou pour une matière qui les intéresse vraiment a-t-elle été supplantée par cette course au meilleur CV ? »

La course au meilleur CV

Dans le monde entier, le même regret se fait entendre dans les familles, les écoles, les universités ou dans les groupes d'experts. À l'aube du XXIe siècle, les enjeux semblent plus élevés que jamais. Les écoles poussent les enfants à maîtriser de plus en plus tôt les bases (lecture, écriture et calcul), rognant sur le dessin, la musique, voire les récréations pour augmenter les cadences. Le coût de l'éducation a aujourd'hui atteint des sommets. De Manchester à Montréal en passant par Melbourne, les parents s'endettent lourdement pour s'offrir la maison qui sera à proximité de l'école la plus cotée. Les professeurs particuliers sont de plus en plus nombreux et prospères. En Chine, les familles consacrent un tiers de leurs revenus à l'éducation.

En Asie, où les sociétés valorisent à l'extrême le travail et la compétition, il est courant d'envisager les résultats scolaires comme une question de vie ou de mort. Cela fait plus de mille ans que les écoliers chinois sont soumis à une véritable course d'obstacles et que les plus hauts postes sont réservés à ceux qui terminent le parcours avec les meilleures notes. Or, le modèle chinois, qui met l'accent sur le par cœur, s'est répandu dans tout l'est de l'Asie, condamnant beaucoup d'enfants de cette région à de longues heures de classe, à un apprentissage qui s'apparente à une marche forcée et à une vie désormais connue sous le nom d'« enfer de l'examen ». En Corée, le jour de l'examen d'entrée à l'université est devenu un événement national, couvert par la télévision et encadré par la police, qui escorte les étudiants jusqu'aux lieux où ils plancheront. Les mères commencent à prier pour que leurs enfants aient de bons résultats au moins cent jours avant le jour « J », ce qui paraît peu en comparaison du marathon par lequel leurs enfants doivent passer. Les élèves coréens se motivent avec un mantra qui fait frémir : « Tu dors quatre heures par nuit, tu passes ; tu dors cinq heures par nuit, tu rates. »

Par tradition, l'Occident est moins frénétique sur le sujet. Les succès scolaires et universitaires ne sont vraiment devenus un sujet de préoccupation familiale qu'au cours du XXe siècle. Dès les années 1960 et 1970, nombre d'écoles ont souscrit à l'idéal de liberté rousseauiste et fait prévaloir les intérêts de l'enfant, la créativité, la spontanéité et l'anticonformisme sur la discipline, l'apprentissage par cœur et les examens. Puis il y a eu le retour de bâton. Dans les années 1980, les gouvernements anglo-saxons ont commencé à imposer des programmes plus lourds et à augmenter le nombre d'examens et d'heures de classe. Ce retour aux bases est en partie dû à la crainte que les bons élèves de l'Est asiatique ne prennent les premières places dans les examens internationaux. Une angoisse grandissante chez les parents, combinée avec les inquiétudes suscitées par la compétitivité économique, ont joué leur rôle, de même qu'un tout nouveau penchant pour les mesures et le benchmarking. En 2000, l'Organisation de coopération et de développement économiques (OCDE) a publié les premiers résultats du Programme international pour le suivi des acquis des élèves (PISA), lequel a soumis pour cette étude près de 250 000 étudiants de quinze ans issus des pays développés à des tests identiques de lecture, de mathématiques et de sciences. Malgré un grand scepticisme de la part des universitaires, les résultats de ce programme sont devenus une sorte de pierre de Rosette qui a fait les gros titres de la presse et suscité la panique des nations reléguées en fin de classement. Au Danemark, par exemple, les résultats moyens révélés par l'enquête PISA ont fait craindre que les établissements scolaires n'accordent trop d'importance au bonheur des élèves. Dans des pays comme la Grande-Bretagne, la mode des classements des écoles a engendré une compétition effrénée pour être dans les premiers rangs.

Toutefois, dans cette course frénétique pour relever les standards académiques, certaines questions fondamentales sont passées à l'as : les systèmes favorisant les examens, la pression et les jeux de comparaison donnent-ils vraiment de bons résultats? Rendent-ils les élèves plus heureux, plus sains et plus intelligents? Produisent-ils de meilleurs citoyens et de meilleurs employés? De meilleures performances aux examens sont-elles vraiment le résultat d'une élévation des standards académiques? En fait, dans le monde entier, parents et enseignants répondent par non à toutes ces questions.

L'école en question

Ne nous emportons pas. Cela fait des siècles que les méthodes d'éducation très formelles ont mauvaise presse. Shakespeare a évoqué le petit garçon qui « lambine à contrecœur jusqu'à l'école, comme un escargot[1] ». Depuis longtemps, le principe même d'être assis dans une salle de classe est remis en cause et considéré comme absurde, voire dangereux. Mark Twain quant à lui ironisait : « Je n'ai jamais laissé l'école interférer avec mon éducation. » Depuis des générations, l'école a fait l'objet de critiques qui avancent qu'elle ne dispense pas un enseignement adéquat, qu'elle place l'idéologie avant le savoir et que son niveau baisse. Les enseignants ont-ils jamais cessé de se plaindre de leurs

---

1 *Comme il vous plaira*, Édition Pléiade, 2002. [NdT.]

conditions de travail? Pourtant, il est clair aujourd'hui que quelque chose ne va pas. Malgré les moyens mis en œuvre, les écoles, où qu'elles se situent, ont échoué à former des enfants bien informés, s'exprimant correctement, créatifs, disciplinés, éthiques et avides d'apprendre. Mais plutôt que de rejoindre la horde des Cassandre, certains observateurs, comme Marilee Jones, préfèrent aller droit au but.

Considérons les faits. La tricherie est en forte hausse, particulièrement parmi les élèves situés en haut de l'échelle, où la compétition est la plus forte. Près des trois quarts des lycéens canadiens admettent avoir commis de graves actes de tricherie à l'occasion d'examens. Lors d'une enquête anonyme menée à Monta Vista, une école californienne réputée pour sa sévérité, le nombre d'étudiants avouant avoir triché lors de quiz, de tests ou d'examens a doublé entre 1996 et 2006. Partout dans le monde s'élèvent des protestations à propos de parents qui aident un peu trop leurs enfants à faire leurs devoirs, d'élèves qui recopient purement et simplement ce qu'ils trouvent sur Internet ou envoient des SMS en plein examen. Et la tricherie ne s'arrête pas à l'école. De source officielle, en 2007, 5 % des candidats à Oxford et à Cambridge ont « amélioré » leur formulaire de candidature au moyen d'éléments trouvés sur Internet. Pour expliquer les raisons qui les incitaient à choisir des études de chimie, 234 candidats ont cité mot pour mot le même exemple d'expérience formatrice: « À l'âge de huit ans, j'ai fait un trou dans mon pyjama avec un briquet. » Une fois entrés dans la tour d'ivoire, les étudiants continuent à chercher des raccourcis pour atteindre le sommet. Des centaines de sites Internet proposent des modèles de devoirs que les étudiants peuvent acquérir pour un prix allant de quelques centaines d'euros à dix mille euros pour un mémoire ou une thèse. Outre ce plagiat généralisé, l'usage grandissant de stimulants tels que ProVigil ou Adderall comme « aides à l'étude » rompt bien évidemment l'équité qui devrait prévaloir dans une salle de classe. Même la Fédération internationale d'échecs s'est mise à tester les joueurs pour détecter une absorption de Ritalin. Les enfants devront-ils bientôt fournir une analyse d'urine pour accéder à leur salle d'examen?

Claire Cafaro, conseillère d'éducation dans un lycée de Ridgewood, une ville aisée du New Jersey, a pu observer que cette compétition folle se développait au détriment de toute éthique: « Par le passé, quand un enfant était surpris en train de tricher, nous pouvions appeler ses parents et ceux-ci nous remerciaient et nous demandaient de les aider à combattre ce problème, se souvient-elle. Maintenant, il leur arrive d'exiger une preuve scientifique de tricherie ou de questionner nos procédures d'examens, voire de nous envoyer leur avocat. »

Quand la classe devient un champ de bataille où le vainqueur a tous les droits, l'amitié peut en souffrir. Dans le cadre d'un rapport sur l'enfance dans les pays industrialisés, publié en 2007 par l'Unicef, des chercheurs ont demandé à des jeunes de onze, treize et quinze ans s'ils se sentaient « seuls » et s'ils trouvaient leurs camarades « gentils et compréhensifs ». Est-ce un hasard si les moins bons résultats sont issus de pays qui privilégient la compétition scolaire et les examens, tels que la Grande-Bretagne, le Japon et les États-Unis?

Trop de compétition décourage les enfants

Dans les sociétés où tout est permis pour parvenir au succès, les enfants souffrent, quel que soit leur profil. Il est vrai qu'une certaine forme de compétition peut être motivante, mais elle peut devenir dangereuse quand la barre est placée tellement haut que seuls comptent les meilleurs résultats. On devine d'ailleurs ce sentiment destructeur de n'être jamais assez bon chez l'un des élèves de Monta Vista : « Je me rappelle qu'avant, je n'avais pas besoin de me contenter de quatre heures de sommeil pour prouver à mes parents que je faisais des efforts raisonnables à l'école. Je me rappelle qu'avant, pour qu'ils soient fiers de moi, je n'avais pas besoin d'avoir vingt sur vingt dans toutes les matières, ni d'obtenir une bourse honorifique spéciale pour une quelconque université d'élite. » Et les étudiants qui n'ont pas les moyens ou la volonté d'appartenir à l'élite finissent par se décourager complètement : « J'ai parfois l'impression que ma vie est un échec, dit une adolescente californienne. Je travaille tous les soirs jusqu'à trois heures du matin pour des devoirs qui ne me valent bien souvent que des notes moyennes. Je pratique un sport qui ne me rapportera aucun

honneur particulier et j'ai l'impression de perdre progressivement mes amis. La situation va-t-elle continuer à empi-
rer? C'est ce que je crains le plus. » Ce sentiment de désespoir est spécialement répandu en Extrême-Orient, où un
nombre ahurissant d'étudiants abandonnent l'école ou se
suicident. À Hong Kong, près d'un adolescent sur trois a
déjà eu des idées suicidaires. Dans toute l'Asie, des enfants
complètement aliénés se tournent vers la violence et le
crime. En 2005, confronté à des rapports révélant que 5 %
de la jeunesse sud-coréenne appartenait à des gangs délinquants, le gouvernement de Corée du Sud, nation qui s'est
longtemps vantée de la discipline et de l'obéissance de ses
enfants, a mis en place une commission spéciale pour faire
face à ce problème.

Et la réflexion dans tout ça?

Dans le même temps, la théorie selon laquelle plus d'examens et des rythmes scolaires soutenus constitueraient le
meilleur moyen pour préparer les jeunes esprits aux défis
du XXIe siècle commence à prendre l'eau. Rappelons ainsi
ce rapport du King's College qui avance que le développement cognitif des petits Anglais pâtit du peu d'heures consacrées à des jeux de plein air. D'autres chercheurs estiment
que ce problème est en partie attribuable à notre obsession
pour le bourrage de crâne et la course aux résultats : « En ne
s'intéressant qu'aux bases – lecture et écriture – et en mul-
tipliant les examens, on abaisse le niveau de stimulation

cognitive, explique Philippe Adey, professeur au King's College. Les enfants ont des connaissances, mais ne savent pas réfléchir. »

Une approche centrée sur les examens peut amener les professeurs à revoir leurs priorités en les incitant à ajuster leurs cours en fonction des épreuves, au lieu de promouvoir le véritable apprentissage, l'imagination ou la capacité à résoudre des problèmes. Il y a cent cinquante ans, l'Angleterre a tenté de rémunérer les enseignants en fonction de la qualité des réponses que leurs élèves donnaient au cours des inspections. En réaction à cette politique, les établissements ont privilégié le par cœur et encouragé les moins bons éléments à sécher l'école les jours d'inspection. De nos jours, vus les enjeux professionnels et financiers liés aux résultats d'examens, les professeurs du monde entier ont adopté un comportement identique, voire pire. Récemment, à Washington, une enseignante du primaire a ainsi communiqué à ses élèves, avant un examen national, les bonnes réponses à donner et les a autorisés à échanger entre eux pendant l'épreuve. L'enquête rapporte que, dans la partie où on lui demandait d'expliquer ses réponses, un enfant a écrit « Cé le prof qui ma di [sic]. » En Angleterre, le directeur d'une école primaire a été surpris en train d'aider les élèves à tricher lors d'un examen officiel de mathématiques et de science. Le Japon a été récemment secoué après la révélation que des centaines d'écoles autorisaient leurs élèves à manquer des cours entiers pour mieux se préparer aux examens d'entrée à l'université, réputés pour leur extrême difficulté.

La course aux résultats a des limites

Parlons aussi de l'inconvénient premier des examens : la chose qu'ils évaluent le mieux reste encore la capacité d'un enfant à les passer. Est-ce vraiment ce dont la Nouvelle économie a besoin? Dans les années à venir, les gagnants ne seront pas ceux qui connaîtront toutes les réponses par cœur, mais ceux qui sauront faire preuve de créativité, les esprits vifs et novateurs qui seront capables de penser transversalement, au-delà des matières, de creuser un problème sans nécessairement viser un résultat et de prendre plaisir aux défis du savoir, tout au long de leur vie. Ce sont de tels individus qui inventeront le prochain Google, découvriront une alternative au pétrole ou élaboreront un plan pour sauver l'Afrique de la famine.

Or, la créativité des enfants s'étiole quand ils sont soumis à une pression et une à surveillance constantes : au lieu de les engager à tenter leur chance et à repousser les limites, elles les incitent à la prudence et les orientent vers des réponses qui leur offriront la médaille d'or et les félicitations de leurs parents. Un couple de ma connaissance m'a rapporté que leur fils de dix-sept ans leur avait demandé de ne plus lui parler de sujets littéraires, historiques ou artistiques qui ne feraient pas partie de son programme d'études. « Il a peur que ça le gêne pour ses examens, m'a dit son père. D'une certaine façon, j'admire sa détermination. Mais je trouve quand même assez déprimante cette vision aussi bornée de l'éducation. » Par ailleurs, un bourrage de crâne systématique ne favorise pas le développement du quotient d'Intelligence Émotionnelle (IE), c'est-à-dire l'aptitude à gérer les relations interpersonnelles. Or, cette forme d'intelligence apparaît aujourd'hui comme au moins aussi importante que le QI, dans la mesure où le monde professionnel moderne fait une très large place au travail et à la recherche en équipe.

Nous avons déjà vu que l'abandon de systèmes fondés sur les examens et la compétition au profit de méthodes valorisant l'apprentissage collaboratif et centré sur l'enfant porte ses fruits au niveau des écoles primaires. Cette observation reste vraie pour les années suivantes. Une étude officielle, publiée en 2006, a été réalisée sur un large échantillon d'enfants qui avaient participé à un tirage au sort qui devait leur permettre d'intégrer une école Montessori à Milwaukee. Cette étude a comparé ceux qui avaient obtenu une place dans cette école et ceux qui, n'ayant pas eu cette chance, avaient dû rejoindre le système scolaire traditionnel. Dans la mesure où ils ont participé à ce tirage au sort, on peut supposer que l'ensemble des parents concernés avait des aspirations similaires. Autour de douze ans, les deux groupes d'enfants observés avaient des niveaux plus ou moins équivalents en maths et en lecture, de même qu'en orthographe, ponctuation et grammaire. En revanche, pour la rédaction, les enfants issus de Montessori étaient loin devant, leurs devoirs étant beaucoup plus créatifs et leur construction de phrases nettement plus sophistiquée. Ils montraient par ailleurs de meilleures aptitudes dans la

gestion des conflits et se sentaient mieux respectés et soutenus dans leur école. « Quand vous adaptez l'enseignement
que vous dispensez aux examens à venir, vous produisez
des enfants aptes à réussir cet examen, m'explique un enseignant Montessori de Toronto. Quand vous oubliez l'examen
pour vous concentrer sur l'apprentissage de l'enfant, vous
produisez un individu complet. »

Quand le plaisir d'apprendre passe à la trappe

Trop de contrôles peuvent aussi ôter tout plaisir à l'apprentissage. De très nombreuses études montrent qu'à l'occasion
d'un travail, plus on incite les individus à obtenir de bons
résultats et des récompenses, moins ces individus s'intéressent au travail lui-même. Dans les examens internationaux,
les étudiants d'Asie de l'Est excellent en mathématiques et en
sciences, mais si on mesure leur intérêt pour ces matières, ils
se situent plutôt en fin de classement. Ceci pourrait-il expliquer que si peu d'entre eux se dirigent vers la recherche une
fois leur diplôme obtenu et que l'Extrême-Orient compte si
peu de scientifiques et de mathématiciens de renom? Ceci
pourrait-il aussi expliquer qu'un pays comme le Japon a produit si peu de prix Nobel, toutes matières confondues? Avec
un mode d'apprentissage très centré sur les examens, les
jeunes Anglais de dix ans ont remporté la troisième place en
lecture dans les classements internationaux. Pourtant, ils sont
en queue de peloton s'agissant de leur plaisir à pratiquer la

lecture en dehors de l'école. Il semble que nous ayons oublié la leçon que nous a enseignée Platon : la clef de l'éducation est de « faire en sorte que les enfants aient envie de connaître ce qu'il leur faut connaître ».

J'ai fait le tour du monde afin de mesurer l'évolution des mœurs en matière d'éducation et de découvrir ce qui pouvait contribuer à la réussite d'un système scolaire. Ma première escale a été la Finlande. Ce pays de cinq millions d'habitants, situé aux confins de l'Europe du Nord, semble avoir atteint le nirvana dans le domaine éducatif. D'après l'enquête PISA (Programme international de suivi des acquis des élèves, institué par l'OCDE), les élèves finlandais remportent régulièrement les deux premières places de chaque catégorie : mathématiques, lettres et sciences. La Finlande possède aussi le plus fort taux mondial de diplômés de l'université et bénéficie d'une économie extrêmement dynamique bâtie sur de nombreuses sociétés high-tech aussi créatives que Nokia. Enfin, selon un rapport de l'Unicef de 2007, la Finlande occupe la troisième place des nations les plus heureuses, parmi les pays développés.

Le modèle finlandais

Toutes ces données ont fait de ce pays un Eldorado pour les chercheurs qui travaillent sur l'éducation. Chaque année, plus de 1 500 délégués étrangers venant de quelque cinquante pays s'y rendent pour décrypter les secrets du « miracle finlandais ». Et il y a effectivement quelques leçons à en tirer.

L'une d'elles nous conduit à envisager une alternative à l'approche privilégiant un apprentissage précoce à marche forcée. En total contraste avec les enfants de beaucoup d'autres pays, les petits Finlandais n'entrent pas à l'école avant l'année de leur septième anniversaire. Leurs premières années d'enfance se passent donc à la maison ou dans des crèches où le jeu est roi. Une fois scolarisés, ils bénéficient de journées d'écoles courtes, de longues périodes de vacances et d'activités faisant la part belle à la musique, au dessin et au sport.

La Finlande maintient par ailleurs la compétition à un niveau minimum. Elle évalue certes les performances scolaires des élèves, mais ne publie pas les résultats de ces évaluations. À moins que les parents ne le demandent, les élèves ne sont pas notés avant leur treizième année. Par contre, ils reçoivent de leurs professeurs des fiches récapitulatives et pratiquent l'auto-évaluation dès leur plus jeune âge, un peu comme à Reggio. On ne saute pas de classe en Finlande, il n'y a pas de classes de niveau et le système mélange tous les enfants, quel que soit leur niveau, jusqu'à ce qu'ils entrent au collège. Comparé aux standards internationaux, il y a aussi assez peu de devoirs. Et la Finlande a une autre particularité : vous n'y trouverez pas de centres de tutorat de type Kumon. Car les parents estiment que la charge en revient au système scolaire : « Engager un précepteur pour mon enfant équivaudrait à acheter une maison neuve dont je ferais refaire le toit tous les ans, explique un père. De toute façon, il est préférable que les enfants puissent un peu oublier l'étude quand ils ne sont pas à l'école, afin de pouvoir se reposer ou jouer, et pour avoir une vie d'enfant, tout simplement. »

Une autre leçon que nous donne la Finlande est que lorsque la profession d'enseignant est estimée, tout le monde en tire profit. Ici, la compétition est rude pour ceux qui veulent enseigner, et ceux qui réussissent doivent suivre cinq années d'études avant d'y parvenir. La majorité des parents accordent d'ailleurs une grande confiance aux professeurs de leur pays. La Finlande a également su éviter l'écueil de programmes scolaires trop rigides et, même s'ils doivent se conformer à un certain nombre de principes généraux définis au niveau national, ses établissements ont une grande latitude pour déterminer ce que leurs élèves étudieront. Or, l'une des conclusions de l'enquête PISA rappelle que les meilleures écoles, qu'elles soient publiques ou privées, ont en général une large autorité pour décider de leur programme et de leur budget.

Enfin, il est frappant de constater que les examens ne font absolument pas partie des priorités des Finlandais. Hormis les examens de sortie, en fin de lycée, les enfants ne subissent aucun autre examen officiel. Les professeurs ont recours à des quiz et quelques écoles organisent des tests pour évaluer les progrès de leurs élèves, mais le bachotage pour un examen officiel est aussi étranger à la Finlande qu'une vague de chaleur en plein hiver. Pourtant, il faut bien souligner ce délicieux paradoxe : la nation qui accorde le moins d'importance à la compétition et aux examens, qui montre le moins d'intérêt pour les « boîtes à examens » et les précepteurs privés obtient néanmoins les meilleures places lors d'épreuves aussi compétitives que celle qui est organisée pour les besoins de l'enquête PISA.

Domisch Rainer, expert allemand en pédagogie, a passé près de trente ans en Finlande. Il estime que ce paradoxe est le fruit d'un système qui place les besoins de l'enfant avant les désirs des parents et des bureaucrates : « Là-bas, on ne considère pas les enfants comme des seaux que l'on doit remplir de cinq, dix, quinze leçons par semaine, puis que l'on mesure examen après examen. Vous ne pouvez pas forcer un gamin à grandir plus vite pour qu'il se conforme à votre système, à votre calendrier ou à votre ego. Vous devez découvrir comment il apprend le mieux. Beaucoup de pays ont oublié cela. »

Afin d'observer cette philosophie en action, je me suis rendu à Vantaa, la quatrième ville du pays, située au nord d'Helsinki. Ma destination finale est Viertola, une école qui accueille des enfants de sept à treize ans. Le quartier est habité par des entrepreneurs et des agents de services de l'aéroport voisin, ainsi que par quelques immigrés d'Europe de l'Est et d'Afrique.

Le directeur, Pekka Kaasinen, me reçoit en chemise rouge et sandales. Avec son air sympathique, son physique athlétique et son collier de clefs autour du cou, il me fait penser à l'un de mes anciens profs de gym. Nous entrons dans le bâtiment de briques en passant devant des étagères où sont rangées de très nombreuses paires de chaussures. Car pour contribuer à une atmosphère détendue, les enfants retirent leurs chaussures dans l'enceinte de l'école, comme ils le font à la maison. Pekka Kaasinen est effrayé par le système scolaire qui prévaut dans la plupart des autres pays. Il estime que le premier travail de l'école consiste à nourrir la passion d'apprendre plutôt qu'à préparer des bêtes à concours. « Pour certains, la compétition est bénéfique, mais pas pour d'autres. Alors il est préférable de ne pas trop y recourir, me dit-il. Nos enseignants savent de toute façon ce que leurs élèves peuvent et ne peuvent pas faire, alors les examens n'apportent pas grand-chose. » Pekka Kaasinen considère qu'une répartition des élèves par groupes de niveau démoralise les enfants qui ont des difficultés ou qui sont simplement plus lents. À Viertola, les professeurs accordent un soutien plus intensif aux enfants les plus faibles et donnent des devoirs supplémentaires à ceux qui ont des facilités, mais tout cela se passe au sein d'une même classe. De cette façon, tous les élèves continuent à s'investir et ni les parents ni le personnel enseignant ne sont tentés de recourir à l'armoire à pharmacie. Sur les 470 élèves de Viertola, deux seulement sont sous Ritalin. « Nous avons de bons résultats parce que nous prenons soin de chaque élève, explique Pekka Kaasinen. L'essentiel est de mettre tous les élèves, quelles que soient leurs capacités, dans une même classe. Après tout, c'est comme ça dans la vraie vie. » En tout cas, les études de l'OCDE confirment une chose : dans les pays qui évitent le bourrage de crâne, il y a plus d'élèves qui réussissent.

À l'issue de notre entretien, j'assiste à un cours d'anglais. Il se déroule dans une salle de classe classique : des tables alignées, un tableau noir et une fenêtre ouverte sur la cour de récréation. Sur l'un des murs est affichée une série de haï-kus que les enfants ont imaginés la semaine précédente, afin de pratiquer leur vocabulaire anglais. L'un d'eux décrit : « A horse, hungry heavy, hear helps hits, heavily happily, an animal. » La classe dégage un agréable mélange de discipline et de décontraction : on sent que l'enseignante dirige le groupe, mais elle ne s'adresse pas aux élèves de façon autoritaire. Aujourd'hui, les enfants doivent lire à haute voix et expliquer leur rédaction, qui a pour sujet « Mon coin favori ». La discussion qui s'ensuit combine anglais et finlandais. Une fillette décrit des « broussailles enchevêtrées » qui poussent derrière la maison de vacances familiale. Un garçon évoque un endroit de son esprit où « tout est calme et ouvert » et où « ses meilleures idées prennent forme ». J'interroge ensuite quelques élèves dans une salle vide. Patrick, un garçon de treize ans aux yeux malicieux et aux cheveux bruns en bataille, vient de voir un documentaire sur les enfants du monde entier. Il est choqué par la pression à laquelle ceux-ci doivent faire face dans d'autres pays : « Je me suis rendu compte que nous avions beaucoup de chance en Finlande parce qu'on n'a pas besoin de s'inquiéter tout le temps pour des examens ou des notes. Au lieu d'entrer en compétition avec les autres, on le fait avec soi-même. C'est le meilleur moyen pour apprendre. » Jari, un de ses camarades, acquiesce : « Quand l'école ressemble trop à une course, on finit par se lasser et par moins l'apprécier. Je sais que j'apprends mieux quand je m'amuse. »

Quand les parents s'en mêlent

L'éducation finlandaise n'est certes pas exempte de critiques. Certains de ses détracteurs disent qu'elle demande trop aux élèves les plus faibles et pas assez aux plus forts, qu'elle pourrait laisser plus de place à la créativité et à la résolution de problèmes et que les professeurs favorisent trop les méthodes classiques, qui s'appuient sur le tableau noir. Malgré leur intérêt pour la technologie, les Finlandais ne se sont d'ailleurs pas empressés de connecter leurs salles de classe.

Plus étrange encore, compte tenu de l'excellence de leurs résultats, les établissements finlandais commencent à faire face à une pression parentale identique à celle des autres pays. Les enseignants les plus anciens de Viertola ont noté le changement. Les parents d'aujourd'hui, expliquent-ils, sont plus pressants, remettent en cause les notes, exigent un traitement spécial pour leur enfant, militent pour une augmentation des contrôles, des devoirs et des langues étrangères enseignées. Certains en appellent au gouvernement pour qu'il établisse un classement public des écoles, comme en Grande-Bretagne. Le personnel de Viertola a un peu peur de l'avenir : « En Finlande, notre système d'éducation n'est pas sans défaut, mais il est solide. Nous devons croire en ce qui fonctionne plutôt que chercher à l'améliorer en copiant les erreurs commises par d'autres pays. »

De fait, pour le moment, la Finlande est toujours en tête de peloton. Certains des principes d'éducation qui fondent son système – moins d'examens, moins de compétition, moins de bachotage – font peu à peu leur chemin dans le monde entier. Le très exigeant programme du baccalauréat international, qui voit passer plus d'un demi-million d'étudiants issus de cent vingt-quatre nations, a récemment été allégé. Le Pays de Galles a supprimé les examens officiels pour les enfants de sept ans et rendu facultatifs ceux que passent les enfants de onze et quatorze ans. D'ici 2009, les adolescents anglais ne plancheront plus que sur deux tiers des examens qu'ils doivent actuellement passer durant leurs deux dernières années d'école. Aux États-Unis, malgré la quasi-sacralisation des tests, les écoles et les universités privées accordent de moins en moins d'importance aux résultats des examens dans le processus de sélection de leurs étudiants.

Même des pays autrefois réputés comme un vrai « enfer des examens » ne croient plus que les tests sont seuls capables de mesurer la valeur des enfants. Les parents sud-coréens et chinois envoient désormais leurs enfants étudier dans les pays occidentaux où la pression universitaire est moins intense. Changement aussi à Singapour, où les écoles secondaires sélectionnent désormais les élèves sur leurs qualités personnelles plutôt que sur leurs résultats aux examens officiels. Les représentants de l'administration de ce pays expliquent que le système est en train de passer d'une méritocratie fondée sur les examens à une méritocratie fondée sur le talent. « Quand nous nous bornons à retenir les résultats d'examens pour [évaluer les enfants]… le système est transparent et simple, mais il tend à restreindre notre définition du talent et à limiter notre définition de la

réussite, explique Tharman Shanmugara-tnam, ministre de
l'Éducation de Singapour. Il y a toujours une période de
flou quand on passe d'un système basé sur l'efficacité à un
système basé sur le choix. Mais je pense que ce flou est
bénéfique. Il brouille les identités, il brouille les définitions.
Or, personne ne peut se résumer à une note ou à un chemin unique. Chaque individu est une somme de talents qui
doivent tous être développés. » Adieu enfants gérés, salut
les mômes !

La révolution du Yutori

Le Japon va encore plus loin dans ses réformes et son parcours met en lumière les bénéfices et les pièges liés à une
approche plus souple de l'éducation. Ce pays essaye d'alléger le fardeau qui pèse sur ses étudiants depuis des années,
mais le sursaut décisif a eu lieu en 2002, avec la révolution du *yutori kyoiku* (« éducation sans pression »). Celle-ci
a permis de réduire de près d'un tiers les heures de cours
– avec notamment la suppression de l'école le samedi – et
de diminuer l'intensité des programmes. Elle a également
entraîné la création d'une classe d'enseignement général
destinée à apprendre aux élèves à résoudre les problèmes
qui leur sont posés en utilisant de façon transversale leurs
connaissances, c'est-à-dire en passant d'une discipline à
l'autre. Son ambition est clairement affichée : donner aux
enfants le temps et l'espace suffisants pour devenir des
adultes complets et avides d'apprendre. En pratique, cepen-

dant, le *yutori* connaît un succès mitigé. La fin de l'école le samedi a été mal perçue dans la mesure où beaucoup de parents n'ont ni le temps ni l'envie de s'occuper de leurs enfants un jour de plus dans la semaine. Ses détracteurs ont prédit qu'il entraînerait une baisse du niveau, crainte qui a semblé confirmée par une chute en lecture et en sciences dans les classements internationaux. En réaction, beaucoup de parents ont transféré leurs enfants dans des écoles privées. D'autres ont choisi d'augmenter le temps passé par leurs enfants dans les *juku*[1] ou les écoles de bachotage. Du fait notamment de la demande de parents inquiets, de nombreuses écoles publiques ont de leur propre chef rallongé les heures de cours. La Corée du Sud a connu un même retour de bâton quand, en 2003, elle a décidé de supprimer l'école le samedi.

Mais le *yutori* a aussi des bons côtés. Les enquêtes menées par le ministère de l'Éducation japonais laissent penser que laisser une part moins importante aux livres de cours et à la compétition a développé une soif de savoir qui va au-delà de la simple échéance des examens. Beaucoup de parents considèrent que le régime du yutori a affiné l'esprit critique des enfants et les a incités à creuser leurs sujets d'études. Les jeunes Japonais ont par ailleurs plus de temps libre pour se reposer, sortir ou passer du temps en famille. Certains signes montrent que le *yutori* a aussi amélioré les performances académiques. Des tests d'aptitudes réalisés

---

1 Cours privés du soir. Ils sont presque la règle pour les lycéens et le Japon en compte quelque 50 000. [NdÉ.]

sur des enfants âgés de dix à quinze ans ont montré qu'ils obtenaient de meilleurs résultats dans presque chacune des vingt-trois matières abordées (à l'exception des sciences humaines et des mathématiques, enseignées en fin d'école élémentaire).

Il est difficile de dire où va aujourd'hui le Japon. En 2007, Shinzo Abe, alors Premier ministre, a proposé d'augmenter de 10 % les heures de cours au motif que les enfants devaient travailler plus. Mais il a aussi admis qu'il était nécessaire de limiter le bourrage de crâne et la compétition. Ce jonglage traduit bien la tension qui agite parents et politiques dans le monde entier : instinctivement, ils savent que les enfants ont des limites, mais ils pensent qu'ils n'ont pas d'autre choix que de les pousser de plus en plus loin. Peut-être le Japon finira-t-il par trouver le juste équilibre mais, en attendant, l'esprit *yutori* fait fureur dans toute l'Asie de l'Est, où d'autres États cherchent un moyen d'alléger la pression qui pèse sur les élèves. La Corée du Sud a ainsi assoupli son système éducatif pour y introduire la notion de créativité, promouvoir un plus grand champ d'apprentissage et réduire l'importance des résultats d'examens lors de l'entrée au lycée. Dans toute la région, les académies privées se multiplient et proposent des programmes scolaires sans pression. Dans cette partie du monde, même les écoles les plus soucieuses des résultats commencent à s'intéresser au *yutori*. Prenons, en Corée du Sud, l'exemple de la très prisée Minjok Leadership Academy, une sorte de camp d'entraînement pour aspirants maîtres du monde.

Dans leur uniforme impeccable, le hanbok, les élèves ne doivent s'exprimer qu'en anglais entre 7 heures et 18 h 30, apprendre les instruments traditionnels et maîtriser le taekwondo ou le tir à l'arc. Pourtant, même dans cette citadelle du confucianisme, le directeur, Lee Don-Hee, ancien ministre coréen de l'Éducation, a allumé une petite flamme en introduisant un système d'examens non surveillés et un conseil des étudiants. Il a également beaucoup assoupli le système d'admissions. Pourquoi? « Parce que je voulais trouver de jeunes talents plutôt que de petits génies façonnés par leurs parents », explique-t-il. Lee Don-Hee s'appuie sur une rhétorique typiquement yutori, alors que celui-ci était considéré jusqu'à très récemment comme une hérésie dans son pays : « L'école fait de son mieux pour aider les étudiants à prendre plaisir à leurs études plutôt qu'à travailler sous la pression. »

Les élèves de Minjok apprécient le changement. Dong-Sun Park, un jeune homme dégingandé de dix-sept ans qui espère devenir le futur Richard Branson coréen, pense que la pression est à double tranchant : « À petite dose cela peut être profitable, mais si vous étudiez continuellement sous pression, il ne s'agit pas d'un véritable apprentissage. On ne donne le meilleur de soi-même que lorsqu'on a le sentiment de travailler pour soi et non pas pour les professeurs ou les parents. »

Étudiants au bord de la crise de nerfs

Un sentiment similaire anime la conférence de Palo Alto où j'ai rencontré Marilee Jones. Y assiste un groupe dont le nom dit tout : Stressed Out Students (Étudiants au bord de la crise de nerfs, abréviation SOS). Plusieurs écoles californiennes ont travaillé avec SOS pour alléger le fardeau pesant sur les enfants, ce qui a débouché sur des réformes allant d'une réduction des devoirs à une diminution du nombre d'examens, en passant par une amélioration de leur calendrier pour éviter qu'ils aient du travail pendant les vacances. À l'issue de la conférence, je décide de me rendre dans une école qui a mis en place des mesures encore plus radicales.

Le système du « block schedule »

Saratoga fait partie des villes qui participent à la réputation qu'a la Californie d'être un petit paradis. De grandes villas, souvent agrémentées de piscines, bordent des rues arborées. Saratoga High est située dans un immeuble d'un seul étage, bâti autour d'une cour accueillant quelques tables de pique-nique sous le feuillage d'imposants séquoias. Le parking, à l'extérieur, est rempli de petites Mercedes, d'Audi et de 4 x 4. Pourtant, Saratoga High est loin d'être une école privée pour jeunesse dorée. En fait, elle est connue pour être une sorte de cocotte-minute académique, raflant les meilleurs scores aux examens officiels des États-Unis et envoyant la quasi-totalité de ses élèves à l'université – souvent dans les meilleures d'entre elles. Parmi ses anciens élèves, on trouve Steven Spielberg, réalisateur très doué mais étudiant plutôt moyen, qui décrit les années qu'il y a passées comme l'« enfer sur Terre ». Cela se passait dans les années 1960, mais dans les années 1990 la pression y avait atteint un tel niveau qu'elle n'affectait plus seulement les doux rêveurs qui s'étaient égarés dans cet enclos. Les élèves en venaient à développer des maladies liées au stress ou devaient recourir aux médicaments, ne serait-ce que pour finir leur journée de cours. Les notes restaient élevées, mais cette course à l'excellence avait fini par détruire quelque chose de plus profond et de difficilement mesurable. « Appelez ça manque d'étincelle, de créativité ou de joie, se souvient un professeur. Cela se voyait sur le visage des mômes. »

Pour alléger la pression, Saratoga High décida d'adopter le très controversé *block schedule* (littéralement « emploi du temps par blocs ») au cours de l'année scolaire 2005-2006. Au lieu de journées découpées en périodes de 55 minutes, les élèves assistaient à des cours de 95 minutes. Le nombre de cours ayant été ainsi réduit, une pause fut également instituée dans la matinée. Ces changements visaient à ralentir le rythme pour dégager du temps durant lequel les élèves pourraient reprendre leur souffle et approfondir un peu leurs matières.

Si de nombreux établissements scolaires nord-américains ont opté pour ce système, celui-ci n'est pas exempt de défauts. Certains critiques estiment qu'il fait trop peu de place au cours ou qu'il engendre une discontinuité dans la mesure où les professeurs ne voient plus leurs élèves chaque jour. Différentes études ont montré que ce système ne permettait pas d'améliorer les résultats scolaires. Mais certaines écoles en ont tiré profit, comme Saratoga High. La plupart des enseignants de cette école ont applaudi l'introduction de ce nouveau régime. Jenny Garcia, professeur de physique-chimie, estime que depuis sa mise en place, le personnel enseignant et les élèves sont plus détendus, donc plus productifs. « Nous disposons de plus de temps pour noter les copies et, de leur côté, les enfants ont plus de temps pour décompresser dans la journée et pour se concentrer sur ce qu'ils ont à faire, dit-elle. Je constate que je passe moins de temps qu'avant à essayer de capter leur attention parce que nous consacrons moins de temps à "introduire" le cours et plus de temps à véritablement apprendre. »

Donner la parole aux élèves

Du côté des humanités, les professeurs notent une approche plus riche et plus créative des travaux donnés en cours. « Comme le rythme est moins effréné, la qualité des débats en classe est optimale, constate Jason Friend, professeur d'anglais. Au lieu de survoler le sujet, nous pouvons aller plus au fond des choses et les gamins aiment ça. »

L'augmentation de la durée des cours séduit également Kim Andzalone, professeur d'histoire et de cinéma, qui apprécie de pouvoir quitter son estrade pour donner la parole aux élèves : « Nos débats sont plus riches et plus ouverts parce que les enfants ont désormais le temps de digérer la documentation, de poser des questions et d'intégrer les notions, au lieu d'assister passivement à un cours. » Kim Andzalone a récemment organisé un faux débat sur l'esclavage. Le groupe censé soutenir les esclavagistes a brillamment exposé que les « esclaves salariés » du XIXᵉ siècle étaient plus à plaindre que les vrais esclaves des plantations de coton du Sud de l'Amérique. « Leurs idées sont étonnantes, dit-elle. Ils ont juste besoin d'un peu de temps pour parvenir à réfléchir en dehors du cadre. »

Les statistiques montrent que la plupart des élèves de Saratoga High apprécient la nouvelle formule. Les notes restent élevées, mais le stress est moindre. Un quart des étudiants disent qu'ils dorment mieux la nuit. Et mon petit sondage personnel semble le confirmer. Durant la pause déjeuner, Jenny, une élève de terminale, me dit que le rythme de ses journées s'est grandement amélioré : « J'ai moins l'impression d'être un rat de laboratoire qui fait tourner sa roue. Je sors plus souvent en dehors de l'école. » Son amie Susan lui emboîte le pas : « Cette année, j'ai de meilleurs résultats parce que l'ambiance générale est plus décontractée. »

Richard, philosophe de choc, a recours à une image sportive pour décrire la sagesse du nouveau système de cours : « C'est comme le foot ou le basket. Pour jouer à ton meilleur niveau, tu as besoin de pression, qu'elle provienne de l'horloge ou des attentes de quelqu'un d'autre. Mais si tu es continuellement sous pression, si tu cours toujours après la montre, tu finis par avoir peur et faire des erreurs. Tu ne maximises plus ton potentiel de jeu. »

Notez bien que Saratoga High reste une des meilleures écoles aux États-Unis. Le système du block schedule a sans doute réduit la pression quotidienne pesant sur les élèves, mais elle existe encore, les parents se chargeant de leur rappeler qu'ils doivent obtenir les meilleures notes et intégrer les universités les plus prestigieuses. Aucun changement d'emploi du temps n'y fera rien. John l'explique à sa façon : « Beaucoup d'entre nous sentent bien qu'ils doivent être les meilleurs pour satisfaire leurs parents, la société ou eux-mêmes. Pour de nombreux jeunes de l'école, ça se résume toujours et encore à la même question : "Vais-je intégrer une bonne université ?" »

Études supérieures : la course aux meilleures écoles

Cette question tourmente enfants et parents dans le monde entier parce qu'on ne peut lui apporter de réponse simple. Dans beaucoup de pays, la procédure de candidature à l'université ou dans une école d'enseignement supérieur n'est pas exempte d'arbitraire. Vous pouvez passer dix-sept années à construire le plus beau des CV et rater l'entrée dans l'école de vos rêves. En 2006, Princeton a rejeté la candidature de quatre majors de promotion sur cinq. Un an plus tard, dans la bataille pour décrocher la bonne école, un lycéen de dix-sept ans m'a envoyé ces nouvelles du front : « Je pense qu'on fait beaucoup TROP de battage autour de l'entrée à l'université. Les étudiants essayent par tous les moyens de devenir membre de n'importe quel club ou association. Et les résultats de cette année prouvent qu'il n'y a pas de formule magique. Les majors de promotion se font rejeter, alors que les plus paresseux sont acceptés dans toutes les écoles qu'ils demandent. Tout cela n'a aucun sens. Je pense que les gens devraient se décontracter et se contenter de faire ce qu'ils aiment vraiment. De cette façon, ils acquerraient des compétences utiles, qu'ils pourraient utiliser à l'université, que ce soit ou non la plus cotée. » Partout aux États-Unis, les professeurs de lycées et les conseillers d'orientation rapportent que de plus en plus d'étudiants commencent à choisir les universités non plus en fonction de leur prestige, mais en fonction de ce qui leur convient le mieux, quitte à décevoir leurs parents.

Pourtant, c'est un choix difficile dans la mesure où, pour les parents actuels, rien n'est plus beau qu'une acceptation dans une université ou une école d'élite. Rien ne peut plus ravir un père ou une mère que de pouvoir annoncer que son fiston va entrer à Oxford, Yale ou Polytechnique en septembre prochain. Et les enfants le comprennent très, très tôt. Une puéricultrice de Seattle a récemment demandé à des petits placés sous sa garde ce qu'était le bonheur. L'un d'eux a levé le doigt immédiatement : « Entrer à Harvard », a-t-il claironné du haut de ses quatre ans...

Des promesses pas toujours tenues

Même s'il est vrai que les universités les plus renommées confèrent un pedigree enviable et des privilèges de vainqueur, valent-elles toujours les efforts et les frais qu'il faut consentir pour y postuler, puis y étudier? Pas sûr. Dans certaines universités de renom, les professeurs consacrent souvent plus de temps à la recherche qu'à l'enseignement. Et le nombre d'étudiants par classe peut être hallucinant. Nombre d'universités plus petites et moins prestigieuses offrent elles aussi un enseignement de premier plan. Dans l'édition 2005 de *How College Affects Students* (« En quoi l'université transforme-t-elle les étudiants? »), deux professeurs du supérieur, Patrick Terenzini et Ernest Pascarella, de l'université d'Iowa, n'ont pas trouvé beaucoup d'éléments démontrant qu'une formation dans une université d'élite « avait un impact quelconque et manifeste sur des paramètres comme l'apprentissage, le développement cognitif et intellectuel, la majorité des changements psychosociaux, le développement d'un raisonnement moral ou une évolution des attitudes et des valeurs ». En d'autres termes, au moment où il entre à l'université, l'élève est déjà trop âgé pour que le choix de telle ou telle école puisse faire une différence dans ce qu'il deviendra après son diplôme.

Qu'en est-il des promesses de carrière? Il est certain qu'un diplôme décerné par une université de prestige s'accompagne en général d'un salaire confortable et d'un emploi tout aussi prestigieux. Cela dit, c'est sans doute encore le cas dans les sociétés les plus rigides comme en Corée du

Sud, mais il semble que cela soit de moins en moins vrai
partout ailleurs. Il peut certes être profitable de côtoyer la
future crème de la crème à Cambridge et à Cornell, mais
dans l'économie moderne, les gens changent de boulot
comme de chemise et de nouveaux secteurs éclosent en
permanence. Dans ces conditions, la performance paraît
bien plus importante que les anciens réseaux. Aux dernières nouvelles, parmi les cinquante premières entreprises
classées au Fortune 500[1], seuls sept P.-D.G. sont issus d'une
école d'élite. Une fois encore, il semble que ce qui pèse
le plus dans la balance, c'est la personne que vous étiez à
votre arrivée à l'université plutôt que l'université elle-même.
Une étude fameuse réalisée par Stacy Dale, chercheur à la
Fondation Andrew Mellon, et Alan Krueger, économiste à
Princeton, a conclu que le facteur le plus important pour
l'obtention d'un salaire élevé plus tard était d'avoir présenté sa candidature à une université prestigieuse, pas d'en
avoir reçu le diplôme. « En fait, nous avons découvert que
le fait de postuler à une école d'élite signifie que l'on est
ambitieux et que l'on s'en sortira bien dans la vie, quel
que soit l'endroit où l'on étudiera », explique Stacy Dale.
Réfléchissons un instant : si l'on est ambitieux, on s'en tirera
bien dans la vie, « quel que soit l'endroit où l'on aura étu-
dié ». Donc ni le système éducatif ni les parents ne devraient
avoir pour ambition principale d'orienter les enfants vers les

1 Le Fortune 500 est le classement des 500 entreprises américaines qui réalisent
le plus important chiffre d'affaires. Il est publié chaque année par le magazine
Fortune. [NdÉ.]

meilleures écoles ou universités. Leur but devrait être d'élever des enfants imaginatifs, disciplinés et dynamiques, ayant un véritable appétit pour l'apprentissage et la vie.

Vive le plaisir et l'autonomie !

L'obsession pour les établissements prestigieux durant les années qui précèdent l'entrée à l'université pourrait donc participer d'un mauvais calcul. À cet égard, une étude de 2006 en provenance de Melbourne devrait redonner un peu d'espoir à tous les parents qui pensent que leur progéniture est condamnée à travailler au McDo du coin si elle n'entre pas dans un lycée de renom. Les chercheurs australiens ont en effet découvert que les étudiants issus du secteur public obtenaient, lors de leur première année d'université, de meilleurs résultats que leurs camarades de la filière privée ou d'écoles ayant institué une sévère sélection. En Grande-Bretagne aussi, entre autres, les recherches laissent à penser que les diplômés des établissements publics connaissent ensuite un meilleur parcours universitaire. Différentes théories appuient ce constat. L'une d'elle avance que, dans la mesure où les écoles d'État prodiguent moins de soin et d'attention à leurs étudiants, ceux-ci doivent s'autodiscipliner et se motiver par eux-mêmes, développant ainsi des qualités qui se révèlent essentielles à l'université, puis dans le monde du travail.

L'école à domicile

Pour échapper à la pression qu'engendre une approche éducative axée sur les examens, beaucoup de parents arrachent tout simplement leurs enfants de l'école. Il suffit, pour s'en convaincre, d'observer l'augmentation du nombre d'enfants éduqués à la maison dans le monde entier. Les statistiques sont lacunaires, mais des millions d'enfants, en Occident, sont désormais scolarisés – ou déscolarisés, si l'on préfère – au domicile familial. En Angleterre, le nombre d'expériences de ce genre a triplé depuis 1999. Les parents choisissent cette voie pour de nombreuses raisons, qui vont des croyances religieuses à la sécurité. Mais nombre d'entre eux y ont recours pour échapper à la dictature des examens, des calendriers et des objectifs.

C'est le cas de John et Margaret Burke. Leur fils, Sean, obtenait des notes honorables dans son école publique de Manchester, en Angleterre, mais ses parents n'appréciaient pas beaucoup l'importance que celle-ci accordait aux examens. En 2001, Margaret a démissionné de son poste de directrice de supermarché pour commencer à lui faire l'école à la maison. Comme la plupart des éducateurs, les Burke ont très souvent laissé leur fils prendre la direction des opérations. Ainsi, le sifflet du train passant dans la gare toute proche ayant attiré l'attention de Sean, sa mère et lui ont consacré plusieurs journées à étudier l'histoire du rail. Ceci a débouché sur la révolution industrielle, qui elle-même a conduit toute la famille à aller admirer différentes toiles de J.M.W. Turner dans un musée local. Sean garde d'excellents souvenirs de ses années d'« école » : « Je me rappelle de l'excitation qu'engendrait le fait de pouvoir poser tout un tas de questions et de chercher leur réponse. J'ai ainsi appris qu'il est très sain d'aller où notre curiosité nous mène. »

Cela n'a pas été bien sûr qu'une partie de plaisir. Dans les premiers temps, les Burke ont été victimes de l'un des paradoxes de l'éducation à domicile : cette décision aussi radicale, prise au nom de la liberté, peut exposer l'enfant à un contrôle parental encore plus grand. « Alors que j'avais retiré Sean de l'école pour le soustraire à cette culture de l'évaluation, je me suis surprise à constamment l'évaluer en secret, parce que nous étions ensemble tout le temps et que, subitement, toute la responsabilité de son éducation m'incombait », se souvient Margaret. Certains parents ayant adopté un tel mode d'éducation tombent dans le piège, mais beaucoup, comme les Burke, parviennent à y échapper : « J'ai finalement pris du recul et nous avons trouvé le bon équilibre. »

Plusieurs études ont montré que l'enseignement dispensé à la maison produit des individus autonomes, qui adorent apprendre et sont très à l'aise en société (exactement le genre de personnes qui s'épanouit à l'université puis, plus tard, dans la Nouvelle économie). Sean fait aujourd'hui des études de commerce dans une université britannique réputée et vient de décrocher un stage dans une société de biotechnologie. « Le fait d'être scolarisé à la maison permet d'échapper à des contrôles permanents. Du coup, vous ne craignez pas de faire des erreurs ou d'avoir l'air stupide, dit Sean. Cela vous aide à développer la confiance nécessaire pour prendre des risques et tenter des expériences. »

L'enseignement à domicile offre par ailleurs des leçons très utiles aux parents. Comme nous l'avons déjà vu, les enfants ont surtout besoin que nous leur donnions du temps et des encouragements. Cela n'implique pas de gérer le foyer comme un camp militaire, chaque instant étant analysé pour son potentiel éducatif. Cela signifie au contraire beaucoup de conversations et de curiosité à l'égard du monde qui nous entoure. Souvent, c'est ce qui est simple qui marche le mieux. Une escapade en famille au musée du coin pour étudier les papillons ou des discussions avec des voisins âgés pour en savoir plus sur le passé. Toutes les enquêtes montrent que le simple fait de discuter avec ses enfants les aide à développer leur confiance en eux, mais aussi leur vocabulaire et leur facilité à s'exprimer. Une histoire lue chaque soir par Papa ou Maman au moment du coucher développera plus le goût d'un enfant pour la lecture qu'un téléchargement sur iTeddy.

Qu'est-ce qu'une bonne école?

Mais pour la plupart des parents, la perspective de trouver une bonne école est toujours plus attirante que celle de l'enseignement à la maison. D'où une grande question : qu'est-ce qu'une bonne école ? La majorité d'entre nous savons en reconnaître une quand nous la voyons. Dans une bonne école, les élèves lisent par plaisir, pas seulement pour les devoirs ; ils continuent à discuter des sujets évoqués en classe une fois rentrés chez eux ; ils se dépêchent de rentrer à la maison pour raconter ce qu'ils ont appris dans la journée ; ils questionnent leurs professeurs au lieu de noter chacun de leur mot comme parole d'Évangile. Dans une bonne école, les enfants rentrent dans la classe avec plaisir au lieu de traîner à contrecœur comme des escargots.

La leçon à en tirer est que de tels comportements ne sont pas mesurables par un examen, de même qu'ils ne peuvent découler d'une augmentation de la charge de travail et de la compétition en classe. Ce qui ne veut pas dire que l'on doit éliminer toute pression et tout examen. Certaines études révèlent que les enfants de milieux défavorisés tirent profit des structures plus académiques et de l'émulation que peut leur donner l'école et qui fait souvent défaut dans leur foyer. Même les enfants issus de familles très aisées, avec un emploi du temps rythmé, ont besoin d'ordre, de discipline et d'être guidés. En ce sens, les examens peuvent occuper l'esprit de façon très profitable, surtout quand les enfants grandissent. Le par cœur a lui-même un rôle à jouer : comment faire autrement pour maîtriser une table de multiplication ou la liste des verbes irréguliers ? Les meilleures écoles savent trouver un juste équilibre en combinant la maîtrise des bases et une plus grande liberté pour les enfants.

Oser abandonner les programmes officiels

C'est un équilibre difficile à atteindre, mais de plus en plus d'écoles s'y attellent. La dernière escale de mon tour du monde s'effectue à l'école publique St John's (son nom complet est St John's School and Community College). Située

dans la petite ville anglaise de Marlborough, elle accueille
1 500 élèves âgés de onze à dix-huit ans, issus de milieux
sociaux variés. En 2001, Patrick Hazlewood, son directeur,
a pris conscience que l'obsession pour les examens et les
objectifs avait fini par épuiser à la fois les élèves et les enseignants. Il a alors décidé d'abandonner purement et simplement le programme officiel. Les élèves suivent désormais des
modules sur un seul thème décliné dans toutes les matières
traditionnelles. Ainsi, pour le module « Mouvements », ils sont
amenés à aborder la notion de vitesse en mathématiques,
l'impact des avions sur l'environnement en sciences et les
carnets de voyages de Paul Theroux ou de Bill Bryson en
anglais. À chaque étape, l'idée est de développer ce que
l'école nomme les « cinq compétences » : gestion de l'information, gestion du changement, relations interpersonnelles,
citoyenneté et apprentissage de l'apprentissage. Quant aux
examens, ils sont réduits au strict minimum.

Le changement le plus important pour St John's est que
ce sont les enfants qui mènent la danse, un peu comme à
Reggio. Les enseignants s'assurent qu'ils abordent certains
concepts, mais ce sont les élèves qui décident de la manière
dont ils vont les étudier, construisant ainsi progressivement
leur propre programme scolaire. Cette petite révolution pourrait bien montrer l'exemple à d'autres établissements dans les
années à venir. L'école traditionnelle est fondée sur l'idée
qu'un élève doit apprendre, se développer et s'évaluer selon
les normes qui conviennent aux professeurs et aux bureaucrates du ministère de l'Éducation. St John's a réfléchi à ce

modèle. « Selon nous, les besoins des élèves, leur apprentissage, constituent la priorité, dit Hazlewood. À terme, notre objectif est de faire passer l'élève d'un système d'examens à un apprentissage permanent. » Certains professeurs ont été un peu effrayés par ce bouleversement, mais la plupart l'ont accueilli avec soulagement. « Quand vous constatez que les enfants redécouvrent le plaisir d'apprendre, c'est merveilleux, dit Kathy Pollard, qui enseigne la technologie depuis trente-sept ans, dont quinze passés à St John's. C'est à l'origine ce qui m'a amenée à vouloir enseigner. »

Et la nouvelle organisation paraît fonctionner. Bien que St John's ne suive plus le programme officiel, ses élèves passent brillamment les examens nationaux, avec des notes supérieures de 10 à 15 % à la moyenne. Récemment, lors d'un concours de rhétorique accueillant des étudiants de tout le pays, St John's a atteint les quarts de finale, laissant derrière elle le Marlborough College, célèbre école privée située sur l'autre versant de la colline. Les inspecteurs décrivent St John's comme une école « remarquable » et considèrent que ses élèves abordent l'apprentissage avec confiance et sont capables de bien travailler, seuls ou en groupe. Les comportements brutaux ou déplacés ont quasiment disparu et les cas de troubles déficitaires de l'attention avec hyperactivité (TDAH) sont très peu nombreux. Beaucoup de familles ont d'ailleurs emménagé dans la région pour que leurs enfants puissent aller à St John's, et près de 450 écoles britanniques suivent désormais ses préceptes. En 2007, l'Angleterre a annoncé qu'elle travaillait à alléger son programme scolaire

officiel afin de laisser aux professeurs plus de souplesse pour
adapter leur enseignement à leurs élèves.

Les élèves mènent le bal

Je suis arrivé à St John's par un matin gris et humide de la
fin du printemps. Les bâtiments – des cubes de briques et de
béton – sont plutôt déprimants, mais l'ambiance à l'intérieur
est au beau fixe. Il y a un bourdonnement qui fait défaut
dans bien des écoles, où qu'elles se trouvent. Au lieu de se
traîner à contrecœur jusqu'à leur classe, les élèves se rassemblent devant la salle, impatients de commencer. Il leur
arrive même de râler parce que le professeur est en retard.
En attendant le début du cours, j'entends trois élèves chucho-
ter sur le cours précédent : « Je ne vois pas comment on pourrait stopper le réchauffement planétaire tant que nous aurons
une économie capitaliste », déclare l'un d'eux. « Je ne suis pas
d'accord avec toi, lui répond son copain. Les consommateurs
ont le pouvoir de faire changer les choses. Regarde le succès
du commerce équitable. » Le troisième hoche la tête : « Peut
être devrions-nous lancer le débat en cours demain. »

J'assiste à une leçon d'anglais pour élèves de onze et
douze ans. Avec ses bureaux rangés devant l'estrade et ses
projets de classe punaisés aux murs, la salle semble tout à fait
ordinaire, mais le cours ne l'est absolument pas. Les enfants
viennent de débuter un module intitulé « Forêts », et ils
prévoient de faire une excursion dans les bois voisins. Quatre
élèves orchestrent le débat depuis l'estrade. Les autres sont

divisés en équipes, chacune d'elles prenant en charge un aspect du projet, tel que le déplacement dans les bois, la liste des connaissances à en retirer ou la rédaction d'une lettre explicative à destination des parents. Le professeur se tient à l'écart. Il lance quelques suggestions, mais laisse en général les enfants conduire le bal.

L'équipe chargée de la lettre en est à peaufiner son brouillon. Tom ressemble à un éditeur en bouclage : « Ça ne marche pas, dit-il. Nous devons la rendre plus persuasive et aller plus dans le sens des parents. » Qu'est-ce qu'il entend par là ? « Et bien, nous pourrions commencer par utiliser des mots plus savants, qui font plus adultes, comme "projet éducatif" plutôt que "but". » Emma intervient : « Je crois que nous devrions leur donner plus de détails sur ce que nous allons faire dans la forêt. » La liste inclut d'ores et déjà l'identification des oiseaux et des plantes, l'évaluation de la hauteur des arbres et une représentation en plein air d'une scène du *Songe d'une nuit d'été*. Deux rangs plus loin, les enfants planifient la route à prendre sur une carte. Ils utilisent leurs doigts et une règle graduée pour évaluer la distance, puis calculent le temps nécessaire pour arriver à destination. Josh fait remarquer que la route traverse la route nationale et décide d'en avertir l'équipe qui rédige la lettre aux parents. « Il faut dire aux parents pour la nationale, leur recommande-t-il. Peut-être que certains parents pourront nous accompagner. » Tom mâchouille son crayon pendant un moment : « Crois-tu que nous devrions le dire en début ou en fin de lettre ? Je pense que c'est mieux de le mettre à la fin, pour ne pas les

effrayer tout de suite. » Les autres acquiescent et s'attaquent
à la formulation.

À l'issue du cours, je reste discuter avec quelques élèves
d'une douzaine d'années. Ils sont si enthousiastes sur leur
école et ce qu'ils apprennent que j'en viens à me demander
s'ils n'ont pas été un peu « briefés ». Mais il suffit de quelques
minutes en leur compagnie pour comprendre qu'ils sont sincères. Ceux qui sont arrivés à St John's, après avoir connu
une autre école apprécient tout spécialement la fin des examens et de la compétition. Ella me dit : « On passait des mois
à réviser pour les examens. Il y avait une pression terrible.
C'était affreux et très ennuyeux. »

Joey semble pourtant admettre qu'un peu de pression et
de compétition peut faire du bien aux élèves : « Dans le cadre
de notre projet, on met au point un guide de survie en forêt
et j'y travaille beaucoup parce que je veux que le mien soit
le meilleur. » Ella renchérit : « Moi aussi, je veux que le mien
soit le meilleur. » Mais à St John's la compétition n'est pas
une fin en soi, ne serait-ce que parce que la plus grande
partie du travail s'effectue en équipe. « Dans notre ancienne
école, il y avait tellement de compétition que toutes les révisions se faisaient en solitaire et c'était vraiment chacun pour
soi, se souvient Joey. Ici, c'est beaucoup mieux parce que,
quand on cesse de toujours penser aux notes et à dépasser
les autres, on peut s'entraider, se concentrer sur ce qu'on doit
apprendre et explorer ce qui nous intéresse. » Il y a peu de
temps, les élèves ont pu étudier la Grèce antique. Comme
cela a débouché sur une comparaison avec les Romains, le

professeur a invité un de ses élèves à préparer un cours de latin pour la classe. Joey n'en est pas revenu : « J'ai tellement aimé que je veux absolument faire du latin plus tard. J'adore apprendre à parler latin et lire des histoires sur les Romains. » L'année prochaine, il a prévu de créer un club de latin avec quelques camarades.

Libérer l'école de ses contraintes

Que retirer de ce petit tour du monde de l'éducation? Première leçon : il n'existe pas de recette unique pour bâtir l'école idéale. On ne pourrait pas transplanter le système d'éducation finlandais en Italie, au Canada ou en Corée, parce qu'il est l'expression de la culture finlandaise. Les écoles diffèrent selon les pays et parfois selon les communautés. Mais certains principes de base semblent pouvoir s'appliquer partout : trop d'examens, de bachotage et de compétition finissent par causer des dégâts ; les enfants apprennent mieux quand on leur donne le temps et la liberté d'explorer des sujets qui les intéressent et qui stimulent leur imagination ; les projets de classe qui couvrent plusieurs matières à la fois enrichissent l'apprentissage ; le jeu et le plaisir font partie de l'éducation ; les enseignants doivent être correctement formés et on doit leur faire confiance, sans leur demander constamment d'expliquer et de quantifier la moindre initiative ; les écoles doivent avoir plus de latitude pour définir leur propre programme et leur calendrier. En matière d'éducation, comme pour tout ce qui touche à l'enfance, nous devons prendre un peu de recul et apprendre à laisser aller les choses naturellement plutôt que d'essayer de les modeler artificiellement.

Actuellement, tous les parents ne peuvent pas se permettre de choisir une école qui applique tous ces principes (quand ils en trouvent une!). C'est pourquoi les politiques doivent commencer à adapter l'école publique à notre siècle. Pour y arriver, ils pourraient puiser un peu de courage et d'inspiration en allant visiter St John's. Car la meilleure nouvelle concernant ce type d'écoles reste quand même que les enfants y sont très enthousiastes. Tous m'ont parlé avec ferveur de leurs devoirs, du fait qu'ils peuvent choisir entre différents travaux qui stimulent leur imagination et qu'ils peuvent réaliser sur plusieurs jours, voire sur plusieurs semaines. Ainsi, au lieu d'un classique devoir de mathématiques, on leur demande parfois de mesurer les pièces de leur maison et d'en faire un plan à une certaine échelle. Dans le même esprit, l'étude des femmes d'Henry VIII peut déboucher sur la rédaction d'un journal à la manière de l'époque. « C'est plutôt chouette parce qu'on a assez peu de devoirs, mais ceux qu'on doit faire nous obligent à vraiment réfléchir à ce qu'on apprend de façon différente, dit Ed. Ça incite à être créatif. » Ella acquiesce : « Ici, les devoirs, c'est un peu du loisir », dit-elle. Je n'en crois pas mes oreilles : des mômes de douze ans qui redemandent des devoirs. Il est clair que St John's a du bon.

Les devoirs :
une épée de Damoclès

*J'aime les professeurs qui, en plus des devoirs, donnent
quelque chose sur quoi réfléchir à la maison.*

LILY TOMLIN, comédienne

Cela ressemble à un fantasme d'écolier. Un prof de maths
donne une liste de devoirs à faire pendant les vacances d'été.

La classe grogne et l'un des élèves prend une décision. Il ne se venge pas en crevant les pneus de son prof ou en enrubannant sa maison de papier toilette. Non, il engage un avocat et l'envoie au tribunal. Sauf que ce n'est pas un fantasme... En 2005, Peer Larson a bel et bien intenté un procès à son professeur du collège Whitnall de Greenfield, dans le Wisconsin, pour lui avoir gâché ses vacances par des problèmes de calcul. Cet adolescent alors âgé de dix-sept ans explique ainsi sa décision : « Quand quelqu'un part en vacances, il n'est pas censé emporter du travail. Ce devrait être un moment pendant lequel je peux faire ce que j'aime sans avoir à penser à l'école, puisque l'année scolaire est finie. » Bruce, le père de Peer Larson, l'a continuellement soutenu : « Ces étudiants sont encore des enfants. Pourtant, on les soumet à une pression croissante pour qu'ils atteignent des objectifs toujours plus élevés sur des fronts très nombreux. Quand arrive l'été, ils ont besoin d'une pause. »

Les Larson sont un peu devenus des héros, les journalistes leur réclamant des interviews et les enfants du coin arborant des t-shirts à leur effigie. L'administration de l'école a trouvé ça beaucoup moins drôle. Elle a dénoncé le procès comme un gaspillage de temps et d'argent, en insistant sur le droit des professeurs à donner du travail quand ils le souhaitent. Au bout du compte, le juge lui a donné raison en refusant d'accueillir ce procès. En agissant ainsi, les Larson sont sans doute allés un peu loin. Pourtant, leur croisade a touché une corde sensible aux États-Unis, mais aussi dans d'autres pays. Pourquoi? Parce que la majorité des enfants, sans parler de leurs parents, savent très bien ce que c'est que de se sentir oppressés par les devoirs. Tout le monde n'a pas la chance d'être dans une école comme St John's. « Vous avez l'impression de travailler dur à l'école, et quand vous rentrez, vous continuez. Ça n'a pas de fin, s'émeut Elliot Marsh, élève de onze ans à Palo Alto en Californie. Parfois, j'en fais des cauchemars. »

Mon fils a trois ans de moins et pourtant les devoirs qu'il rapporte à la maison planent sur toutes nos têtes comme une épée de Damoclès. Nous raccourcissons les sorties en famille pour qu'il puisse les finir dans les temps. Parfois il les termine à la hâte pendant le petit-déjeuner ou tard le soir. Parfois il y a des larmes. Et ça ne va pas aller en s'arrangeant. Il est fréquent que les parents d'enfants plus âgés doivent superviser – ou faire – trois ou quatre heures de devoirs le soir. Une histoire récemment couverte par *Time Magazine* traduit bien le sentiment de désespoir et d'inquiétude qui règne dans beaucoup de foyers du monde entier. Son titre : « Les devoirs ont détruit ma famille – Des enfants épuisés et des parents stressés. »

Un débat récurrent

Tout cela n'est pas nouveau. Les devoirs sont l'objet de controverses depuis les débuts de l'école publique, il y a plus d'un siècle. Les premières critiques ont avancé qu'ils incitaient à la désobéissance en éloignant les enfants de l'église et de leurs parents, ou qu'ils réduisaient les temps de jeu et désorganisaient la vie de famille. Dans les années 1890, un héros de guerre américain, père de deux enfants, a dénoncé les devoirs comme « un facteur d'épuisement nerveux et d'agitation, hautement préjudiciable à la santé physique et mentale ». Quelques années plus tard, le *Ladies' Home Journal* (« Journal des femmes au foyer ») les a comparés à « un crime national commis sous les yeux des parents américains ». L'attaque a été encore plus virulente outre-Manche puisque, en 1911, une grève d'élèves s'est étendue à des centaines d'écoles britanniques, avec des enfants manifestant dans soixante-deux villes pour obtenir une baisse des heures de cours et la fin des devoirs.

Quand les universitaires ont fini par se pencher sur la valeur éducative des devoirs, la bureaucratie s'en est aussi mêlée. Dès le début du XXe siècle, deux tiers des écoles publiques urbaines des États-Unis avaient réduit ou éliminé les devoirs. Ceux-ci ne sont revenus à la mode qu'après la seconde guerre mondiale, par peur que les petits génies soviétiques ne prennent le dessus. Ils ont ensuite reperdu du terrain au cours des années 1960-1970, avant de revenir en force au milieu des années 1980, motivés notamment par la crainte que les studieux élèves asiatiques ne remportent tous les prix. À ce jour, les statistiques nous fournissent une image assez peu homogène. Certaines enquêtes suggèrent que le poids moyen des devoirs donnés aux enfants américains a augmenté de moitié depuis le début des années 1980. D'autres études notent une légère baisse. Quoi qu'il en soit, les moyennes statistiques dissimulent de larges différences entre les établissements. Il est clair en effet que dans les quartiers aisés, où le culte de la compétition est à son comble, les devoirs sont radicalement en hausse. Fait nouveau : même les plus jeunes élèves en ont désormais. La Grande-Bretagne a pour sa part prescrit une heure hebdomadaire de devoirs pour les enfants de cinq ans depuis le milieu des années 1990.

Un moyen de contrôle pour les parents

Pourquoi cette surchauffe ? Elle est notamment attribuable au fait que les politiques voient dans les devoirs un moyen d'améliorer les standards académiques, ou du moins les résultats aux examens. De nombreux enseignants y voient quant à eux la preuve qu'ils font bien leur boulot. Et l'angoisse parentale n'arrange rien. Un œil rivé sur les notes et les résultats d'admission, l'autre scannant le voisinage pour éviter que leurs enfants ne fassent des bêtises en dehors de l'école, les parents harcèlent désormais les professeurs pour qu'ils augmentent la charge de travail. Dans beaucoup de foyers aisés, les devoirs sont devenus à la fois un symbole social et une soupape de sécurité. Les parents voient dans ce labeur vespéral la preuve que l'école de leurs petits n'est pas là pour rigoler. Et dans la mesure où la salle de classe est hors de leur portée, les devoirs représentent pour les parents du XXIe siècle un moyen de reprendre le contrôle en supervisant le travail accompli du début à la fin, voire en s'y attaquant eux-mêmes. Si ce dessin fait par un élève de maternelle ressemble tellement à l'œuvre d'un designer, c'est parce que c'en est une (maman a monté sa propre boîte). Dans certains quartiers huppés des États-Unis, les devoirs ne parviennent à l'école qu'après les élèves…

Greta Metzger améliore fréquemment – quand elle ne les termine pas elle-même – les devoirs que son fils de dix ans rapporte de son école située à Munich, en Allemagne. « Je sais qu'il peut les faire lui-même, alors parfois je me contente de corriger son orthographe et de faire les dernières additions à sa place, avoue-t-elle. D'ailleurs, j'imite de mieux en mieux son écriture. » Mais alors que nous planchons sur les devoirs de mathématiques de nos enfants ou que nous sacrifions un dimanche pour les aider à finir un résumé de livre, une question continue à nous tarauder : cela en vaut-il la peine ? Personne n'en est sûr…

Les devoirs en question

Les recherches concernant l'impact des devoirs sur les résultats scolaires ont abouti à des conclusions variées. Une étude portant sur six mille étudiants américains a montré que ceux qui avaient consacré tous les jours une demi-heure de plus à leur devoir de maths, à l'âge de onze ans, étaient loin devant leurs petits camarades, quand ils atteignaient quinze ou seize ans. Mais deux professeurs de l'université Penn State en sont arrivés à des conclusions contraires après avoir comparé les notes en maths et en sciences d'enfants de neuf à dix ans, de treize à quatorze ans et de dix-sept à dix-huit ans issus de cinquante pays. Selon eux, « on dirait presque que plus les professeurs d'un pays donnent des devoirs, moins les étudiants de ce pays réussissent ». Et pour les plus jeunes enfants, le sujet est encore plus inquiétant. Des recherches conduites à un niveau international suggèrent que les devoirs n'ont que peu ou pas d'influence sur les résultats scolaires des enfants de moins de onze ans. « Les enfants de six ou sept ans ont tendance à absorber l'information bien plus facilement que les enfants plus âgés, qui ont besoin de travailler pour apprendre. Dans ces conditions, les devoirs ne deviennent profitables que plus tard », explique Peter Tymms, directeur des programmes, de l'évaluation et de la gestion à l'université Durham.

Certains théoriciens souhaiteraient éliminer purement et simplement les devoirs. Ils estiment que le fait d'étouffer les élèves sous des tonnes de travaux finit par transformer la maison en champ de bataille et peut les dégoûter à jamais de l'école. S'appuyant sur différentes études, ils soulignent par ailleurs que, pour les enfants, il est plus profitable de faire du sport, du jardinage ou même des tâches ménagères que d'ouvrir un livre tous les après-midi et tous les soirs. Vous vous souvenez sans doute aussi de l'accusation portée contre les longues heures d'écran qui favoriseraient la myopie ? Eh bien, certaines personnes avancent que trop de temps passé à l'intérieur de la maison devant des livres est également dommageable et que ce temps devrait être consacré à courir au soleil. Une étude réalisée en Israël, sur des garçons de quatorze à dix-huit ans, a révélé que ceux qui étudiaient dans des écoles accordant une large place à la lecture de textes religieux avaient un taux de myopie égal à 80 %, alors que ce taux ne dépassait pas 30 % chez ceux scolarisés dans des écoles publiques.

La loi des rendements décroissants

Même les plus fervents supporters des devoirs conviennent désormais que ceux-ci sont soumis à la loi des rendements décroissants. Beaucoup recommandent en conséquence de les limiter à dix minutes quotidiennes supplémentaires par année d'école à partir du primaire, ce qui correspond à un maximum de quarante minutes pour un enfant de huit-neuf ans, et de deux heures pour un lycéen, soit beaucoup moins que ne l'imposent actuellement d'ambitieuses écoles.

Les experts commencent aussi à revoir leur jugement sur le type de devoirs le plus efficace. La plupart conseillent d'abandonner les travaux rébarbatifs (les problèmes de maths traditionnels et les listes de mots à apprendre) au profit de projets qui encouragent les enfants à réfléchir et à faire fonctionner leur imagination. Ceci pourrait bien déboucher sur des quiz de mathématiques demandant aux élèves de trouver des moyens pour réduire les émissions de gaz carbonique dans leur foyer.

Les vagues générées par les experts sont-elles parvenues jusqu'aux côtes du monde réel? Et comment! Confrontés à un accroissement du nombre de plaintes émanant d'enfants et de parents épuisés, et rassurés par les preuves que fournissent de plus en plus ouvrages, comme *The Homework Myth : Why Our Kids get Too Much of a Bad Thing* (« Le mythe des devoirs : pourquoi nos enfants en ont trop alors que ce n'est pas bon »), d'Alfie Kohn, les établissements scolaires du monde entier commencent à réduire la charge des devoirs tout en les réinventant. De nombreuses académies aux États-Unis ont recommencé à émettre des directives visant à réduire le travail à la maison. En Australie du Sud, un certain nombre d'écoles ont tout simplement banni les devoirs pour laisser aux élèves plus de temps libre à passer en famille ou entre amis. En Inde, le Central Board of Secondary Education (Conseil central de l'éducation du secondaire) vient de faire la même chose pour les enfants de six à huit ans. Quelques écoles primaires de Grande-Bretagne ont remplacé les fiches techniques de calcul et d'orthographe par des activités familiales, telles que visites au musée ou cours de cuisine. Dans toute l'Asie, les écoles d'élite ont elles aussi réduit le nombre des devoirs, sans pour autant les supprimer totalement. À l'école maternelle de Yayuncun, à Pékin, le personnel enseignant résiste à la demande pressante des parents pour augmenter les devoirs à faire après l'école. « Parfois, nous devons donner un cours aux parents sur ce qui est bon pour leurs enfants, explique Feng Shulan, la directrice. Je leur dis qu'il est aussi important de simplement passer du temps avec eux. Je leur dis qu'il est important que leurs enfants soient heureux. » Pour connaître le résultat de tout ça sur les enfants, j'ai visité différentes écoles qui s'étaient distinguées sur le front des devoirs. J'ai choisi de commencer par la Chinese International School (CIS) de Hong Kong, qui compte 1 406 élèves âgés de quatre à dix-huit ans. Dans cet établissement, les professeurs avaient généralement la main lourde sur les devoirs, notamment parce qu'un cartable débordant de livres était de nature à rassurer les familles chinoises aisées et les expatriés qui leur confiaient leurs enfants. Cependant, il y a cinq ans, il est devenu évident que le fardeau était trop lourd pour beaucoup d'enfants, ceux-ci devant trimer sur leurs devoirs jusqu'à minuit passé pour arriver en classe le lendemain épuisés et inattentifs. L'école a donc dû revoir sa politique des devoirs et a imposé des limites strictes sur le nombre d'heures à y consacrer par matière. Cette évolution visait les élèves les plus âgés, mais les plus petits en ont profité, et le poids des devoirs a pu être réduit de 30 %.

Cette école a par ailleurs recommandé aux parents de ne pas recourir à des précepteurs privés, à moins que l'enfant n'ait de réelles difficultés. Lors des réunions entre parents et enseignants, ces derniers soulignent le besoin pour les enfants de disposer de moments pendant lesquels ils n'ont pas à étudier. « Nous voulions lutter contre la croyance générale qu'en travaillant plus longtemps et plus dur, on obtient de meilleurs résultats, explique Daniel Walker, professeur principal adjoint. En matière de devoirs, il faut s'en tenir au bon sens et garder en tête que les enfants ont besoin de vies équilibrées. »

Mais tous les parents ne sont pas de cet avis. Certains continuent à militer pour plus de devoirs ou viennent chercher leurs enfants à la sortie de l'école pour les emmener directement dans un centre de cours particuliers. Il n'empêche qu'un changement de culture s'est opéré à l'école. Tout récemment, une classe a fait quelque chose qui aurait été impensable il y a encore peu de temps : elle s'est plainte de l'augmentation des devoirs. « Ils avaient raison, la machine s'était emballée, alors nous avons fait machine arrière, se souvient Daniel Walker. Nous ne voulons pas d'enfants surchargés qui doivent rester éveillés jusqu'au petit matin pour finir leurs devoirs. » Et cette politique a fini par payer. La CIS est aujourd'hui en tête de classement des écoles internationales de Hong Kong en termes de résultats aux examens et d'admissions à l'université. Les enfants semblent plus détendus et plus prêts à dégager du temps pour des activités qui se passent loin d'un bureau. Un panneau près de la salle des professeurs propose une série impressionnante d'activités extrascolaires : taekwondo, tennis, voile, gymnastique, football, cuisine, ping-pong, cyclisme, club littéraire. « J'adore imaginer que, tandis que je joue au squash, mes copains qui sont dans d'autres écoles sont encore en train de faire leurs devoirs, ironise David Wei, quinze ans. Surtout qu'en plus, j'ai de bonnes notes. »

Pendant la récréation du matin, la cour de la CIS fourmille d'activités, avec les garçons qui tapent dans un ballon et les filles qui jouent à la marelle ou à chat perché. Les cris et les rires envahissent la cage d'escalier du bâtiment. Daniel Walker observe la scène et sourit : « Maintenant, il y a ici beaucoup plus de joie de vivre. En tout cas, plus que dans les écoles qui font crouler les enfants sous les devoirs. » Il a l'impression que ses élèves sont aussi plus ouverts qu'avant, plus enclins à se libérer des attentes de leurs parents pour choisir leur propre voie professionnelle.

Sa démarche vis-à-vis des devoirs a même fait de son école un modèle. Les établissements scolaires du continent chinois viennent y enquêter. Beaucoup de familles de Hong Kong, qu'elles soient d'origine occidentale ou chinoise, choisissent aujourd'hui la CIS parce qu'elle met l'accent sur la nécessité de donner aux enfants du temps et de l'espace pour souffler en dehors de la classe. La liste d'attente pour intégrer l'école est plus longue que jamais. « À tous les niveaux, les résultats parlent d'eux-mêmes », se réjouit Daniel Walker.

La fin des devoirs dans une boîte à bac

D'autres écoles ont exploré des moyens différents pour résoudre le problème des devoirs. Cargilfield est une prestigieuse académie privée pour enfants de trois à treize ans, située dans les faubourgs boisés d'Édimbourg, en Écosse. En 2004, cette école a fait les gros titres en éliminant les devoirs. Son ambition était de libérer ainsi les élèves (et leurs parents) de cette corvée, qui ne contribuait à l'apprentissage que marginalement, et de leur octroyer plus de temps de détente et de loisirs. Cargilfield est pourtant loin d'être le paradis des flemmards. Les journées de classe peuvent se terminer 18 heures et les professeurs sont toujours prêts à offrir leur assistance en période de révision. Le but de l'école, en supprimant les devoirs, était d'encourager les enfants à reprendre la maîtrise de leurs études personnelles en dehors des cours. Au final, la charge de travail est en baisse et les résultats en hausse, comme à la CIS de Hong Kong. Les notes en mathématiques et en sciences ont augmenté de 20 %, rien que ça, depuis que les devoirs ont été abolis. Les enfants disposent de plus de temps pour se détendre, et les inscriptions à des clubs d'échecs, de foot ou de kayak se sont multipliées. « Nous avons en fait des enfants qui s'amusent pendant qu'ils sont jeunes au lieu de subir des journées infernales, estime John Elder, directeur de Cargilfield. Nous sommes ici pour nous amuser et nous ne pourrons jamais revivre notre jeunesse. »

Quand les écoles publiques s'y mettent

Cargilfield, tout comme la CIS, est une école privée très chic. La suppression des devoirs donnerait-elle d'aussi bons résultats dans le secteur public? Pour le découvrir, j'ai fait un saut jusqu'à Vernon Barford, mon ancien collège d'Edmonton, au Canada. Quand j'y étais, dans les années 1980, les devoirs n'étaient pas un sujet de débats. Nous en avions à faire à la maison mais, après l'école, nous passions la plupart de notre temps à faire du sport ou à traîner à droite et à gauche. En 2006 pourtant, Vernon Barford a succombé à la surenchère des devoirs. Tous les matins, des files d'élèves (y compris d'excellents éléments) patientaient devant le bureau du directeur pour y recevoir un avertissement parce qu'ils n'avaient pas terminé tel ou tel travail. Et tous les jours des parents téléphonaient pour se plaindre de la charge de travail imposée à leurs enfants. « Nous étions dans l'illusion que beaucoup de devoirs engendrent de bonnes habitudes de travail pour l'avenir, se rappelle Judy Hoeksema, l'un des plus anciens professeurs de mathématiques de l'école. Mais nous avons fini par réaliser qu'ils n'apportaient pas grand-chose. » Durant l'été 2006, les enseignants se sont donc réunis pour trouver une solution. Afin de rompre avec leur habitude de donner des devoirs sans dessein précis, ils ont établi une liste de questions à se poser avant d'agir : ce devoir va-t-il améliorer l'apprentissage et stimuler l'imagination? Ce volume est-il raisonnable? Quelle quantité de devoirs mes collègues vont-ils eux-mêmes donner aujourd'hui? Les enseignants se sont par ailleurs engagés à offrir aux élèves un choix parmi les devoirs à effectuer en les incitant à chercher des sujets de discussion pour en débattre en classe. Ce qui a eu pour effet de réduire de moitié la charge des devoirs : quarante-cinq minutes par jour pour les élèves de quatorze à quinze ans et trente minutes pour ceux de douze à quatorze ans. Les parents avaient la possibilité de réclamer plus de devoirs, mais aucun ne l'a fait, même si certains ont grogné parce qu'ils perdaient en tranquillité personnelle. Les professeurs ont eux aussi apprécié le changement de régime parce qu'ils disposaient ainsi de plus de temps pour préparer leurs cours et trouver des idées de devoirs originales. Aujourd'hui, la moyenne des notes est en hausse de 4 %, un bond remarquable si l'on tient compte des résultats déjà très élevés de l'école. « Je n'aurais pas cru que les notes pouvaient encore monter, mais ça a été le cas », dit le directeur, Stephen Lynch. Mais la transformation va au-delà de cette amélioration des notes. L'atmosphère de l'école s'en ressent également, et les relations entre élèves, enseignants et parents sont aujourd'hui moins tendues. Les élèves paraissent aussi s'investir davantage.

Mike Hudson, élève de quatorze ans, se réjouit quant à lui de la réduction des devoirs : « Je ne me dispute plus autant avec ma mère pour les finir. » Il consacre le temps ainsi dégagé à faire du skateboard avec ses copains : « Maintenant, je profite d'un meilleur équilibre entre l'école et mes autres activités. Et je dors plus le week-end ! » Les élèves ont également apprécié de pouvoir abandonner des exercices rébarbatifs de type QCM pour des travaux stimulant leur créativité. Du haut de ses quatorze ans, Morgan Belsek parle avec enthousiasme de réaliser une bande dessinée sur la révolution russe pour son cours de sciences humaines : « Pour parvenir à en faire un bon résumé, il faut vraiment connaître son sujet. Quand on arrive comme ça à aller plus loin que ce qu'on a appris, ça s'imprime dans la tête. Du coup, on se dit "Ah oui, je me rappelle que j'ai utilisé telle information pour mon devoir et je peux la réutiliser de cette autre façon pour répondre à cette question". »

Redonnons toute sa place à l'enfance

Quelles leçons en tirer ? Tout d'abord que les devoirs ne sont pas forcément inutiles, surtout après l'école élémentaire. Comme le souligne Stephen Lynch, le directeur de Vernon Barford : « Un travail solitaire à la maison permet parfois une meilleure compréhension du sujet. » Mais il y a des limites à respecter. Les devoirs donnent de meilleurs résultats quand leur volume reste raisonnable et permet de ménager un temps pour le repos, le jeu et les rencontres. Ils doivent aussi correspondre à des objectifs clairs qui vont au-delà de la simple volonté d'occuper les enfants et de rassurer parents et enseignants sur eux-mêmes. À la maison, les parents doivent apprendre à réduire la pression, ce qui signifie savoir donner quelques conseils quand ils sont sollicités, tout en évitant de donner les réponses et de corriger les erreurs.

Derrière les raisons pédagogiques qui incitent à juguler le volume des devoirs se cache une autre question : à quoi sert l'enfance ? Si nous voulons en faire un moment de jeu, de liberté et d'émerveillement, les devoirs à la maison ne sont pas le meilleur moyen pour y parvenir. Quels sont vos meilleurs souvenirs d'enfant ? Je parie que les longues heures passées sur des fractions ou des listes de verbes n'en font pas partie. Les miens me ramènent à de longs après-midi à jouer au hockey avec des copains devant la maison et aux œuvres pointillistes que je créais sur la porte du garage à force d'y faire rebondir mes balles de tennis. Ils parlent de batailles dans le jardin avec des pistolets faits de morceaux de bois ou de fils de fer tordus, ou encore du « labyrinthe de l'enfer » que nous avions inventé avec des Lego et des billes. La plupart des mômes avec lesquels je jouais sont toujours mes amis. Aucun de nous ne se souvient d'un seul devoir.

L'industrie florissante du soutien scolaire

Bien entendu, il n'y a pas que les devoirs qui viennent réduire le temps libre des enfants. Il y a aussi les cours particuliers ou le tutorat qui, depuis les années 1990, sont devenus une industrie tout à fait florissante. Quand j'étais petit, dans le Canada des années 1970 et du début des années 1980, très peu d'enfants avaient des précepteurs ou des tuteurs.

Ceux qui en voyaient avaient en général des difficultés à l'école et ne s'en vantaient pas. Aujourd'hui, un quart des enfants canadiens bénéficient de cours particuliers et les enquêtes révèlent des chiffres similaires dans beaucoup d'autres pays occidentaux. À Manhattan, les meilleurs précepteurs facturent jusqu'à 1 000 dollars de l'heure (mais vous ne les verrez que si vous êtes en tête de leur liste d'attente). Des consultants privés proposent de préparer les enfants dès l'âge de onze ans pour leur entrée dans les universités américaines[1]. Une de ces sociétés facture 21 000 dollars assurant en contrepartie l'admission à Yale ou Harvard. En Extrême-Orient, le tutorat est encore plus répandu. Les parents sud-coréens dépensent en frais d'inscription pour ce type d'organismes l'équivalent de la moitié du budget de l'État pour l'éducation. À Hong Kong, tout le monde connaît le nom des meilleurs précepteurs, qui s'offrent leurs propres panneaux publicitaires sur les immeubles ou sur les bus. L'un d'eux est récemment apparu dans une publicité télévisée, habillé en costume de guerrier chinois traditionnel. Créé par un père japonais dans les années 1950, le centre de tutorat Kumon est aujourd'hui un groupe multinational qui touche quatre millions d'enfants dans le monde entier. Il est même possible de suivre des cours particuliers en ligne avec une webcam. Et, tout comme dans l'industrie, les cybercours ont été externalisés auprès de précepteurs souvent situés en Inde.

Contrairement à ce qui se passe pour les devoirs, l'essor des cours particuliers est principalement attribuable aux parents, certains cherchant ainsi à pallier les insuffisances du

---

1 Il n'existe pas, aux États-Unis, d'examen général de fin d'études comme le baccalauréat, mais des tests d'évaluation sont réalisés au niveau national. L'entrée à l'université se prépare deux ou trois ans avant la fin du lycée, avec l'aide d'un professeur-orienteur ; l'admission se fait sur dossier et les critères sont très sélectifs pour les établissements les plus réputés. [NdE.]

système scolaire, d'autres essayant seulement de placer leurs enfants en tête de peloton. Et lorsque beaucoup de gens s'engagent sur une même voie, cela engen-dre une pression sociale irrésistible pour faire de même. Janice Aurini, expert canadien de l'industrie de l'éducation, estime que les cours particuliers font désormais partie de la description de poste – toujours plus longue – des parents modernes : « Cela relève aujourd'hui du répertoire des bons parents : vous les inscrivez au piano, au tennis et au football, et vous leur offrez un tuteur. Bien sûr, l'idée qui sous-tend tout cela est que l'on ne peut plus laisser les enfants se débrouiller tout seuls. »

Des enfants débordés

Il est clair qu'un petit coup de pouce donné par un professionnel peut s'avérer salvateur pour des élèves qui ont des difficultés en classe. Mais est-ce valable pour tout le monde ? Comme pour les devoirs, la réponse n'est pas tranchée. Un nombre croissant de recherches tendent à démontrer que les cours particuliers sont eux aussi soumis à la loi des rendements décroissants. Une étude menée en 2005 à Singapour a conclu que beaucoup d'enfants issus de familles aisées sont aujourd'hui débordés et que, « contrairement aux perceptions nationales, le fait d'avoir un précepteur pourrait s'avérer contre-productif ». Une autre étude réalisée en Corée du Sud a révélé que le fait d'étudier le programme à l'avance avec des précepteurs ne permettait absolument pas d'améliorer les notes. Ses auteurs suggèrent qu'une passion pour un sujet est un meilleur gage de réussite que le recours à un tuteur. Pourtant le sens commun voudrait nous faire croire que l'un des moyens d'éteindre cette passion consiste à passer l'essentiel de son temps libre dans une boîte à bac.

En allant rendre visite aux parents et aux élèves de l'école Forest, à Taïwan, j'ai croisé un groupe d'enfants de neuf ans qui se rendaient à un cours du soir dans une école de bachotage de Taipei. Nous étions dans l'ascenseur et ils regardaient tous le sol en silence, étouffant des bâillements, le dos courbé sous le poids de leur sac à dos bourré de livres. Une fillette s'était appuyée contre la paroi de l'ascenseur, les yeux fermés. Quand les portes se sont ouvertes, elle s'est réveillée en sursaut. Tels des condamnés en marche vers le gibet, ces enfants baissaient la tête et allaient en rang vers leur classe. Qui donc déjà parlait de « lambiner à contre-cœur jusqu'à l'école, comme un escargot » ?

La performance peut nuire à l'enrichissement

Certes, quelques études concluent (et beaucoup de parents en ont fait l'expérience) que le tutorat peut aider les enfants à obtenir de meilleurs résultats à certains examens. Cela n'est pas très surprenant si l'on considère que les précepteurs sont généralement jugés sur le nombre de points qu'ils peuvent ajouter aux notes de leurs élèves. Ceci étant, mesurer la réussite à la seule aune des résultats d'examens peut conduire à faire l'impasse sur d'autres types d'apprentissage. Ainsi, le système promu par le centre Kumon est largement basé sur des fiches techniques à apprendre par cœur. À Taïwan, les efforts des autorités pour privilégier une réflexion plus riche en mathématiques ont été entravés par l'enseignement de précepteurs qui apprenaient aux enfants à recourir à des moyens mnémotechniques pour se souvenir des bonnes réponses.

Tout ceci nous ramène à une question déjà posée plus haut : quel est l'objet de l'éducation ? S'il s'agit d'obtenir les meilleurs résultats aux examens, alors le tutorat a sans doute un rôle à jouer. Mais ce n'est peut-être plus le cas s'il s'agit d'encourager les enfants à devenir autonomes, à mener des vies riches et variées, à développer leur soif d'apprendre, s'il s'agit de les aider à se passionner pour l'école ou l'université. Les cours particuliers peuvent priver les enfants du défi – et de la joie – de maîtriser par eux-mêmes de nouveaux champs de connaissance. Ils peuvent aussi dissimuler la faiblesse d'un système scolaire et générer des inégalités entre les élèves.

Quoi qu'il en soit, il sera difficile de renvoyer les précepteurs et autres tuteurs sur leur planète. Les efforts des autorités visant à limiter leur action dans des pays comme Taïwan et la Corée du Sud ont été réduits à néant par les résistances parentales. Il semble en effet irréaliste de demander aux parents de renoncer à ce type de cours quand tant d'écoles n'offrent que des ersatz d'éducation et que les résultats aux examens restent tellement importants. Pourtant, il se peut que nous soyons sur la bonne voie. Moins on accordera d'importance aux résultats d'examens, moins le tutorat apparaîtra essentiel. Tout comme la CIS de Hong Kong, de plus en plus d'établissements déconseillent aujourd'hui ce genre de pratique, sauf en cas d'urgence. Un de mes amis a assisté récemment à une réunion avec des enseignants venant d'écoles secondaires privées de Londres. Il m'a rapporté que tous suppliaient les parents de limiter au maximum les cours particuliers ou de les supprimer au motif qu'il leur appartenait à eux d'enseigner aux enfants : « C'est notre boulot d'enseigner. Laissez vos enfants souffler à la fin de la journée. »

Dans certains foyers, ce message a fini par être entendu. Gloria Neasden a engagé un tuteur pour aider sa fille, Abigail, en algèbre. Puis, une fois qu'elle eut compris, les cours particuliers ont été arrêtés. Elle-même professeur, Gloria Neasden estime que le tutorat peut devenir une béquille pour les enfants. Elle le considère comme une solution de dernier ressort et y voit le signe que l'école – pas les élèves – échoue à assumer ses responsabilités : « Quelque chose ne va pas dans le système éducatif et probablement dans la société en général, quand les enfants en sont réduits à passer autant de temps devant des livres en dehors des heures de cours, dit-elle. Il n'y a que vingt-quatre heures dans une journée et ils ont besoin de décompresser. »

Le problème, c'est que dans notre société si active et si occupée, la décompression n'est pas à la mode. Quand les enfants ne planchent pas sur leurs livres, il est tentant de les inscrire à une ou deux activités extrascolaires, voire trois…

Les activités extrascolaires : repos !

Oh ma chère ! Je vais être en retard !

LE LAPIN d'*Alice au Pays des Merveilles*

Quand les gens parlent du rêve américain, ils pensent à Ridgewood. Nichée dans les espaces boisés du nord du New Jersey, cette petite ville tranquille et verdoyante de 25 000 âmes respire la richesse et le bien-être. Les résidents de cette ville occupent des postes de haut niveau à Manhattan, mais ils profitent des fruits de leur labeur. De grandes et coquettes villas reposent au milieu de vastes terrains, qui accueillent portiques de jeux et trampolines. Des voitures de prix glissent dans les rues sous les chênes, les cornouillers et les érables. Elles affichent des autocollants affirmant que « ça bouge à Ridgewood! ». Pourtant, quand on s'approche de plus près, cette paisible peinture commence à craquewler sur les bords. À la sortie de l'école, autour des tables du restaurant voisin et sur le parking du supermarché, les gens se plaignent la même chose: nous vivons peut-être dans le jardin d'Éden du XXIe siècle, mais nous sommes trop occupés pour en profiter.

La plupart des familles ont des emplois du temps surchargés. Écartelés entre leur travail et leur famille, les parents se débattent pour trouver du temps pour leurs amis, leurs amours, voire tout simplement pour une bonne nuit de sommeil. Leurs enfants sont dans le même bateau et occupent les heures qu'ils ne dédient pas aux devoirs à des activités extrascolaires. Quand on a dix ans à Ridgewood, on est tellement actif que l'on possède son propre Palm Pilot pour réussir à suivre ses rendez-vous. Il est fréquent ici d'avaler son dîner ou de terminer ses devoirs dans la voiture qui vous emmène au club de natation ou d'équitation. Une maman envoie tous les soirs, par courriel, à son époux et à ses enfants, une version mise à jour de l'emploi du temps de la famille. Une autre a punaisé son planning sur la porte d'entrée et sur le pare-soleil de son monospace. Il y a tant d'activités à gérer et à combiner que l'organisation d'un goûter entre enfants relève du cauchemar logistique. L'un de mes dessins favoris dans le New Yorker s'inspire clairement d'endroits tels que Ridgewood. Il figure deux fillettes qui attendent le bus, chacune consultant son agenda personnel. L'une d'elles dit : « Bon, je vais repousser mon cours de danse d'une heure, reporter la gym et annuler le piano… Toi, tu déplaces ton cours de violon de mardi et tu sèches ton entraînement de football… Ça nous laisse le mercredi de 15 h 15 à 15 h 45 pour jouer. »

Une journée par an pour souffler

Pourtant, contrairement à d'autres villes, Ridgewood a pris des mesures pour combattre les emplois du temps à rallonge. Ce qui avait débuté entre quelques mères grommelant autour d'une table de cuisine s'est transformé en micromouvement populaire. En 2002, Ridgewood a inauguré un festival annuel appelé « À vos marques, prêt, repos! » L'idée est de donner à cette ville de battants un jour par an pour souffler : ce jour-là, les professeurs ne donnent pas de devoirs, les activités extrascolaires sont annulées et les parents s'emploient à rentrer tôt du bureau. L'objectif est d'oublier la dictature de l'emploi du temps, de laisser les enfants se reposer, jouer ou rêvasser et de faire en sorte que les familles puissent passer un moment ensemble autrement que dans la voiture qui emmène les enfants à l'entraînement de volley ou à la répétition de la chorale. Des centaines de foyers laissent tomber leur agenda pour participer à « À vos marques, prêt, repos ! » et le festival a donné des idées à d'autres villes d'Amérique du Nord, pas toujours aussi riches que Ridgewood. Afin d'aider les familles épuisées, le conseil de l'école de Sidney, dans l'État de New York, un hameau populaire situé à deux cents kilomètres au nord de Ridgewood, a cessé de proposer des activités extrascolaires et des réunions après 16 h 30 le mercredi. En 2007, Amos, petite cité minière et forestière du nord du Québec, a organisé sa première journée sans activité, calquée sur le festival de Ridgewood. Marcia Marra, mère de trois enfants, a participé à sa mise en place avec l'aide d'une agence locale de santé mentale. Elle espère que le mouvement va s'inverser : « Les gens commencent à s'apercevoir que tout le monde souffre quand leur vie et celles de leurs enfants sont totalement planifiées. Les activités structurées peuvent être bénéfiques pour les enfants, mais aujourd'hui ça va vraiment trop loin. »

Cet émoi n'est pas récent. Les premiers signaux d'alarme concernant la suroccupation des enfants et la course aux activités extrascolaires ont été tirés dès le début du XXe siècle. En 1914, Dorothy Canfield Fisher, écrivain populaire et véritable gourou de l'éducation des enfants, reprochait déjà aux parents de confisquer à l'enfance sa « spontanéité sacrée » en imposant « à leurs enfants une pression étouffante pour qu'ils consacrent chaque moment de leur temps à de nouvelles activités qui nous paraissent profitables ». En 1931, Ruth Frankel, pionnière en cancérologie au Canada, décrivait comment l'enfant moderne, « avec ses journées toutes planifiées, se rend docilement d'une leçon obligatoire à une autre, suit des cours d'art et de musique, de français et de danse… jusqu'à ce qu'il ne lui reste plus une seule minute de libre ».

Cette crainte s'est transformée en panique pour les dernières générations. Aujourd'hui, des ouvrages aux titres explicites, comme *The Hurried Child* (« L'Enfant pressé ») de David Elkind ou *The Overscheduled Child* (« L'Enfant surchargé »), d'Alvin Rosenfeld et Nicole Wise, ont pris place dans les rayons de librairie destinés aux parents. Même les rayons consacrés aux enfants abordent désormais ce sujet. Et la série télévisée *The Berenstain Bears* (« La Famille Berenstain ») inclut maintenant un épisode dans lequel toute cette famille ours succombe au stress parce que leurs deux enfants, Léa et Léon, sont inscrits à trop d'activités. Cette nouvelle angoisse est à l'évidence l'expression d'une panique générale concernant l'enfance. Mais il semble aussi que beaucoup d'enfants, spécialement dans les milieux aisés, aient des journées de plus en plus remplies. Une étude très connue, conduite par l'Institute for Social Research (Institut des recherches sociales) de l'université du Michigan, a montré que, entre la fin des années 1970 et 1997, le temps libre des petits Américains s'était réduit de douze heures par semaine au profit d'activités sportives ou autres organisées par des adultes. De nos jours, les candidats au MIT (Massachusetts Institute of Technology) listent en moyenne douze activités extrascolaires sur leur CV. Certaines études comparatives suggèrent que les enfants américains sont les plus occupés du monde, mais d'autres nations les talonnent maintenant sur ce chemin.

Occuper les enfants quand les parents travaillent

Pourquoi tant d'enfants ont-ils désormais des emplois du temps de ce genre? Ce phénomène est notamment attribuable à l'augmentation du nombre de femmes qui travaillent. Quand les mamans restaient à la maison, il était plus facile de laisser les enfants jouer dans le voisinage. Il y a aujourd'hui de plus en plus de femmes actives et de plus en plus de divorces, il a donc bien fallu trouver des solutions pour que les enfants soient pris en charge. Et les activités extrascolaires semblent être une solution parfaite, dans la mesure où elles promettent à la fois la surveillance des enfants et leur enrichissement. Mais l'intensification de leurs emplois du temps n'est pas nécessairement une réponse aux problèmes de garde. Beaucoup de femmes au foyer inscrivent aussi leurs enfants à d'innombrables activités. Il s'agit en partie d'autodéfense : quand tous les amis de son enfant sont surbookés, qui est vraiment partant pour passer la journée à jouer avec le sien qui ne fait rien ? Dans notre société atomisée, les activités structurées sont par ailleurs un bon moyen – parfois le seul – de rencontrer d'autres parents. Et les acrobaties logistiques qu'imposent des activités multiples n'arrangent rien : vous avez inscrit votre fille de quatre ans à un cours de danse hebdomadaire, mais vous devez aussi l'emmener à d'autres cours plusieurs fois par semaine, sans compter les déplacements pour les concours et autres tournois. Pourtant, plutôt que de changer cet état de choses, nous nous persuadons que ces activités sont ce dont les enfants ont besoin et envie, même s'ils nous affirment le contraire. L'autre jour, j'ai observé une mère qui traînait littéralement sa fille de trois ans à la sortie de la crèche, près de notre domicile. La petite sanglotait : « Je veux pas aller à la danse. Je veux aller à la maison pour jouer. »

La moulinette des activités extrascolaires paraît aussi être un excellent moyen de tenir les enfants à l'écart des ennuis. Car ce n'est pas très facile de fumer des joints ou de perdre sa virginité pendant un entraînement de basket-ball ou une leçon de danse classique. La peur de ce que les jeunes pourraient faire s'ils étaient livrés à eux-mêmes vient de loin. Un manuel puritain datant de 1616, *The Office of Christian Parents* (« Le Cercle des parents chrétiens »), mettait déjà en garde les parents sur le fait que des enfants qui ont trop de temps risquent de devenir « des individus oisifs... pervers et abjects, des menteurs, des voleurs, des délinquants, des paresseux et des bons à rien ». Sous l'ère victorienne, les défenseurs du travail des enfants prétendaient que de longues heures dans les usines les tenaient éloignés de la délinquance. Et dans un siècle qui craint avant tout le risque et qui est complètement centré sur les enfants, où il est urgent de les protéger de tout et n'importe quoi, et surtout du péché capital qu'est le temps perdu, un agenda chargé n'est que l'expression du bon sens.

Les enfants aussi en veulent toujours plus

Bien entendu, l'essor des activités extrascolaires n'est pas le seul fait des parents angoissés. L'intensification des emplois du temps est aussi attribuable aux enfants eux-mêmes. Ils veulent être actifs, ils veulent être avec leurs amis, ils veulent être comme les autres et, dans notre société où chaque seconde doit compter, cela implique d'être occupé. Quand Matt Kowalski, enfant unique vivant à Chicago, a eu onze ans, il a commencé à en vouloir à ses parents qui refusaient de l'inscrire à plus d'une activité extrascolaire. Il s'est senti marginalisé face à tous ses copains qui couraient d'une activité à l'autre. Il a alors supplié ses parents pour qu'ils changent d'avis. Aujourd'hui, à quatorze ans, il consacre plus de vingt

heures par semaine à trois sports différents et est aussi inscrit
à un club de théâtre. « J'aime toutes les activités que je fais,
mais j'ai parfois l'impression d'être si occupé que j'ai à peine
le temps de dormir, dit-il. Je ne peux même pas en vouloir à
mes parents, parce que c'est de ma faute si mon emploi du
temps est aussi chargé. »

Il n'est pas question de dire que les activités extrascolaires
sont mauvaises. Au contraire, elles sont le signe d'une enfance
riche et heureuse. Beaucoup d'enfants, généralement issus
de milieux défavorisés, pourraient en tirer grand profit. Bien
des enfants, surtout les adolescents, s'épanouissent quand
ils ont des journées bien remplies. Mais à l'instar des autres
pièges de l'enfance comme les devoirs ou la technologie, qui
sont soumis à la loi des rendements décroissants, il peut être
dangereux de surcharger les emplois du temps. Et en matière
d'activités extrascolaires, de nombreux enfants finissent par
faire une indigestion d'une chose au demeurant excellente.

Mais est-ce vraiment le cas? Certains théoriciens prétendent
que l'enfant surchargé et stressé est un mythe entretenu par
les médias. Une étude de 2006 sur l'impact des activités
extrascolaires réalisée par la *Society for Research in Child
Development* (« Société pour la recherche sur le développement de l'enfant »), basée aux États-Unis, a fait l'effet d'une
bombe dans les milieux de l'éducation. Après s'être penchés
sur le cas de 2 123 enfants américains âgés de cinq à dix-huit
ans, les chercheurs ont conclu que les emplois du temps surchargés sont rares. Augmentant encore la controverse, ils ont
avancé que les enfants les plus actifs avaient de bons résul-

tats en classe, s'entendaient bien avec leurs parents et présentaient moins de risque de toucher à l'alcool, à la cigarette ou à la drogue. Les médias en ont tiré une conclusion sans nuance, le Boston Globe titrant notamment: « Plus les activités sont nombreuses, mieux c'est. » À y regarder de plus près, pourtant, l'étude en question ne disait rien de semblable. Le directeur de recherche, Joseph Mahoney, professeur adjoint de psychologie à Yale, est plus prudent: « Notre but n'est pas de suggérer que les gamins qui font ces activités devraient être poussés à en faire plus, explique-t-il. Il n'est pas question d'affirmer que le temps passé en famille est sans importance, que le temps libre est sans importance. »

Il y a aussi de bonnes raisons de prendre du recul face aux résultats de cette étude. Grand défenseur des programmes extrascolaires, Joseph Mahoney a redouté que trop de remous autour des emplois du temps surchargés des enfants pourraient donner aux politiques une excellente excuse pour arrêter le financement de ces programmes. Les critiques soulignent en outre que son étude est basée sur des données collectées par des gens travaillant sur d'autres projets de recherche, qu'elle ne tient pas compte des heures de transport entre les activités et qu'elle néglige certaines données problématiques qui laissent penser que trop d'activités réduit le temps passé en famille et favorise la prise d'alcool précoce. Joseph Mahoney et son équipe n'ont par ailleurs jamais demandé aux enfants si leur emploi du temps les fatiguait ou les stressait.

Un facteur de stress

Dans le même temps, les preuves d'une suractivité des enfants s'accumulent. Dans une étude américaine publiée par KidsHealth.org juste avant la parution du rapport Mahoney, 41 % des enfants interrogés, âgées de neuf à treize ans, ont dit qu'ils se sentaient stressés tout le temps ou presque, parce qu'ils avaient trop de choses à faire. Près de 80 % d'entre eux souhaitaient disposer de plus de temps libre. Un rapport de 2006, établi par l'American Academy of Pediactrics (Académie américaine de pédiatrie), a prévenu que des enfants pressés et surchargés couraient le risque de développer des maladies liées au stress.

Mais le plus important peut être est que le rapport Mahoney contredit l'expérience de parents, d'enfants, d'enseignants et de médecins dans le monde entier. Dans beaucoup de foyers, l'emploi du temps accablant des enfants a transformé la vie de famille en une course contre la montre permanente. Quand les villes américaines ont eu recours à des caméras pour filmer les automobilistes qui brûlaient des feux rouges, il s'est avéré que les principaux coupables n'étaient pas des jeunes en mal de sensations dans des bolides super-gonflés, mais des mères essoufflées transportant leurs enfants à leur prochain rendez-vous.

Au cours des recherches pour son livre *Unequal Childhoods : Class, Race, and Family Life* (*Enfances inégales : classe, race et vie de famille*), Annette Lareau a découvert que les enfants suroccupés issus de familles aisées étaient plus fatigués, souffraient davantage de l'ennui et étaient moins enclins à inventer des jeux par eux-mêmes que ne l'étaient leurs camarades moins actifs de familles populaires. Wayne Yankus, pédiatre à Ridgewood depuis le début des années 1980, a constaté que 65 % de ses patients sont aujourd'hui victimes de suroccupation. Selon lui, les symptômes vont des migraines aux troubles du sommeil, en passant par l'épuisement ou les problèmes gastriques dus au stress ou à des repas tardifs. « Il y a quinze ans, il était rare de voir un enfant de dix ans épuisé, se rappelle Wayne Yankus. Maintenant, c'est monnaie courante. » Il a récemment demandé à un thérapeute de passer une journée par semaine dans son cabinet pour qu'il conseille aux familles d'alléger leur agenda.

Autre problème des emplois du temps à rallonge : les enfants, comme les adultes, n'ont plus de temps à consacrer à la réflexion, aujourd'hui supplantée par des questions plus urgentes, telles que : « Où sont mes protège-tibias, on va être en retard au foot ! » Quand tout est planifié, on n'apprend pas à développer ses propres idées ou à s'amuser tout seul. À Ridgewood, Lori Sampson le constate dans sa famille. Elle a fait en sorte que sa fille Megan ait plein d'activités très tôt, la transportant sans cesse d'un endroit à l'autre. Trois ans plus tard, quand son fils Michael est né, elle s'est sentie trop fatiguée pour refaire la même chose avec lui et il a donc grandi en bénéficiant de beaucoup plus de temps libre. Aujourd'hui, les deux enfants, respectivement âgés de quatorze et onze ans, sont totalement dissemblables. « Le soir, Megan viendra dans notre chambre pour nous demander si elle doit lire un livre, alors que Michael ira tout simplement dans sa chambre et lira, dit Lori. Elle nous sollicite constamment pour des idées et des conseils sur ce qu'elle devrait faire, alors qu'il s'amuse sans se soucier de nous. »

Un cercle vicieux

Quand le temps libre est limité, les succès dans les activités structurées (trophées sportifs, médailles de danse, bourses au conservatoire) peuvent devenir le meilleur moyen de se sentir considéré. Une adolescente de Ridgewood me confie qu'elle a l'impression d'être un vrai « CV ambulant » : « J'ai toujours l'impression qu'il faut que je liste tous les trucs que je fais pour gagner le respect des autres. » Ce qui veut dire que beaucoup d'enfants finissent par s'inscrire à des activités simplement pour impressionner leurs parents… ou pour peaufiner leur CV. « J'ai beaucoup d'amis qui font du sport ou du bénévolat pas parce que ça les intéresse, mais parce qu'ils savent que ça fera bien sur leur dossier de candidature à l'université », me dit un autre gamin de Ridgewood.

Ce manège peut aussi entraîner la famille dans un cercle infernal. Les parents en veulent à leurs enfants de leur prendre autant de temps et de coûter aussi cher : les Britanniques dépensent douze milliards de livres par an pour les hobbies de leurs enfants, sachant que ces derniers en abandonnent la moitié au bout de cinq semaines. Et les enfants en veulent à leurs parents de leur en vouloir. Une surcharge d'activités ne laisse en outre plus aucune place à des événements imprévus et simples qui rapprochent les membres de la famille : des conversations détendues, des câlins, des repas partagés ou tout simplement des moments silencieux passés ensemble. Annette Lareau s'est aussi aperçue que les frères et sœurs se battent plus souvent dans les familles suroccupées. Wayne Yankus a noté ce phénomène chez beaucoup de familles de Ridgewood : « Quand les activités doivent être annulées à cause de la neige, ils sont tous inquiets parce qu'ils sont coincés à la maison et qu'ils doivent passer du temps ensemble. Ils ne savent pas comment le faire en dehors du planning. »

À Ridgewood, tout le monde ne s'adonne pas à l'oisiveté le jour de « À vos marques, prêt, repos ! ». Certains habitants jugent ce festival stupide et moralisateur. Les matchs sportifs prévus avec les villes voisines ne sont pas annulés et la suspension des devoirs n'est pas toujours respectée très strictement, surtout au lycée. Mais la ville se sent transformée ce jour-là, entre autres parce que la circulation y est moins intense : il y a moins de mères échevelées qui conduisent leurs enfants à l'entraînement suivant. Aussi les gens sont-ils plus enclins à s'arrêter pour discuter, au lieu de se contenter du petit signe de tête habituel signifiant « je suis en retard… ». Pour de nombreuses familles, « À vos marques, prêt, repos ! » est un moment de soulagement. Plus d'un tiers des participants au festival organisé en 2006 ont allégé leur emploi du temps depuis.

La course au petit génie

Prenons le cas de la famille Given. Avant, les trois enfants étaient inscrits à tellement d'activités qu'ils avaient à peine le temps de manger, dormir ou parler. Même si elle se sentait dépassée et se surprenait à courir à l'intérieur du supermarché pour gagner quelques secondes, Jenny, la mère, avait l'impression qu'il était de son devoir de multiplier les activités de la famille. « Vous voulez que vos enfants puissent essayer toutes les activités nouvelles et vous avez peur de les négliger quand ils ne sont pas constamment occupés, explique-t-elle. Vous voulez le meilleur pour eux mais, quelque part au fond de vous-même, vous avez toujours le secret espoir qu'ils se révéleront brillants dans l'exercice de l'une de leurs activités et qu'en les inscrivant à tel ou tel club, vous allez peut-être dévoiler un génie caché. »

Je lui parle de mes soupçons sur mon fils qui pourrait bien être le nouveau Picasso et elle rit : « Vous voyez, ça commence comme ça, avec une petite pensée de ce type. Après, vous inscrivez vos enfants à tout ce qui existe. » Dans la famille Given, cela s'est traduit par une accumulation éprouvante de cours de dessin, d'espagnol, de football, de basket, de base-ball, de volley, de handball, de tennis, ainsi qu'une inscription chez les scouts et une autre à la bibliothèque locale. Chaque week-end, les parents se séparaient pour convoyer les enfants à leurs diverses activités. À la maison, le temps était compté et les tensions fréquentes. « À vos marques, prêt, repos ! » a agi comme la sonnerie d'un réveil… Le premier soir, les Given ont préparé tous ensemble un repas mexicain et cuisiné des gâteaux au chocolat. Après, ils ont sorti la boîte de Cadoo qui était restée fermée sur l'étagère depuis Noël. Et la soirée s'est achevée dans les rires et les câlins. « Ça a été pour nous une révélation, me dit Jenny. Cela faisait tellement de bien de ne pas avoir à courir d'un rendez-vous à l'autre. »

Après cette soirée, la famille a allégé son emploi du temps pour ne conserver que les activités qui passionnaient les enfants. Aujourd'hui, Kathryn, seize ans, suit des cours de dessin, des cours d'espagnol et va à la bibliothèque. Chris, quatorze ans, joue au basket et au base-ball, tandis que Rosie, douze ans, se concentre sur le football, le tennis et le hockey. Depuis, toute la famille est plus détendue et les enfants ont de meilleurs résultats en classe. « Jouons au Cadoo! » est désormais le code familial pour dire « Passons un peu de temps ensemble ». « Nous sommes tous plus calmes et plus proches les uns des autres, constate Jenny. Nous prenons nos repas ensemble presque tous les soirs et nous discutons plus ensemble. »

Ça suffit

D'autres familles de Ridgewood rapportent des récits similaires sur l'« enfer de la suroccupation ». Une mère a finalement eu le courage de retirer sa fille de treize ans, passionnée de danse, d'un cours qui ne tolérait pas que l'on manque une séance, même à l'occasion d'événements familiaux. Réaction de sa fille : « Pourquoi tu ne l'as pas fait plus tôt ? » La famille Carson a décidé de limiter à deux ou trois le nombre d'activités des enfants, au lieu de cinq ou six avant. Kim, onze ans, joue désormais au tennis et au volley-ball, et suit des cours de théâtre. « C'est suffisant, dit-elle, ma vie est beaucoup plus agréable maintenant que j'ai un peu de temps pour décompresser. Ce qui est vraiment chouette, c'est de ne plus passer tous les week-ends en voiture pour aller à des trucs. »

« À vos marques, prêt, repos ! » a incité la famille Tindall à revoir son approche des vacances d'été. Les deux parents travaillant, les activités organisées pour les deux enfants, de neuf et onze ans, deviennent essentielles. Mais après plusieurs étés épuisant à courir d'un endroit à l'autre, les Tindall ont changé leur fusil d'épaule. Ils ont inscrit les enfants à des centres de loisirs où les journées ne sont pas intégralement programmées et où les soirées et les week-ends sont consacrés au repos, aux amis ou à la famille. Jeff, qui a onze ans, adore ça : « L'été dernier, c'était génial. J'ai fait plein de trucs chouettes et je ne me suis jamais ennuyé, même si je n'étais pas toujours occupé. »

L'esprit de « À vos marques, prêt, repos ! » a engendré d'autres initiatives à Ridgewood. Tous les mercredis, si le temps le permet, quelque quatre-vingts enfants âgés de quatre à sept ans sont lâchés sur le terrain de jeu de l'école primaire locale. C'est « le Jour du Jeu libre », et les parents sont cantonnés sur la touche. Livrés à leur seule imagination, les enfants gambadent, jouent à cache-cache ou à chat perché, inventent des histoires, tapent dans un ballon, chantent ou se bagarrent. Le bruit est assourdissant, comme le passage du mur du son. Pour beaucoup de parents, c'est une révélation : « Ça ne m'était jamais venu à l'esprit de les laisser tout simplement jouer, remarque une des mères présentes. On a toujours l'impression qu'il faut organiser quelque chose pour eux, mais en fait ce n'est pas le cas. »

Bien sûr, il est assez absurde – et parfois même un peu tragique – d'en être réduit à planifier des moments sans planning, mais compte tenu du monde dans lequel nous vivons c'est un premier pas pour beaucoup de familles. Il est clair que l'initiative de « À vos marques, prêt, repos ! » est le reflet d'un mouvement plus général. En Asie, Kim Dae-Jung, ancien Président de la Corée du Sud et prix Nobel de la paix, a évoqué le besoin de « libérer la jeunesse des activités extrascolaires ». Les universités d'élite envoient des messages similaires. La refonte de la procédure de candidature du MIT (Massachusetts Institute of Technology), en vue de donner moins d'importance aux activités extrascolaires et plus de poids aux passions des candidats, porte déjà ses fruits. Marilee Jones reconnaît que le dossier de près de soixante-dix étudiants de la promotion 2007-2008 aurait autrefois été écarté : « Nous acceptons chaque année un millier d'élèves, ce chiffre n'est donc pas énorme, mais c'est un début. C'est le signal que le MIT veut accueillir des êtres humains, pas des performances. »

Même Harvard lève le pied

L'université de Harvard encourage elle aussi ses étudiants de première année à laisser leurs modèles de suroccupation au vestiaire. Sur le site Internet de l'université, on peut lire une lettre ouverte de Harry Lewis, ancien doyen des études, qui avertit les étudiants que les années qu'ils passeront à l'université, des années de vie donc, seront plus enrichissantes s'ils en font un peu moins et se consacrent aux sujets qui les passionnent vraiment : « Il vous sera sans doute plus facile de soutenir l'effort requis pour briller dans une matière si vous vous accordez un peu de loisirs, quelques récréations et quelques moments en solitaire, au lieu de charger vos emplois du temps de tellement d'activités que vous n'aurez plus le temps de réfléchir aux raisons qui vous poussent à faire ce que vous êtes en train de faire. » Lewis s'attaque aussi à la croyance qui veut que chaque action accomplie par les jeunes devrait pouvoir s'évaluer et contribuer à l'édification du CV parfait : « Vous aurez une vie plus équilibrée si vous vous adonnez à quelques activités par plaisir plutôt que d'essayer d'y jouer un rôle de premier plan en pensant que ça vous permettra de sortir du lot quand vous chercherez du travail. Les liens que vous tissez de façon informelle avec vos camarades auront peut-être plus de conséquences sur votre avenir que le contenu de certains des cours que vous suivez. » Et le titre même de cette lettre ouverte défie la culture de la suroccupation : *Slow Down – Getting More Out of Harvard by Doing Less*

(« Ralentissez – Ou comment tirer un meilleur parti de Harvard en en faisant moins »).

Redonner sa place au plaisir

Partout dans le monde, les familles ont entendu cet appel. Pour les Kessler, à Berlin, le virage s'est opéré quand leurs deux enfants – Max, sept ans, et Maya, neuf ans – ont commencé à se chamailler en permanence. Leur mère Hanna a décidé que toutes leurs activités (violon, piano, football, tennis, escrime, volley, taekwondo, badminton et cours particuliers d'anglais) avaient fini par élever un mur entre eux. « Quand j'étais petite, je passais beaucoup de temps avec mes frères et sœurs et nous nous entendions bien. Nous nous entendons d'ailleurs toujours très bien, dit-elle. Quand je me suis penchée sur leur emploi du temps, j'ai réalisé que Max et Maya ne passaient quasiment jamais de temps ensemble parce qu'ils devaient toujours se dépêcher d'aller à une activité quelconque. » Elle a donc pris la décision de diminuer ces activités pour chacun des enfants. Les clubs qu'ils ont choisi d'abandonner ne leur manquent pas et l'harmonie entre frère et sœur semble avoir été restaurée. « On s'entend mieux maintenant, dit Maya, et on s'amuse bien ensemble. » Max roule des yeux et Maya le tance. Pendant un instant, on pourrait croire que les vieilles hostilités sont sur le point de reprendre. Et puis les deux enfants éclatent de rire. Hanna rayonne : « Je ne reviendrais pour rien au monde au modèle précédent. »

Hantés par le souvenir d'emplois du temps surchargés quand eux-mêmes étaient enfants, certains parents luttent contre l'incitation à inscrire leur progéniture à des activités multiples dès leur plus jeune âge. David Woo, analyste financier à Singapour, est encore traumatisé par les cours de piano et de violon que lui ont imposés ses parents. Il avait du talent et a réussi des concours très difficiles pour chacun de ces instruments, mais il a toujours considéré la musique comme une corvée qui l'empêchait de jouer avec ses copains ou ses amis. Ses cours de musique intensifs, les répétitions inévitables et les concerts obsédaient toute la famille. Après avoir quitté la maison de ses parents, David Woo a refusé de toucher un piano ou un violon pendant vingt ans. « Pourtant, j'adore la musique, mais toute cette organisation m'empêchait de l'apprécier, dit-il. Et j'ai voulu épargner ça à mes enfants. » David Woo a aujourd'hui une fille, Nancy. Quand elle était très jeune, il écoutait beaucoup de musique classique et l'emmenait souvent à des concerts, mais il a toujours refusé de l'inscrire à des cours avant qu'elle ne le demande. Quand elle l'a fait, il a installé un piano dans le salon et engagé un professeur qui mettait l'accent sur le plaisir plutôt que sur la nécessité de jouer pendant de longues heures pour passer des examens le plus tôt possible. Trois ans plus tard, Nancy, qui a maintenant dix ans, adore passer du temps libre à pianoter et joue quelques morceaux de Beethoven pour ses parents au petit-déjeuner. Le plaisir que lui procure le piano a même incité son père à s'y remettre : « Nancy adore jouer et faire ses exercices. Je crois que c'est parce qu'elle s'y est mise d'elle-même, quand elle était prête, et qu'elle n'en fait pas trop. Et c'est bien que notre vie de famille ne tourne pas uniquement autour de ses cours de piano. »

Vive les repas en famille !

La plupart des familles qui choisissent ainsi d'alléger leur emploi du temps prennent plus souvent leur repas ensemble. Dans notre société toujours pressée et suroccupée, où on dîne souvent sur le pouce, devant la télévision ou l'ordinateur, parfois même dans la rue ou dans la voiture, les repas de famille passent régulièrement à la trappe. Selon une étude britannique, une famille sur cinq ne prend jamais de repas ensemble. L'ironie de la situation, c'est que bien des avantages que l'on prête aux activités ou même aux devoirs à la maison peuvent être tout simplement obtenus par les repas en famille. Dans de nombreux pays, les recherches montrent que les enfants qui mangent souvent avec leurs parents ont en général de meilleurs résultats à l'école, sont équilibrés dans leur tête et ont une alimentation saine. Une étude réalisée par l'université de Harvard a conclu que les repas en famille favorisaient le développement du langage, bien plus que les histoires lues par les parents. Une autre enquête a montré que le seul dénominateur commun entre les bénéficiaires de bourses au mérite aux États-Unis, quelles que soient leurs origines sociales, tenait au fait qu'ils venaient de familles où les repas étaient régulièrement pris en commun. On parle bien sûr de repas où enfants et parents s'expriment, débattent et se racontent des anecdotes. Pas de ces dîners pris devant la télé où on n'échange que des phrases comme « passe-moi le sel ».

Comment expliquer que ces repas pris en commun puissent être aussi bénéfiques? Sur le plan alimentaire, la réponse est évidente : un enfant de neuf ans terminera plus facilement ses légumes ou acceptera d'en manger s'il est avec ses parents au lieu de dîner tout seul dans sa chambre, devant l'ordinateur. Le fait d'être assis autour d'une table et de prendre part à la conversation montre par ailleurs aux enfants qu'ils sont aimés et choyés pour ce qu'ils sont, pas pour ce qu'ils font. Ils apprennent à s'exprimer, à écouter, à raisonner et à faire des compromis, c'est-à-dire tout ce qui est bon pour le fameux Quotient d'Intelligence Émotionnelle. D'accord, personne n'a dit que les repas en famille sont toujours une partie de plaisir. Parfois, c'est l'enfer. Réunir autour d'une table des bambins épuisés, des adolescents renfrognés et des parents stressés ne va pas sans risque. Mais la gestion des conflits fait aussi partie de la vie.

Et malgré ses inconvénients, le repas en famille revient en force. Lancé en 2004, le programme télévisé *Fixing Dinners* (« Faire à dîner »), qui explique comment cuisiner et manger le soir en famille, attire des millions de téléspectateurs au Canada, aux États-Unis et en Australie. Un rapport publié en 2005 par le groupe de recherche sur la consommation Mintel a révélé une augmentation du nombre de familles britanniques qui prennent leurs dîners ensemble. Encouragés par des initiatives comme celles de « Putting Family First » (« Donner la priorité à la famille ») ou de « National Family Night »

(« Soirée nationale de la famille »), de nombreux ménages américains suivent ces préceptes. Ainsi, la famille Bochenski, de Minneapolis, estime que le fait de s'engager à prendre au moins quatre dîners en famille par semaine doit s'accompagner d'un allégement des emplois du temps de tous. Chacun de leurs trois adolescents a fait une croix sur une activité, d'où un meilleur sommeil et une amélioration des résultats scolaires. Les relations au sein de la famille s'en sont agréablement ressenties : « Le dîner permet de nous retrouver en discutant et en étant ensemble, tout simplement, explique Angela, quinze ans. C'est un soulagement de ne pas toujours avoir quelque chose à faire. »

Certains accuseront la famille Bochenski d'avoir souscrit aux dîners familiaux et à l'allégement des emplois du temps pour de mauvaises raisons, d'avoir dégagé du temps libre et des moments en famille non pas pour le bien-être que cela leur apporte, mais parce que certains scientifiques suggèrent que cela permet d'améliorer les résultats aux examens. Il y a peut-être un peu de vrai là-dedans. Sans doute toutes les familles n'ont-elles pas des motivations exemplaires quand elles initient une révision de leur agenda, mais ce qui compte en l'occurrence, c'est la fin des overdoses d'activités extrascolaires. Et nombre de foyers qui décident d'évoluer pour de mauvais motifs continuent par la suite de le faire pour de bonnes raisons. « Quelles que soient vos motivations initiales, vous finissez par réaliser assez vite que le plus gros avantage d'un emploi du temps moins lourd, c'est d'avoir plus de moments que l'on peut passer seul ou en famille, remarque

Simon Bochenski, le père d'Angela. Il est aussi important que
les parents puissent passer du temps tous les deux. »

Ces enfants qui vampirisent
leurs parents

Car il est certain que les emplois du temps surchargés ne
sont pas non plus sans conséquence pour les parents.
Quand toute la vie de la famille tourne autour des enfants,
quand les parents n'ont plus un moment pour eux, leur relation, qui est le fondement même du foyer, peut en souffrir,
et toute la famille s'en ressent. Depuis toujours, les parents
se plaignent que les enfants empiètent sur l'espace réservé
aux adultes. Quiconque a déjà supporté un repas avec un
couple qui n'a d'yeux que pour ses enfants se reconnaîtra
dans le récit acide que fait James Boswell au XVIIIe siècle
sur un dîner transformé en cauchemar par deux bébés : « Ils
jouaient et babillaient, ne souffrant aucune autre conversation que la leur... Avec une insensibilité triomphale, Lang-
ton et sa femme embrassaient leurs enfants et ne prenaient
de plaisir à écouter que leurs voix. » De nos jours, ce type de
scènes est assez fréquent. Nous avons tous connu des repas
auxquels assistaient des tout-petits et durant lesquels il fallait se battre pour échanger quelques mots entre adultes.
Grâce aux activités extrascolaires, les enfants continuent de
vampiriser les journées de leurs parents bien après être sortis de la petite enfance. Partout vous entendrez des parents
se plaindre de ne plus pouvoir passer du temps en couple

ou entre amis, ces moments ayant été sacrifiés sur l'autel de l'occupation des enfants.

Penchons-nous sur le cas de Benjamin et Sally Rogers, traiteurs à Brooklyn, New York. Quand leurs enfants étaient tout petits, ils appelaient souvent une baby-sitter pour sortir ensemble le soir, mais à mesure que l'emploi du temps s'est alourdi, les sorties se sont espacées pour finir par disparaître: la sortie hebdomadaire est devenue une sortie mensuelle, etc. Leur fils Michael a aujourd'hui douze ans et leur fille Jackie quatorze ans. Ils sont inscrits à quatre ou cinq activités chacun. « J'ai récemment regardé mon agenda et réalisé que Benjamin et moi n'étions pas sortis ensemble depuis plus d'un an, dit Sally, sauf pour les réunions avec les professeurs, bien entendu. Mais ça ne compte pas. » Leur couple a fini par s'en trouver affecté et ils ont commencé à s'éloigner l'un de l'autre et à se disputer. « Nous ne vivions qu'au travers de nos enfants. Ils étaient devenus la seule chose que nous avions en commun, se souvient Benjamin. Tout cela avait asséché notre relation. » Quand ils ont appris qu'un couple de leurs amis divorçait, ils ont décidé de réagir avant qu'il ne soit trop tard. Au premier jour des vacances d'été, toute la famille s'est assise autour d'une table. Tous ont convenu que l'emploi du temps de toute la famille était trop centré sur les enfants et qu'il allait falloir ménager un peu de temps pour papa et maman. Michael a abandonné le hockey (« De toute façon, je n'aimais pas trop ça », a-t-il admis) et Jackie s'est inscrite à un club de volley qui lui imposait moins de déplacements. Ce qui a permis de libérer assez de temps pour les parents, désormais assurés de disposer d'au moins une soirée par semaine pour sortir sans les enfants.

Le couple Rogers se porte aujourd'hui beaucoup mieux. Sally explique : « Nous faisions tellement d'efforts pour leur donner la meilleure enfance possible que cela finissait par nuire à notre couple. Abandonner quelques activités n'est pas si terrible si vous considérez qu'autrement c'est le divorce assuré. » Les enfants ont apprécié eux aussi le changement : « Papa et Maman sont beaucoup moins irritables et on voit qu'ils sont plus heureux ensemble, note Jackie. C'est chouette, maintenant que la famille est moins occupée. » Michael acquiesce. Mais la raison pour laquelle il apprécie d'avoir mis un terme à certaines activités est un peu plus égoïste : « Vous savez pourquoi c'est si agréable d'être moins occupé ? demande-t-il en saisissant son iPod avant d'aller dans sa chambre. On dort plus longtemps. » Bien sûr, l'allégement de l'emploi du temps contribue à restaurer l'équilibre des enfants. Mais il faut aussi songer à repenser les activités extrascolaires elles-mêmes. À une époque de compétition extrême, les attentes sont démesurées et on finit par faire de la moindre leçon de piano ou de poterie un combat pour le pouvoir. Une mère me confiait récemment que, la nuit, elle réfléchissait aux moyens qui permettraient à son fils d'obtenir le plus de médailles possibles dans son groupe de scouts. Et puis il y a le sport, sans doute une des activités extrascolaires les plus courantes. Mais c'est aussi celle qui s'appuie le plus sur la compétition.

9

Le sport : retrouver le plaisir du jeu

Ce qui compte vraiment, c'est le gamin et le ballon,
le ballon et le gamin.

CHICO BUARQUE, auteur-interprète

Christophe Fauviau souhaitait vraiment que ses enfants réussissent au tennis. Cet ancien pilote d'hélicoptère a donc acheté à son fils et à sa fille le meilleur équipement, leur a payé un coach et a assisté à tous leurs matchs. À mesure qu'ils gravissaient les échelons du tennis junior en France, il suivait leur circuit à travers toute l'Europe. Mais au bout d'un moment, son dévouement s'est transformé en un sentiment beaucoup moins louable. À l'insu de ses enfants, il a commencé à glisser dans les bouteilles d'eau des adversaires des pilules de Temesta, un tranquillisant qui provoque des somnolences. Cela a duré environ trois ans, au cours desquels les rivaux de ses enfants abandonnaient leur partie par épuisement ou parce qu'ils avaient des étourdissements. Le pot-aux-roses a été découvert quand l'une de ses victimes s'est tuée dans un accident de voiture alors qu'elle rentrait chez elle après un match contre le fils de Christophe Fauviau. En 2006, ce père sorti tout droit de l'enfer a été condamné à huit ans de prison.

Cette histoire a fait les gros titres des journaux du monde entier et engendré énormément d'articles sur le sujet. La

chute de Christophe Fauviau a été élevée au rang de para-
bole et présentée comme une leçon donnée aux parents
sur les risques qu'il y a à prendre trop à cœur les résultats
sportifs de ses enfants. « Cette histoire renvoie devant leur
miroir les parents d'aujourd'hui, qui font de chaque événement de la vie de leur enfant une question de vie ou de
mort, sermonnait un des journalistes. Nous sommes tous
des Fauviau en puissance. »

Même si cela paraît exagéré, il est certain que les adultes
s'investissent (de façon logistique et émotionnelle) dans les
activités sportives de leurs enfants plus que par le passé.
Les associations sportives de jeunes ont vu le jour dans les
écoles du XIXe siècle et ont pris leur essor après la seconde
guerre mondiale. Dans beaucoup de pays, l'entrée dans
une équipe locale, souvent sous l'impulsion d'un parent, est
devenue un rite de passage pour la génération des baby-
boomers. Cela dit, les enfants continuaient alors à faire du
sport en dehors de toute organisation, durant leur temps
libre, notamment parce que, à l'époque, ils en avaient
beaucoup. Sur un terrain vague ou dans une rue déserte,
les enfants mettaient au point leurs règles, organisaient les
équipes et arbitraient leur jeu – aucune tenue spéciale,
aucun remplaçant sur la touche, aucune réunion tactique,
aucun adulte ne venant y mettre son grain de sel. J'ai passé
la plus grande partie de ma jeunesse à jouer au hockey, au
football, au basket et au tennis sans adulte en vue. Tout
a changé quand, suivant un cycle ancestral, une nouvelle
génération d'adultes a commencé à placer des attentes sur

les pratiques sportives des jeunes. À mesure que les écoles se désintéressaient du sport au profit dés matières plus académiques, les clubs se sont privatisés pour tomber aux mains d'individus comme Christophe Fauviau.

Des pros en culottes courtes

Voyons l'effet de tout cela. Dans de nombreux pays, les enfants font aujourd'hui du sport comme de petits professionnels, avec des ligues structurées, des statistiques personnelles, des entraîneurs spécialistes de la discipline et dans un état d'esprit qui les pousse à gagner coûte que coûte. Les tout-petits sont placés dans des clubs alors qu'ils ont à peine quitté leurs couches et leurs aînés, dès quatre ans, parcourent le pays pour se mesurer à des gamins de leur âge. Beaucoup d'équipes junior jouent désormais toute l'année, avec des saisons encore plus longues que celles des ligues professionnelles. Pour préparer les enfants à leurs tournois, les parents sélectionnent des entraîneurs coûteux et engagent des coachs particuliers. Selon une enquête, les parents américains consacrent aujourd'hui plus de quatre milliards de dollars par an à l'entraînement sportif de leurs enfants.

Cette nouvelle n'est pas mauvaise en soi. Les sports encadrés peuvent se révéler excellents pour les enfants, en les tenant à l'écart de leur XBox et autres tentations, en leur faisant faire de l'exercice et en leur enseignant de bons principes sur le travail d'équipe, la discipline et les aléas du jeu. Les cours particuliers peuvent par ailleurs améliorer bien des compétences sportives. Mais le problème tient à ce que de nombreux entraîneurs et parents s'emballent. Aujourd'hui, l'ordre du jour de l'International Youth Sports Congress (Congrès international des sports pour la jeunesse) inclut toujours une question sur la façon dont peuvent être jugulés les débordements adultes.

Dans le monde entier, vous trouvez des mères et des pères qui tentent d'intimider l'entraîneur pour qu'il revoie sa sélection, sa tactique et ses méthodes d'entraînement afin de les ajuster à leur enfant. Même dans le cadre de programmes sportifs universitaires, les administrations reçoivent des appels de parents courroucés qui exigent de savoir pourquoi leur fils joue ailier et non attaquant, pourquoi leur fille n'est pas encore capitaine de l'équipe de volley-ball. « Chaque fois que ma secrétaire m'appelle pour me passer un parent au téléphone, j'angoisse, me confie un entraîneur d'université américaine. Je sais qu'il va m'insulter parce que je n'ai pas compris que son fils est le nouveau Michael Jordan. »

Ces parents que la compétition rend fous

Beaucoup de parents constituent un danger sur les touches. Les écoles rapportent des événements sportifs gâchés par des mères et des pères hurlant à leurs enfants d'aller plus vite durant les courses en sac. Partout dans le monde, on peut voir des parents qui crient sur leur enfant parce qu'ils ont lâché le ballon, raté un tir ou manqué une passe. Les quolibets occasionnels que j'entendais quand j'arbitrais les matchs de football dans les années 1980 se sont mués en diatribes vitriolées – ou pire.

Afin d'alerter l'opinion sur le sujet, Douglas Abrams, professeur de droit à l'université du Missouri et ancien entraîneur de hockey, publie régulièrement une revue de presse sur les pires exemples de débordements de la part d'adultes du monde entier. En voici un exemple récent : la police est appelée à se rendre sur le terrain de sport de Churchdown, en Angleterre, où se déroule un match de rugby entre jeunes de moins de seize ans, parce que plus d'une vingtaine de parents ont commencé à se battre après le coup de sifflet final ; en Caroline du Nord, une mère est interdite à vie de mettre les pieds aux matchs de basket parce qu'elle s'est jetée sur un officiel pour lui griffer le visage et le cou ; à Philadelphie, un père a menacé un arbitre avec un revolver parce qu'il estimait que son fils de six ans passait trop de temps sur la touche. La menace représentée par ces parents abusifs est telle que certains arbitres emportent désormais un téléphone portable sur le terrain pour pouvoir appeler de l'aide s'ils sont agressés. D'autres entraîneurs exigent une escorte de protection au moment d'entrer sur le terrain ou de le quitter. À Édimbourg, en Écosse, les abus ont atteint un tel niveau que les équipes de football junior ne trouvent plus d'arbitres pour suivre leurs matchs officiels.

Des exploits par procuration

Quelles sont les raisons de ces débordements? Peut-être le sport suscite-t-il encore plus d'esprit de compétition que les matières académiques et les activités extrascolaires. Peut-être certains parents veulent-ils à tout prix que leurs enfants obtiennent des bourses sportives afin de limiter l'inflation des frais de scolarité[1]. Ce qui est sûr, c'est que nous sommes aujourd'hui trop nombreux à vivre à travers les exploits sportifs de nos enfants. Il n'est plus suffisant qu'un enfant s'amuse ; il faut aussi qu'il soit un athlète reconnu qui remporte des trophées et a sa photo dans le journal local. Durant le procès Fauviau, l'avocat général a décrit le prévenu comme « un adulte qui utilisait ses enfants pour satisfaire ses propres fantasmes de réussite ». Christophe Fauviau lui-même a expliqué à la Cour qu'il « avai[t] l'impression d'être jugé en permanence sur les performances de [s]es enfants ». Professeur de psychologie du sport à l'université du Minnesota, Diane Wiese-Bjornstal estime que beaucoup de parents en sont venus à exiger que leurs enfants acquièrent une expérience sportive parfaite : « La mentalité est telle que les parents estiment avoir certains droits. » Nombre d'entre eux voient leurs enfants comme des biens et comme un investissement. Ils estiment que cela leur est dû : du temps de jeu, des bourses et un statut. Leur esprit de compéti-

---

1 Aux États-Unis, des bourses sportives peuvent être octroyées dans 29 disciplines. Les étudiants qui se distinguent dans un sport peuvent ainsi financer leurs études grâce à leur talent

tion en tant que parents s'exprime à travers leurs enfants:
« En d'autres termes, le sport chez les jeunes n'est plus une
affaire d'enfants, mais d'adultes. »

Et comme pour tout ce qui touche à l'enfance, depuis
l'école jusqu'aux jouets, quand les grands imposent leur
loi, les petits sont perdants. Pour devenir des athlètes de
premier plan ou satisfaire les attentes de leurs parents,
voire les deux, beaucoup d'enfants mettent leur santé en
danger en avalant des médicaments destinés à améliorer
leurs performances. Une étude a révélé que le nombre de
lycéens américains utilisant des stéroïdes anabolisants a triplé depuis 1993. Des enfants de onze ans ont été surpris à
prendre des pilules pour augmenter leur force, leur vitesse
ou leur endurance. Cette mentalité qui ne valorise que la
première place s'insinue aussi dans les salles de classe. Une
très récente enquête du *Josephson Institute of Ethics* basé
aux États-Unis a montré une tendance grandissante à la
tricherie à l'école parmi les jeunes athlètes. Sa conclusion:
« De nos jours, pour la majorité des jeunes, le sport incite à
la tricherie plutôt qu'il ne la décourage. »

L'excès de sport cause par ailleurs des blessures très
sérieuses et de plus en plus fréquentes chez les enfants.
Des jeunes à peine âgés de huit ans débarquent dans les
cabinets médicaux avec des cartilages de croissance endom-
magés au niveau des épaules ou des fractures de stress
dans le dos. Prenons l'exemple de Budhia Singh, devenu le
plus jeune marathonien du monde quand il a commencé la
compétition à l'âge de trois ans. Ses exploits ont fait la une

des journaux et il est apparu dans plusieurs publicités télévisées. Il a même été surnommé le « Forrest Gump indien ». Mais ses débuts précoces ont fini par lui jouer un tour : en 2006, il a dû immédiatement cesser de courir, quand des médecins ont diagnostiqué qu'il souffrait de malnutrition, d'anémie, d'hypertension artérielle et de tachycardie.

Tout comme la pression scolaire, l'overdose de sport et la spécialisation peut être dangereuse pour des enfants trop jeunes. Durant toute sa carrière de golfeur, Severiano Ballesteros a souffert de problèmes de dos dus à un entraînement trop intensif après une blessure qu'il s'était faite dans sa jeunesse. Néanmoins, les parents continuent à écouter les experts qui affirment que la maîtrise d'un sport requiert dix mille heures de pratique, pensant sans doute que plus tôt leur enfant aura atteint ce quota, mieux ce sera. Les entraîneurs aussi poussent à une spécialisation précoce parce que celle-ci est censée conférer une avance, surtout dans des sports comme la gymnastique ou le patinage sur glace. Or, sur le long terme, mieux vaut que les enfants pratiquent différents sports avant de se spécialiser, afin de soumettre leur corps à des exercices variés. La plupart des médecins du sport déconseillent une spécialisation sportive avant l'âge de treize ans. « Le fait de limiter la diversité des activités physiques avant que les fondations morphologiques ne soient solidifiées peut affecter le développement de l'enfant sur le long terme et amoindrir son potentiel », explique Tommi Paavola, directeur des programmes de remise en forme pour jeunes au sein de l'*Elite Athletic*

Performance Institute à Ramsey, dans le New Jersey : « Trop souvent, on essaie de former des joueurs avant de former des athlètes. »

La course aux jeunes talents

Une spécialisation prématurée peut aussi sévèrement affecter ceux qui ont besoin d'un peu plus de temps pour se révéler. Nous connaissons tous ces petits prodiges, depuis Tiger Woods jusqu'aux sœurs Williams, emmenés au sommet de la pyramide du sport par des parents dévoués, prêts à tous les sacrifices et obsessionnels. Mais la raison pour laquelle ces petits génies sont devenus des superstars tient au fait qu'ils sont des exceptions à la règle. Pour chaque Michelle Wie, il y a des centaines de mini-athlètes surentraînés qui se brûlent les ailes ou perdent tout intérêt pour leur discipline. Et il y a ceux que la gloire mène à l'autodestruction, comme Jennifer Capriati, d'abord connue pour son tennis puis pour ses vols à l'étalage. D'ailleurs Tiger Woods, icône des prodiges sportifs s'il en est, n'a pas été soumis à la pression intense que les gens imaginent. Il a participé à son premier tournoi officiel de golf à l'âge de seize ans, puis il a enchaîné trois tournois à dix-sept ans et dix-huit ans, quatre tournois à dix-neuf ans et trois tournois à vingt ans, pour ne passer professionnel qu'à vingt et un ans. Earl Woods, son père, a mis un point d'honneur à ne pas brusquer son développement : « J'avais un principe : ne jamais lui en faire faire plus qu'il ne pouvait. Pourquoi lui infliger cela ? »

En vérité, un don précoce pour le sport ne garantit pas des prouesses futures. Je le tiens de mon expérience personnelle. J'ai marché très tôt, vers huit mois, et tapé dans une balle peu de temps après. Mon père a d'abord cru qu'il tenait le nouveau Pelé, mais je me suis révélé un joueur de football assez moyen. En fait, les enfants ont chacun leur rythme de développement, et la puberté peut tout changer. Le môme maladroit qui est toujours choisi en dernier par ses camarades du primaire peut devenir un Mozart du football au lycée, tandis que la star de basket du collège aura du mal à maintenir sa réputation en grandissant. Beaucoup d'athlètes célèbres sont sortis du lot bien après l'âge auquel les ligues sportives arrêtent aujourd'hui leur sélection en considérant que les nouveaux talents se révèlent forcément plus tôt. Jack Nicklaus a mis pour la première fois le pied sur un parcours de golf quand il était au lycée. Theo Walcott, le petit miracle de l'équipe d'Arsenal, n'a commencé la compétition de football que vers onze ans. Tout le monde sait que Michael Jordan s'est fait exclure de son équipe de basket au lycée, mais quelques années plus tard, il était considéré comme le meilleur joueur de basket que le monde ait jamais connu.

Lena Nyberg, porte-parole de l'enfance en Suède, a dû récemment faire face à ce genre de problème avec son propre fils. Celui-ci a tâté de différents sports dans ses jeunes années mais, à l'âge de douze ans, il a décidé de se consacrer au football. Le problème, c'est que tous les clubs de Stockholm lui ont dit qu'il était trop vieux : « La société se trompe complètement sur l'enfance s'il faut débuter la pratique d'un sport à cinq ans et se spécialiser à dix. »

Bob Bigelow, auteur de *Just Let the Kids Play* (« Laissez donc les gamins jouer ») est un ancien joueur professionnel de la NBA (Fédération nationale américaine de basket). Il s'inquiète de ce que beaucoup d'athlètes potentiels sont laissés de côté du fait de notre volonté obsédante de classer les enfants dès leur plus jeune âge. À quatorze ans, Bob Bigelow n'était qu'un grand échalas maladroit : « Jamais je n'aurais pu devenir joueur de basket professionnel aujourd'hui parce que mes capacités auraient été évaluées et jugées insuffisantes par des parents qui croient comprendre le sport, mais n'y connaissent rien. Combien de futures stars sont aujourd'hui laissées de côté dès l'école élémentaire par des comptables, des juristes, des bouchers, des boulangers et des fabricants de bougies ? »

La dictature de la compétition

Une fois la sélection faite, les adultes transforment souvent le jeu lui-même en compétition acharnée. Des études sur les sports d'équipe montrent que la priorité chez les enfants est de maintenir un jeu franc et des groupes équilibrés. Dans les ligues officielles, les adultes ont plutôt tendance à charger les équipes et à faire jouer surtout les stars. Pour de nombreux parents, le score – comme les résultats d'examens – devient plus important que le jeu lui-même. Il n'est donc pas surprenant que certains entraîneurs d'équipes junior traitent leurs joueurs comme des esclaves. À New York, l'un d'eux a récemment exclu une lycéenne de l'équipe de volley parce qu'elle avait assisté à une retraite religieuse. L'obsession pour les records personnels finit aussi par ôter au sport tout son piquant. Sally Cheng, quatorze ans, fait de la compétition de badminton à Pékin, en Chine. Son père assiste à tous ses matchs, lui fait un sermon sur les défauts de son jeu quand ils rentrent à la maison et affiche ses résultats sur le réfrigérateur de la cuisine. « Quand j'ai mal joué, ça me hante toute la semaine parce que c'est sous mon nez tous les matins pendant le petit-déjeuner, là, sur la porte du frigo, dit Sally. Même s'il est évident que je n'ai pas le niveau, mon père s'entête à vouloir me faire participer aux prochains jeux Olympiques. »

Tout comme pour les résultats scolaires, accorder trop de place aux scores conduit à se tromper de priorité. À Calgary, au Canada, un entraîneur de hockey qui travaille avec des enfants de dix ans raconte comment l'un de ses meilleurs joueurs a subitement cessé de faire des passes aux autres membres de son équipe. Quand il lui a demandé pourquoi il avait fauché le palet à l'un de ses camarades, le petit a expliqué que son père lui ajoutait cinq dollars d'argent de poche à chaque fois qu'il marquait un but.

Certes, cela ne signifie pas qu'il est toujours mauvais de se pencher sur les scores et les statistiques. La compétition peut être motivante pour les enfants et les inciter à mieux jouer. Elle peut aussi leur apprendre à gagner et à perdre. Mais quand seul compte le résultat, quand la seule question à la fin du match devient: « Alors, tu as gagné? », d'autres leçons passent à la trappe. Trop de compétition oblige les enfants à s'appuyer sur leurs forces au lieu de corriger leurs faiblesses. Le calendrier des fédérations sportives programme tant de compétitions qu'il ne reste que peu de temps pour apprendre les bases. Convaincus que ce qui est bon pour les pros l'est aussi pour les enfants, nous les abandonnons sur des terrains, des cours ou des patinoires d'adultes où ils passent moins de temps à taper dans la balle ou le palet qu'à rouler des mécaniques dans l'espoir de nous impressionner. « Qu'y a-t-il de comparable entre le quotidien des athlètes de haut niveau âgés de dix-neuf à trente-quatre ans et l'entraînement sportif de petits de huit ans? demande Bob Bigelow. C'est comme si on essayait d'apprendre l'algèbre à des enfants en primaire. Il y a beaucoup d'étapes à passer en mathématiques avant d'être prêt pour l'algèbre. C'est la même chose en sport. Il faut les accompagner doucement et les traiter comme des enfants plutôt que comme des mini-pros. »

Une pression constante pour gagner et obtenir les meilleurs scores peut, comme dans les salles de classe, étouffer la créativité. Dans les jeux d'enfants, il n'y a pas de notion d'erreur, il y a juste différentes manières d'essayer. Mais quand les adultes s'en mêlent, tout se réduit à une bonne ou une mauvaise méthode. Les enfants sont moins enclins à tenter un dribble à la Ronaldo ou une passe sous la jambe façon Vince Carter quand, sur la touche, l'entraîneur ou les parents pointent du doigt le tableau des résultats et les somment en hurlant de ne pas prendre de risques inutiles. Buck Showalter, ancien manager des Yankees à New York, estime que les enfants d'Amérique centrale jouent au base-ball avec plus de liberté et d'instinct que les petits Américains, pourtant si étroitement encadrés. Dans d'autres sports, on note la même tendance. John Cartwright a consacré des années au développement du football junior en Angleterre. Ancien professionnel lui-même, il croit que les enfants qui sortent aujourd'hui des rangs sont moins doués parce qu'ils sont surentraînés et passent trop peu de temps à s'amuser tout simplement au ballon avec leurs copains : « Quand on était petits, on n'avait pas besoin d'un vrai terrain avec des vrais buts, des maillots et un entraîneur. On enlevait juste nos manteaux et on jouait à un football un peu chaotique avec nos chaussures de tous les jours, en affinant peu à peu notre technique. Les plus grands ont connu ça : Stanley Matthews dans les rues de Stoke, Pelé sur des chemins poussiéreux près d'une gare brésilienne, Maradona dans un quartier pauvre de Buenos Aires. En Grande-Bretagne, on ne connaît plus le football de rue depuis longtemps. À sa place, on a un système qui ne marche pas vraiment. »

Des enfants démotivés

La plupart des enfants ne deviendront pas des sportifs professionnels. La meilleure chose que nous puissions espérer, c'est leur donner une passion à vie pour le sport. Or, c'est le contraire qui se produit. Différentes études menées aux États-Unis montrent que 70 % des enfants qui font du sport quand ils sont très jeunes abandonnent vers l'âge de treize ans, ce chiffre atteignant presque 100 % quand ils parviennent à l'âge de quinze ans. D'après les sondages, les enfants se plaignent d'épuisement, de surmenage et de la pression générée par les entraîneurs et les parents. Comme ils ne s'amusent plus, ils arrêtent le sport.

Même les sportifs de haut niveau ont de meilleurs résultats quand ils prennent plaisir à ce qu'ils font. Qu'est-ce qui pousse à réussir dans un sport, à accumuler des médailles, à battre des records et à susciter les ovations des spectateurs? Tout simplement un plaisir enfantin à jouer. Considérez un peu le football brésilien. S'il est vrai que la plupart de ses stars sont désormais formées dans des clubs privés dès leur plus jeune âge, il reste que les victoires doivent s'appuyer sur un apprentissage et que la majorité des mômes ne commencent à jouer avec des buts réglementaires et des équipes complètes qu'à l'adolescence. Ces enfants passent aussi de longues heures à affiner leur technique et à peaufiner leur tactique dans les rues ou sur la plage, loin des entraîneurs et des parents. D'ailleurs, ils emportent avec eux, sur les terrains officiels, une part de cet esprit d'aventure. Le compositeur brésilien Chico Buarque résume ainsi la puissance et la gloire des enfants qui jouent loin des règles, des rituels et des harangues des adultes: « Ce qui compte vraiment, c'est le gamin et le ballon, le ballon et le gamin. »

Il y a quelque chose d'éminemment tragique derrière tout cela. Dans notre effort insensé pour élever de futurs athlètes de haut niveau, nous réduisons à néant l'art de faire du sport pour le plaisir : retirez les structures, les statistiques, les classements de ligues, et on ne sait plus où on va. Récemment, deux équipes d'enfants de sept ans se sont rencontrées pour un match de football à Cleveland, dans l'Ohio. Tout était réuni pour passer une fameuse journée : un gazon fraîchement tondu, un ciel bleu et une ribambelle d'enfants impatients d'en découdre dans de rutilants maillots. Mais l'arbitre n'arrivait pas. Qu'ont fait alors les parents ? Ils ont embarqué les enfants dans les voitures pour rentrer à la maison.

Rendons le sport aux enfants

Les adultes pourraient-ils prendre un peu de recul et rendre le sport aux enfants ? La réponse est oui. Dans le monde entier, les associations sportives, les parents, les athlètes de haut niveau et les politiques s'emploient à redonner la priorité aux gamins et au ballon. Cal Ripken Jr., légende du baseball américain, a lancé une croisade pour changer la culture du sport junior en affirmant à qui veut l'entendre que « tout le monde doit se souvenir qu'il s'agit des enfants et pas des grands ». Il conseille aux parents de toujours commencer par se poser la question suivante en fin de match : « Est-ce que mon enfant s'est amusé ? » Dans le même esprit, des fédérations nord-américaines mettent en place des codes de bonne conduite et demandent aux parents de s'engager à des comportements adéquats ou d'assister à des présentations sur le sujet. Nombre de villes organisent aujourd'hui des samedis silencieux et des dimanches silencieux durant lesquels parents et entraîneurs n'ont pas le droit d'élever la voix au-delà du murmure. Selon le principe australien des touches silencieuses, les spectateurs qui assistent à des matchs de rugby entre enfants ne sont autorisés qu'à crier des paroles d'encouragement. En 2007, en Grande-Bretagne, l'association Give Us Back Our Game (Rendez-nous notre match) a lancé une campagne visant à retirer le football junior des mains de parents et d'entraîneurs surexcités. Elle propose entre autres d'organiser des matchs entre équipes de quatre joueurs, arbitrés par les enfants eux-mêmes. Dans le Lancashire, en Angleterre, beaucoup d'enfants âgés de moins de douze ans jouent déjà sur des terrains plus petits, sans appliquer la règle du hors-jeu. Le résultat a été immédiat : moins de quolibets depuis les touches et plus de temps consacré au ballon pour les enfants. Les fédérations sportives se sont par ailleurs attaquées au problème du surmenage. En 2007, la Little League Baseball International (Ligue internationale de base-ball junior) a imposé des limites au nombre de lancers qu'un même joueur est autorisé à faire.

Les parents les plus excités finissent eux aussi par s'assagir. Vicente Ramos, avocat à Barcelone en Espagne, avait l'habitude de patrouiller sur les touches quand son fils de onze ans, Miguel, participait à un match de foot. La plupart du temps, depuis son mirador, il lui hurlait de foncer sur les buts, de passer le ballon ou de marquer tel ou tel joueur.

Sur le chemin du retour à la maison, il disséquait le match et donnait à son fils une note allant de un à dix. Un jour, Miguel, qui se trouve doté d'un physique d'athlète, d'une grande rapidité et d'un redoutable pied gauche, a annoncé qu'il voulait arrêter le foot. « Ça m'a assommé, se souvient Vicente Ramos. Il y a alors eu beaucoup de cris, de disputes et de pleurs, dont il est ressorti qu'il en avait assez que je sois continuellement sur son dos. »

Vicente Ramos a donc décidé de relâcher la pression. Il continue à se tenir sur la touche, mais il limite désormais ses commentaires au minimum. Quand ils rentrent tous les deux du match, il ne note plus la prestation de Miguel et ils parlent même parfois d'autre chose que de foot. À sa grande surprise et pour son plus grand plaisir, le père a découvert que son humeur de la semaine ne dépendait plus des résultats de son fils sur le terrain. Plus important encore, le fils a retrouvé sa passion pour le foot et a l'impression de mieux jouer : « Maintenant, je ne pense plus qu'au match et à ce que je vais faire avec le ballon, au lieu de toujours m'inquiéter des réactions de mon père. C'est un grand soulagement. »

Restaurer la magie du jeu

Outre-Atlantique, un père s'est également lancé dans une croisade similaire. Danny Bernstein vit à Scarsdale, dans l'État de New York, une banlieue aisée située à une heure de train de Manhattan. La plupart de ses habitants occupent des postes importants et ramènent à la maison le même esprit de vainqueur que celui qui règne au bureau. Pour beaucoup de foyers implantés dans cette localité, il est essentiel d'insuffler aux enfants l'esprit de compétition. Au moment où je m'y rends, un magazine local, le *Weschester Family*, vient de publier un article intitulé « Parenting in the Age of Anxiety » (« Être parent à l'ère de l'angoisse »).

Danny Bernstein est grand, mince et ne fait pas sa quarantaine. Comme beaucoup de sportifs, il dégage une énergie qui laisse croire qu'il va subitement bondir ou entamer un cent mètres. Aujourd'hui père de deux enfants, il continue à jouer au foot et au basket en amateur, durant son temps libre. Il a remarqué que les enfants de Scarsdale ne faisaient plus de sport comme lui-même et ses amis en faisaient à leur âge. Il n'y a pratiquement plus de matchs improvisés dans les jardins ou dans la cour de récréation, et les paniers de basket sont si peu utilisés qu'ils sont comme neufs. La plupart des enfants sont inscrits dans des clubs sportifs par des parents attentifs. Pour restaurer l'équilibre, Danny Bernstein a quitté sa petite entreprise familiale pour créer une société appelée Backyard Sports (Sports de jardins), Son objet : restaurer la magie toute simple du môme avec son ballon.

Cela dit, Danny Bernstein n'est pas fou. Il perçoit toute l'ironie qu'il y a à vouloir libérer les enfants des adultes quand on est soi-même un adulte : « Je sais que c'est paradoxal, mais nous en sommes arrivés au point où nous devons organiser la liberté des enfants. Il est possible de se rendre compte de la valeur d'un jeu libre et que les enfants apprennent beaucoup de leurs échanges avec d'autres enfants, dans un environnement structuré et contrôlé. Peut-être que, lorsqu'ils auront vu combien ils s'amusent, ils recommenceront à jouer dans leur jardin. » Il sait aussi que les parents modernes, même s'ils invoquent l'importance du plaisir de leurs enfants dans la pratique d'un sport, en attendent en fait beaucoup plus. « Malheureusement, il faut encore leur vendre le truc comme un moyen visant une fin, regrette Danny Bernstein. Au-delà du jeu, nous devons confirmer aux parents que nous enseignerons aussi à leurs enfants la confiance en eux, une technique sportive, ainsi que la tactique, l'esprit d'équipe et l'esprit de compétition. Des choses qui doivent les aider à réussir dans le vaste monde. »

Pour voir comment fonctionne cette « liberté encadrée », je suis passé un dimanche matin à l'entraînement de basket. L'endroit ne ressemble pas du tout à un jardin, mais plutôt à un gymnase d'école. Les murs sont couverts de photos de célébrités du sport : David Beckham, Michelle Kwan, Serena Williams, Brett Favre. Un panneau sur la porte dit : « Si tu t'es amusé, tu as gagné ! » Malgré le souhait de Danny Bernstein de préserver les enfants des interférences parentales, quelques papas et mamans sont restés dans les tribunes au bout du gymnase.

Chacun son rythme

Au début de la séance, les enfants – sept et huit ans –
se regroupent au milieu du terrain. « Quelqu'un a-t-il déjà
joué au ballon dans son jardin? Vous savez, juste avec vos
copains, sans adultes pour vous dire quoi faire? » demande
Danny Bernstein, agenouillé sur le sol. Certains enfants font
oui de la tête, d'autres n'ont pas l'air de comprendre. « Je
veux que vous imaginiez que ce gymnase est votre jardin.
On va s'amuser un peu. » La philosophie qui sous-tend cette
expérience vise notamment à contrer la volonté des parents
– et des enfants – de s'adonner à des affrontements compétitifs de façon trop précoce. Au lieu de cela, Danny Bernstein
se concentre sur des exercices encourageant chaque enfant
à apprendre à son propre rythme. Les enfants manipulent
le ballon, le font passer entre leurs jambes, puis tentent un
tir. Ils s'entraînent à garder la balle tout en pivotant, puis à
dribbler et enfin à s'arrêter. Au lieu de recourir à des paniers
de basket réglementaires, Danny Bernstein utilise des cer-
ceaux fixés assez bas sur les murs. Exactement le genre de
technique qui semble inutile à des parents qui imaginent
déjà leur petit en haut de l'affiche, mais les enfants adorent.
Ils font chacun à leur tour des lancers. L'un d'eux essaie
désespérément de marquer des paniers, recommençant à
plusieurs reprises avant d'y parvenir. Danny Bernstein s'ex-
clame: « Tu as réussi! » Les autres gamins lui tapent dans
le dos: « Carrément bien, man », lui dit l'un des meilleurs
joueurs. Les parents restent sagement assis tandis que les
rires emplissent la salle.

La séance se termine par un concours de lancers. Les enfants se répartissent en deux équipes et essaient de marquer le plus de paniers possibles à travers de vrais paniers. Danny Bernstein additionne les scores : quatorze paniers. Il défie alors les enfants de battre le score de leur « équipe ». Cette fois-ci, ils en mettent dix-sept et les rires fusent de plus belle. À l'issue de la séance, Danny Bernstein demande si quelqu'un veut montrer ce qu'il a appris. Une douzaine de mains se tendent, suppliant d'être choisies. Chaque enfant fait la démonstration d'un mouvement ou d'un truc appris durant les quatre-vingt-dix minutes précédentes. Puis Danny Bernstein laisse les enfants jouer tout seuls quelques minutes. Ils s'élancent alors autour du gymnase, dribblant, tirant et criant dans un tonnerre de ballons.

Peut-être une amélioration en vue

Toutefois, sur les touches, tout le monde ne semble pas convaincu. L'un des pères présents me dit que l'idée de Danny Bernstein est noble, mais que les parents de Scarsdale sont trop dans la compétition pour y souscrire : « Ils diront sans doute que le sport est une affaire d'enfants, mais quand viendront les choses sérieuses, quand viendra le temps des trophées et des sélections, tout cela sera oublié. Ici, les parents sont beaucoup trop entiers pour laisser leurs enfants jouer comme ça sans s'en mêler. » D'autres sont plus optimistes. Michael Philipps, courtier en bourse, est là avec sa fille. Il entraîne les jeunes au football et a l'habitude de

la pression que l'on fait peser sur les enfants lors des compétitions sportives, alors même qu'ils ne savent pas encore
attraper ou lancer correctement un ballon. « Tout cela est
très rafraîchissant, me dit-il. Les gamins ont manifestement
l'air de s'amuser, ils apprennent et personne ne les pousse à
des affrontements dont ils ne tireront rien. Aujourd'hui, j'ai
vraiment appris des trucs que j'intégrerai à mes prochains
entraînements. » Sally Winton acquiesce. Son fils est celui
qui a fini par réussir un panier. À la fin de la séance, il arrive
en courant, les joues rouges, pour demander s'il peut revenir à la prochaine séance : « C'est vraiment chouette », dit-il
avant de courir rejoindre les autres enfants. Sa mère n'en
revient pas : « Je ne l'ai jamais vu aussi enthousiaste. D'habitude, il me demande de rentrer dare-dare à la maison. »

Près d'une centaine de familles ont mis leurs enfants à
Backyard Sports, qui s'inscrit dans un mouvement plus
vaste. Helyn Goldstein, mère de trois garçons athlétiques de
dix, treize et dix-sept ans, siège au conseil de l'association
sportive de Scarsdale depuis dix ans. Elle constate un début
de changement dans les attitudes des parents : « Les gens
commencent à dire qu'ils en ont assez des déplacements,
des sélections et des comparaisons oiseuses entre parents.
Ils sont fatigués de tout cela et les jeunes parents ont beaucoup moins de temps à consacrer à toute cette folie. » Déjà,
certains clubs de Scarsdale ont commencé à ne plus pratiquer de sélection parmi les plus jeunes enfants.

Malgré tout, les croisés comme David Bernstein vont
devoir faire face à une autre bataille, cette fois en amont.

Car cette entreprise ne portera ses fruits que si les parents se décident à laisser aux enfants assez de temps et d'espace pour jouer dans le jardin, devant le garage ou au square. Or, cela implique une évolution profonde des mentalités, des emplois du temps et de l'usage de la technologie. Le dimanche de ma visite à Scarsdale, le temps était froid et ensoleillé. Pourtant, les jardins et les terrains de baskets publics étaient déserts; les enfants devant sans doute être à l'intérieur des maisons ou à leurs activités extrascolaires. Le plus grand défi de David Bernstein consistera donc sans doute à persuader les parents que donner la priorité au plaisir et à la liberté du jeu peut améliorer les capacités sportives des enfants sur le long terme. « Le monde des adultes est basé sur la compétition et la victoire, sur les classements et les évaluations, sur les comparaisons, mais ça ne marche pas avec les enfants, explique David Bernstein. Il faudra du temps pour convaincre les gens qu'en sport, leurs enfants font des progrès surtout quand ils s'amusent. »

Un entraîneur mise sur l'esprit d'équipe

Ce principe a été mis en pratique par les Humbar Valley Sharks, une équipe de hockey junior de Toronto. Quand Mike McCarron, avocat et père de famille, l'a prise en charge en 2002, il a décidé de casser le moule. Au lieu de suivre la norme en matière de hockey junior, c'est-à-dire en faisant jouer surtout les meilleurs joueurs, il a décrété que tous les membres de l'équipe joueraient le même temps, quelles

que soient leurs aptitudes. Même s'il y avait un moment
de jeu décisif, tout joueur devait entrer sur le terrain quand
venait son tour. Même si l'équipe était en retard d'un point
dix minutes avant la fin du match, Mike McCarron faisait
entrer les joueurs sur la glace dans l'ordre habituel. Il a
aussi décidé de mettre un terme aux statistiques personnelles afin d'empêcher joueurs et parents de chercher à
savoir de façon obsessionnelle qui marquait le plus de buts.
Bien que certains membres de l'équipe fassent figure de
leaders naturels sur le terrain comme à l'extérieur, il n'y
avait pas non plus de capitaine officiel. Le mot d'ordre –
que l'équipe passe en premier et que le fait de s'amuser
et d'apprendre à jouer est plus important que la victoire –
offrait un contre-pied rafraîchissant à l'ultracompétitivité de
nombreux sports de jeunes. « Beaucoup de parents considèrent la victoire comme une fin en soi, dit Mike McCarron,
mais la priorité devrait être de jouer et de prendre plaisir au
jeu, en laissant le score s'autogérer. »

Cette approche a porté ses fruits. Si elle ne dispose pas des
joueurs les plus athlétiques ni des plus rapides, l'équipe des
Humbar Valley Sharks a tellement bien fonctionné que son
esprit de camaraderie, ses coups tactiques et son jeu collectif
ont fini par être applaudis par les parents de leurs adversaires. Les garçons bossaient dur pour améliorer leurs capacités durant l'entraînement, mais ils pouvaient essayer de
nouvelles tactiques au cours d'un match ou faire des fautes
sans crainte d'être réprimandés ou mis sur la touche. Thomas
Skrlj, qui a aujourd'hui treize ans, a été deux ans défenseur

des Humbar Valley Sharks et il a adoré tous les instants qu'il y a passés : « Les gens ne vous jugeaient pas constamment ; ils ne s'inquiétaient pas du score. Du coup, on pouvait faire des erreurs sans que ça nous rende nerveux. Cette expérience a transformé ma façon de jouer. J'y ai appris énormément de choses et je m'y suis sacrément amélioré. »

Le plus drôle, c'est qu'en voulant aller à l'encontre d'une compétitivité excessive, l'équipe des Humbar Valley Sharks a fini par établir le type de record qui ferait pâlir d'envie le plus acharné des pères de hockeyeur. Trois années de suite, l'équipe n'a perdu qu'un seul match officiel de la saison. Elle a remporté plus de vingt rencontres, y compris dans des championnats internationaux. Pas mal pour une équipe qui considère que la victoire n'est pas une priorité. Mais les parents des Humbar Valley Sharks auraient-ils été si enthousiasmés par les méthodes de Mike McCarron si le club n'avait connu que des échecs ? Difficile à dire. Il semble néanmoins que les joueurs se soient épanouis dans cet environnement qui favorisait l'enfant et le palet, le palet et l'enfant.

Comme la plupart de ses coéquipiers, Skrlj a continué son chemin dans des équipes plus en vue, mais il regrette encore l'approche des Humbar Valley Sharks. « Maintenant c'est différent, dit-il. Le hockey, c'est toujours plus amusant quand on n'est pas obsédé par la victoire. »

Si nous prenons la peine d'écouter, c'est le type de message que nous entendons partout. Que la compétition c'est bien, à condition qu'elle ne retire pas tout plaisir au sport. Que les enfants souhaitent que nous partagions leurs bons et leurs mauvais moments sans pour autant prendre les commandes. Que le sport, dans sa forme la plus pure, est toujours une histoire d'enfant et de ballon. Comme le savent tous ceux qui ont observé leurs enfants courir après une balle, il faut beaucoup de discipline pour souscrire à ce message et résister à la tentation de devenir un maniaque hurlant depuis la touche. Le problème, de nos jours, c'est que la discipline se fait rare.

La discipline : savoir dire non

Si votre enfant ne vous a jamais détesté, c'est que vous n'avez jamais été parent.

BETTE DAVIS, *actrice*

Peu de temps après mon retour des terrains de sport de Scarsdale, j'ai éprouvé une autre inquiétude pour les enfants. La scène se déroule dans une maison de quartier nichée au sein d'un faubourg aisé de Londres. Des affiches sur la vaccination et des dessins d'enfants sont punaisés sur les murs. Une antique machine à café gargouille dans un coin. Six mères de famille d'une trentaine et d'une quarantaine d'années sont venues participer à un atelier sur le métier de parent. Toutes occupent des postes à responsabilité et la plupart supervisent un service dans leur entreprise. L'atelier a pour objet d'apprendre à dire non à un enfant.

À la façon des réunions des alcooliques anonymes, ces mères exposent tour à tour une expérience récente problématique : « L'autre jour j'ai laissé mon fils emporter sa Game Boy à l'école alors que j'étais vraiment contre, dit la première. Mais je n'avais pas le courage de risquer un esclandre à l'entrée de l'école devant tout le monde. » Les autres mamans hochent la tête dans un mouvement qui traduit à la fois la compréhension et la reconnaissance. Une autre femme, manifestement enceinte, se lance : « Mon mari et moi avons arrêté d'essayer d'envoyer notre fils de cinq ans au lit le soir. Du coup, il finit par s'endormir avec nous au salon, même si on rêve d'être tranquilles. »

C'est dur de dire non

Bienvenue au cœur du paradoxe de l'enfance moderne. D'un côté, nous sommes nombreux à organiser, pousser, peaufiner et protéger nos petits jusqu'aux limites de nos budgets et de nos capacités. Mais quand vient l'heure d'imposer une certaine discipline, de fixer des limites et de dire non à un caprice ou à une envie, il n'y a plus personne. Dans son cabinet de thérapie familiale de Sydney, en Australie, June Walker a observé l'émergence de ce phénomène au cours des dix dernières années : « Aujourd'hui, je vois beaucoup de parents éduqués et actifs professionnellement qui ne savent pas comment dire non à leurs enfants, laissant ainsi des petits de sept ans diriger la maisonnée. » Comme bien d'autres sujets d'inquiétude concernant la situation de l'enfance moderne, ce type de situation n'est pas nouveau. Les générations précédentes s'inquiétaient, elles aussi, de ce que l'on pardonnait toujours tout aux enfants, quoi qu'ils fassent : « Ces derniers temps, notre société part à vau-l'eau... Les enfants n'obéissent plus à leurs parents et la fin du monde est manifestement proche. » Tel est le message que nous livre une tablette d'argile assyrienne vers 2800 avant J.-C. Autour de 1530, Conrad Sam émettait une plainte comparable depuis Ulm, en Allemagne : « Les enfants d'aujourd'hui sont mal élevés. Non seulement les parents exaucent n'importe lequel de leurs vœux, mais ils leur montrent même comment s'y prendre. » Les spécialistes de l'éducation ont passé une grande partie du XXe siècle à prévenir les parents qu'ils manquaient de courage.

Quand les enfants commandent

Pour la dernière génération, toutefois, cette prophétie a fini par se réaliser. Le courrier des lecteurs de nombreux magazines du monde entier regorge de lettres de parents qui ne savent pas ou ne veulent pas discipliner leurs enfants. Les programmes télévisés ne cessent de proposer des émissions comme *Super Nanny*, qui montrent de petits monstres terrorisant leurs parents. Pour la première fois dans l'histoire de l'humanité, les enfants semblent porter la culotte dans beaucoup de foyers.

Cela signifie-t-il que le comportement des enfants a empiré ? Difficile à dire, mais certains signes sont assez troublants. Une étude officielle a révélé que les adolescents anglais, vers quinze ans, ont deux fois plus tendance qu'en 1974 à mentir, voler ou désobéir à un représentant de l'autorité. D'après un rapport public datant de 2004, près de 80 % des enseignants américains ont été menacés par des élèves de représailles judiciaires engagées par leurs parents si on leur imposait une discipline trop stricte ou si leurs droits n'étaient pas respectés. En 2006, une association caritative britannique, Kidscape, a reproché aux parents d'avoir, par leur permissivité, initié un nouveau fléau dans les cours de récréation : la petite frappe bourgeoise. « Ils viennent de foyers où on leur cède tout. Alors, quand ils arrivent à l'école, ils se comportent comme de petits dieux, croient que tout tourne autour de leur personne et que les autres enfants devraient les admirer autant que le font leurs parents. » Au Japon, le mot « ijime », pour désigner ce genre de comportement, a fait son entrée dans le dictionnaire dans les années 1980.

Comment en sommes-nous arrivés là ? Il y a tout d'abord l'habitude tout à fait moderne de placer nos enfants sur un piédestal. La règle numéro un semble être de leur répéter aussi souvent que possible qu'ils sont parfaits. Et aussi qu'ils sont intelligents, beaux, exceptionnels. Et qu'ils peuvent faire ce qu'ils veulent. À la maternelle, les enfants chantent Frère Jacques, mais ils ont légèrement changé les paroles qui sont devenues : « J'suis génial, j'suis génial, regarde-moi, regarde-moi ! » Le moindre gribouillage finit sur la porte du frigo, la moindre médaille sportive trône sur le buffet, le plus insignifiant des succès scolaires fait l'objet d'un courrier à la famille. Avez-vous noté cette tendance à célébrer minute après minute la vie des enfants dans des albums photos très élaborés ou à engager des professionnels pour qu'ils réalisent des reportages sur la famille ? L'objectif poursuivi est de créer une image idéale de l'enfance, d'écrire un conte de fées en éliminant tous les mauvais moments. En tant que père, je peux comprendre un tel réflexe. Nous voulons tous ne nous souvenir que de bons moments. Et nous voulons tous que nos enfants soient heureux et aient une bonne image d'eux-mêmes. En fait, nous sommes nombreux à avoir intégré l'idée qu'une haute estime de soi est un tremplin pour réussir, et qu'un enfant qui grandit dans la croyance qu'il est une star en deviendra forcément une.

Mais cela se vérifie-t-il vraiment? Un examen de plus de quinze mille études a récemment conclu qu'une haute estime de soi n'améliorait ni les notes ni les perspectives de carrière, de même qu'elle n'évitait pas l'abus d'alcool et les comportements violents. Manifestement, la confiance en soi est un atout, mais les enfants qui font l'objet de louanges excessives peuvent finir par s'inquiéter outre mesure de maintenir toujours une bonne image d'eux-mêmes, en tentant parfois de briller au détriment de leurs camarades, et par toujours rechercher l'approbation de leurs parents ou de leurs professeurs. Au lieu d'accomplir des prouesses, ils restent assis à attendre avec angoisse que le monde se conforme à leur vision idéale. Quand tout ce que l'on fait engendre des cris d'émerveillement, on finit par y croire : les échecs ne font pas partie de notre vie, tout le monde nous aime et le monde nous doit tout, tellement notre personnalité unique est fabuleuse. Un tel narcissisme est de bon ton pour devenir la Nouvelle Star (même s'il peut parfois s'avérer inopportun), mais il donne assez peu de résultats dans la vraie vie. Les directeurs de ressources humaines se plaignent que de nombreux jeunes diplômés ont du mal à être ponctuels, à respecter leurs collègues et à fonctionner en équipe. Ils veulent les honneurs sans travailler pour

les obtenir et claquent la porte s'ils estiment ne pas recevoir assez d'égards. Tout cela ne pose pas trop de problèmes quand l'économie est florissante, mais qu'arrive-t-il
en période de crise?

La peur de l'échec

On trouve de plus en plus de preuves que la sacralisation
des enfants les dissuade de prendre des risques, de faire
des expériences, de persévérer dans une tâche difficile, de
faire des erreurs et d'en tirer des leçons, parce que tout ce
qui s'apparente à l'échec risque de décevoir leurs parents
et de ternir leur blason d'enfants exceptionnels. En 2006,
Monta Vista, école ultra-compétitive en Californie, a commencé à publier une lettre mensuelle dans laquelle les
élèves pouvaient exprimer leurs humeurs de façon anonyme. Le thème de la première parution était « Angoisse
et peur ». Et beaucoup d'élèves ont témoigné que le fait de
s'entendre répéter continuellement que l'on est parfait et
que le monde nous appartient peut avoir un effet paraly-
sant. « J'ai peur d'échouer, écrit l'un d'eux. Tout le monde
m'a toujours dit que je pouvais faire tout ce que je voulais
et que j'étais capable d'accomplir tout ce que je souhaitais.
Cette pensée, même si elle est merveilleuse, me terrifie.
Mon frère est le genre de garçon qui a un "potentiel"
incroyable, mais il ne s'en sert pas. Je crois que c'est parce
qu'il pense qu'il préfère prétendre qu'il s'en fiche plutôt
que d'échouer. Cette attitude a un peu déteint sur la mienne

et sur ma façon de voir les choses. Je me suis aperçu que
je remettais constamment en question mes capacités et que
je jetais l'éponge avant que cela ne devienne trop difficile,
parce que j'avais peur de ce que les gens penseraient si je
ne réussissais pas. Je crains les réactions des gens si je ne
réponds pas à leurs attentes. Je ne veux pas me ridiculiser…
Je découvre que plus je suis cette spirale vers le fond, plus il
est facile de me laisser aller et de baisser les bras. J'ai peur
de finir par tout simplement cesser tout effort et d'échouer
lamentablement. » Autre exemple : « Je suis sûr que vous
conviendrez que personne ne souhaite connaître l'échec.
Mais que se passerait-il si ce type de peur atteignait un tout
autre niveau ? S'il atteignait le point où la moindre tentative
fait peur parce qu'elle implique une possibilité d'échouer.
Causer une telle déception aux gens qui veulent que vous
soyez quelqu'un de meilleur… Peut-être que je pourrais
utiliser ce genre d'excuse si je relâche mes efforts et que
j'échoue. »

Toutes les recherches laissent penser que ne louer un
enfant que pour ses capacités (« Tu es tellement intelligent ») peut jouer des tours à long terme. Quand les choses
se corsent, l'enfant aura plutôt tendance à baisser les bras,
en pensant que ses talents innés ont atteint leurs limites et
ne peuvent plus le mener nulle part. À l'inverse, un enfant
qui aura été surtout félicité pour ses efforts (« C'est vraiment
bien d'avoir essayé ») garde une marge de manœuvre quand
il se trouve devant une difficulté : il est capable de travailler
plus dur. Placer un enfant sur un piédestal présente aussi

un autre inconvénient : il est alors plus difficile de lui dire non. Si votre petit génie est un modèle d'excellence et de vertu, si son bonheur est une priorité, comment s'opposer à ses vues ?

Difficile de dire non pour les parents copains

En cédant au syndrome de Peter Pan, notre société a vidé de son sens la notion d'autorité, ce qui ne facilite pas non plus les choses. Vieillir (et par extension grandir) est aujourd'hui un problème. À mesure que les familles sont devenues moins autoritaires et la société plus permissive, les parents « cool » ayant gardé leur âme d'enfant assimilent à un crime le fait d'imposer des limites à un enfant. Membre de la génération « vivre et laisser vivre », je suis assez mal à l'aise quand j'écris simplement le mot « discipline ». Que signifie-t-il ? Quand est-ce nécessaire ? Que deviennent la liberté et le plaisir ?

Même si nous rêvons que nos enfants nous obéissent, d'autres éléments nous empêchent de faire preuve d'autorité. Peut-être sommes-nous trop fatigués par nos vies frénétiques. Je l'observe au sein de mon propre foyer. Chez nous, le moment du coucher ressemble au mythe de Sisyphe : ma femme et moi commençons par faire une annonce timide, proche de la prière : « Il est l'heure de se coucher et d'éteindre les lumières » ; depuis l'étage, les enfants crient : « Encore dix minutes ! » ; nous soupirons : « Bon d'accord, dix minutes ! » Et dix minutes plus tard, le cycle infernal reprend.

Beaucoup de gens préfèrent lâcher un peu la bride à leurs enfants parce qu'ils se sentent coupables de ne pas passer assez de temps avec eux, de leur imposer une forte pression pour qu'ils réussissent ou encore de les surveiller constamment. En général, ils veulent aussi développer avec leurs enfants une relation plus étroite que celle qu'ils ont eue avec leurs propres parents. Ils rêvent d'une vie de famille facile et harmonieuse. Or, rien ne gâche plus une scène idyllique qu'un parent qui annonce: « Non, tu ne peux pas faire ça » ou « Va au coin ».

« On utilise les enfants comme du Prozac, estime Dan Kindlon, professeur de psychologie infantile à l'université de Harvard et auteur de *Too Much of a Good Thing: Raising Children of Character in an Indulgent Age* (« Trop de bonnes choses: élever des enfants à l'ère de la permissivité »). Les gens ne tirent pas nécessairement de fi erté de leur conjoint ou de leur travail, mais leurs enfants sont leur rayon de soleil. Ils ne veulent pas gâcher ces moments uniques par des cris. Ils ne veulent pas blesser. Ils ne veulent pas se sentir mal. Ils veulent être satisfaits de leurs enfants. Ils leur sont si précieux – peut-être plus que pour n'importe quelle autre génération. Alors ce qui passe à l'as, ce sont les limites. Il est plus simple de ramasser soi-même une serviette qui traîne que de les arracher à leur PlayStation pour qu'ils le fassent eux-mêmes. »

Rob Parsons, auteur de *Teenagers: What Every Parent Has to Know* (« Adolescents: ce que les parents doivent savoir »), en convient: « Le problème n'est pas que nous n'aimons pas assez nos enfants, mais que nous les aimons trop. Nous voulons qu'ils aient tout – les cours particuliers, les vacances, les chaussures de ski sur mesure qui ne font pas mal. Au lieu de dire : « Si tu veux sortir en boîte, trouve-toi un petit boulot », on voit des parents qui sortent leur portefeuille – et puis qui demandent à leurs gamins s'ils peuvent venir avec eux. Ça peut sembler adorable, mais ce n'est pas bon. En tant que parents, il faut se préparer à être impopulaire. »

Cette réticence à exercer l'autorité se vérifie d'ailleurs aussi en dehors du cercle familial. L'idée que les adultes doivent prendre part à la protection et à l'éducation des enfants de leur communauté (comme le dit le proverbe africain, « il faut un village entier pour élever un enfant ») semble aujourd'hui un peu décalée. Dans notre société du « moi d'abord », c'est chacun pour soi, chaque parent pour lui-même. Si un enfant déverse des ordures sur la chaussée ou grave ses initiales sur un abribus, nous nous interdisons de le réprimander parce qu'il risque de nous insulter ou de sortir un couteau… ou que ses parents sont susceptibles de nous agresser.

Les enfants ont besoin de règles

Pourtant, le nouvel équilibre des forces entre adultes et enfants n'est pas si dramatique. La disparition de l'autoritarisme dans les familles a engendré un rapprochement entre enfants et parents qui s'avère merveilleux à bien des égards. Elle a également libéré les adultes de stéréotypes totalement dépassés. Bravo. Mais le mouvement est allé un peu trop loin. Les enfants ne peuvent être des enfants que si les adultes sont vraiment des adultes. Il ne s'agit pas de regretter le matriarcat victorien ou le père coincé des années 1950. Il s'agit simplement de faire preuve d'autorité, en adulte, une fois de temps en temps.

Il faut d'abord se souvenir que la grande majorité des spécialistes de l'enfance s'accordent à dire que les jeunes ont besoin de règles et de frontières. « Les enfants ont besoin qu'on leur impose des limites parce qu'ils se sentent plus à l'aise et en sécurité quand ils vivent dans une certaine structure », remarque Laurence Steinberg, professeur de psychologie à l'université Temple et auteur de *The Ten Basic Principles of Good Parenting* (« Les Dix Commandements des bons parents »). « En tant qu'adulte, nous n'aimons pas que d'autres gens viennent nous dire ce que nous pouvons ou ne pouvons pas faire. Pour les enfants, ça ne fonctionne pas pareil. » Ses tentatives pour repousser les limites aident l'enfant à mieux connaître ses forces et ses faiblesses et l'arment pour affronter un monde fondé sur les règles et les compromis. Sans ces limites, les enfants n'apprennent jamais à affronter les déceptions, ni à faire preuve de patience.

Pourtant, il y a du changement dans l'air. La discipline revient en force. Des livres tels que *Silver Spoon Kids* (« Les gamins à cuillère en argent »), de Kevin, Eileen et Jon Gallo, ou *No – Why Kids of All Ages Need to Hear It and Ways Parents Can Say It* (« Non – Pourquoi les enfants de

tous âges ont besoin de l'entendre et comment les parents
peuvent l'exprimer ») de David Walsh, sont vendus dans le
monde entier. De plus en plus d'émissions télévisées, d'ateliers et de sites Internet offrent leurs conseils sur la manière
de dire non. Et la discipline est tellement au cœur du phénomène *Super Nanny* que la femme qui y tient le rôle est
presque habillée en caporal-chef.

Le retour de l'autorité

Beaucoup de parents commencent à mettre en pratique les
conseils qui leur sont ainsi diffusés. En général, cela se traduit par moins de tentatives pour faire de leur enfant leur
meilleur copain et de plus de temps passé à fixer les règles.
Même Madonna, sainte patronne de la mauvaise conduite,
se vante d'imposer des limites à ses propres enfants. Dans
une récente édition de *Harpers & Queen*, elle s'est révélé être
une « disciplinariste » qui applique avec sévérité les règles
sur les corvées domestiques, les devoirs et une chambre
bien rangée. « Ma fille a du mal à ramasser les choses qui
traînent dans sa chambre. Et quand on laisse ses vêtements
par terre, on ne les retrouve plus quand on rentre, dit-elle.
Pour récupérer ses vêtements, Lola doit ranger sa chambre,
faire son lit et suspendre elle-même ses habits. »

La même sévérité a fait son entrée dans des foyers plus
ordinaires. À Cleveland, dans l'Ohio, les Marshall ont décidé
qu'il était temps d'apprendre à dire non quand leur fils
de douze ans, Dylan, a répondu à son téléphone portable

pendant un enterrement. « Nous venions d'abandonner l'idée de lui interdire l'usage constant de son téléphone mobile, mais quand je l'ai vu bavarder avec son copain en pleine cérémonie, j'ai pris la mouche, rapporte sa mère, Kathy, infirmière. Je me suis dit : "C'est allé trop loin et il faut que nous commencions à fixer des limites maintenant". » En conséquence, elle et son mari ont établi une série de règles à destination de Dylan : éteindre son téléphone portable, la télévision et l'ordinateur quand on le lui demande, sortir les poubelles une fois par semaine et mettre son linge sale dans le panier prévu à cet effet au lieu de le laisser traîner un peu partout dans la maison. Ses parents lui ont dit qu'ils cesseraient de payer ses factures de téléphone s'il ne respectait pas ces règles. Tout cela a bien sûr provoqué pas mal de grognements et de protestations sur l'injustice d'un tel système, mais les choses se sont calmées au bout de quelques semaines. Désormais, Dylan respecte les règles et la famille fonctionne beaucoup mieux. « Il y a des hauts et des bas, ainsi que quelques disputes, mais c'est la vie, n'est-ce pas ? dit Kathy. Je me sens beaucoup mieux maintenant que je n'ai plus à me plier en quatre pour satisfaire tous les vœux de Dylan. »

Le pouvoir du non

À Édimbourg, en Écosse, la famille Clapton a connu un épisode semblable avec ses jumelles de sept ans, Alice et Morag. « C'était elles qui menaient la danse », se souvient

Maggie, leur mère. Accaparés par leur travail, elle et son mari voulaient éviter que les disputes ne viennent gâcher les trop courts moments en famille. Confessions de Maggie : « Je l'admets, nous avons cédé, choisi la facilité et baissé les bras parce que nous voulions de l'harmonie. » Bien qu'ils se soient sentis un peu lâches de ne pas aborder la question de la discipline et malgré la désapprobation des grands-parents, ils se félicitaient d'une vie sans scènes de famille. Il a bien fallu se réveiller quand la directrice de l'école d'Alice et Morag a appelé pour se plaindre que les petites répondaient à leurs professeurs et brutalisaient les autres enfants. « Ça m'a assommée, dit Maggie. J'ai imaginé les filles devenir le genre de petits monstres que l'on voit dans *Super Nanny*. » Alors les parents Clapton ont changé leur fusil d'épaule. Au lieu de combler le moindre souhait des jumelles, ils s'obligent à leur dire non plusieurs fois par jour. Les filles n'ont plus le droit de regarder la télévision quand elles veulent et doivent ranger leur chambre avant d'aller au lit. De même, elles ne décident plus des sorties familiales du week-end. Après trois mois de ce nouveau régime, les jumelles se conduisent mieux à l'école et les parents ont retrouvé une certaine estime d'eux-mêmes. « Nous appelons cela le "pouvoir du non", s'amuse Maggie. Quand on élève des enfants dans une société qui promeut la satisfaction immédiate, la meilleure des leçons à leur donner est le contrôle de soi et le respect des autres. Pour y arriver, la seule manière consiste à traiter les enfants en enfants et les adultes en adultes. »

Cependant, la discipline ne peut pas tout résoudre. Le principe selon lequel les enfants ont besoin de limites est universel, mais le moment et la manière de l'appliquer varient nécessairement selon les familles, parce que chaque enfant est unique, et chaque parent aussi. Cela dit, il existe un certain nombre de lignes directrices. La première consiste à abandonner l'ambition d'être un dispensateur de la justice et de la discipline, cohérent et infaillible. Quelques erreurs et incohérences sont inévitables et ne risquent pas de traumatiser à jamais votre enfant. La plupart des experts recommandent ainsi de toujours expliquer aux enfants les raisons des mesures disciplinaires qu'on leur impose. Mais le monde ne va pas s'écrouler si vous justifiez vos exigences en disant gentiment mais fermement: « Parce que je te le demande! » De même, vous avez le droit de perdre votre sang-froid de temps en temps. Les gourous de l'éducation qui prétendent que vous devez toujours rester impassible et calme devant vos enfants ne vivent pas sur cette planète. Les parents sont des êtres humains, ce qui veut dire qu'il leur arrive aussi de péter les plombs. De toute façon, voir que papa et maman peuvent piquer une crise montre aux enfants que les autres personnes ont eux aussi une sensibilité et des limites.

Le recours aux tranquillisants

De la même façon, nous devons résister à la tentation d'ouvrir la boîte à pharmacie aux premiers signes de résistance. Le recours à des médicaments pour gérer les enfants n'est pas nouveau. Dans l'Angleterre du XVIIIe siècle, les parents calmaient leurs enfants turbulents grâce à des potions à base d'opium portant des noms comme « Aide maternelle », « Tranquillité de l'enfant » ou « Sirop apaisant ». En 1799, un médecin britannique s'alarmait que des milliers de bébés soient tués par des nourrices qui « [faisaient] ingurgiter à des enfants la potion de Godfrey, un opiacé puissant et aussi dangereux que l'arsenic. Elles prétendent le faire pour tranquilliser les enfants. De fait, nombre d'entre eux sont ainsi tranquillisés pour toujours. » De nos jours, les sirops tranquillisants sont destinés à aider les enfants de tous âges à rester assis sagement et à se concentrer. Environ 10 % des jeunes Américains de douze ans sont aujourd'hui sous Ritalin ou d'autres drogues comparables visant à lutter contre les troubles déficitaires de l'attention avec hyperactivité (TDAH). Les prescriptions de ces médicaments ont été multipliées par dix en Grande-Bretagne au cours de la dernière décennie. Dans le monde entier, le recours à ce type de substances a triplé depuis le début des années 1990.

Beaucoup de médecins estiment que le TDAH est un problème neurologique génétique qui a, de tout temps, affecté entre 3 % et 5 % de la population, mais que l'on détecte tout simplement mieux aujourd'hui. On trouve une des premières descriptions de ses symptômes dans *Die Geschichte vom Zappel-Philipp* (en français *Pierre l'Ébouriffé*), écrit en 1845 par Heinrich Hoffman :

Il ne veut pas rester tranquille,

Il gigote et s'agite...

Quel enfant turbulent et désobéissant,

Toujours moins poli, toujours moins sage.

Le TDAH n'explique pas tout

Beaucoup d'enfants estiment que ce genre de drogues les aide à mener une vie plus normale. Mais tout le monde n'est pas d'accord. Les plus sceptiques se demandent si le TDAH est vraiment un trouble neurologique et si ses symptômes doivent être traités par voie médicamenteuse. De nombreux praticiens sont parvenus à le soigner par des séances de thérapie et des ateliers parentaux, ou en jouant sur le régime alimentaire et l'activité physique des enfants.

Quoi qu'il en soit, tout le monde s'accorde à penser que de nombreux enfants sont diagnostiqués comme souffrant de TDAH pour de mauvaises raisons. Cette tendance s'inscrit dans une évolution culturelle plus large. Aujourd'hui, plutôt que de changer l'environnement dans lequel nous vivons, nous préférons adapter notre cerveau. La timidité, la colère, la tristesse et autres émotions ou traits de personnalité « indésirables » sont de plus en plus considérés non pas comme des aléas normaux de la condition humaine, mais comme des maladies, des symptômes de déséquilibre dans le fonctionnement de notre cerveau, des problèmes à traiter par des médicaments. Ce phénomène affecte tout particulièrement les enfants dans la mesure où nos attentes grandissantes ont réduit notre définition de ce qui est normal et acceptable. Sinon, comment expliquer que des parents envoient leurs jeunes enfants à des psychothérapeutes pour que ceux-ci les « débarrassent » de leurs crises? « Nous ne sommes plus préparés aux fluctuations de la vie, comme c'était le cas auparavant, affirme le professeur David Healy, directeur du département de médecine psychologique au Pays de Galles. Nous voulons que les enfants soient conformes à des idéaux souvent basés sur l'inquiétude et l'ambition des parents. »

C'est peut-être ce qui explique la propagation du Ritalin dans les écoles de renom. Mettre sous tranquillisant les élèves les plus difficiles peut être en effet une solution tentante pour les enseignants, aujourd'hui confrontés à des classes surchargées et obnubilés par les bons résultats. Les médecins rapportent que les parents leur demandent de plus en plus souvent de prescrire à leurs enfants des médicaments qui pourraient améliorer leur comportement et leurs notes. Selon certains avis, le TDAH fait figure d'excuse pour les enfants qui n'ont pas de très bons résultats : « Ce n'est pas de sa faute s'il ne réussit pas en classe, c'est dû à un déséquilibre neurochimique. » Il y a aussi d'autres avantages à attribuer à un cerveau défectueux une tendance à rêver ou à faire le pitre en classe, près du radiateur. Dans certains pays, les écoles reçoivent des aides spécifiques pour chaque enfant réputé atteint de TDAH et ceux-ci bénéficient d'un soutien scolaire gratuit, ainsi que du droit de passer les examens dans de meilleures conditions. Le Ritalin a en outre la réputation d'être un médicament « qui rend intelligent » et les étudiants l'utilisent pour maintenir leur capacité de concentration durant leurs tardives séances de révisions.

La tentation de la boîte à pharmacie est bien compréhensible. Quel parent n'a pas rêvé d'une pilule miracle qui ferait que les enfants sont habillés et prêts à partir à l'école en moins d'une heure ou qu'ils vont se coucher quand on le leur demande, pour des nuits de douze heures? En tout cas, moi, j'en rêve parfois. Ce qui est dangereux aujourd'hui, c'est que nous jouons à la roulette russe avec la tête de nos enfants. Certains scientifiques avancent que le Ritalin réduit la créativité, la spontanéité et la capacité à prendre des risques mesurés. En outre, une interrogation demeure sur les effets secondaires éventuels des médicaments qui interfèrent avec la chimie du cerveau. Il y a déjà eu des cas d'hallucinations ou de crise cardiaque chez des enfants après une prise de Ritalin. On peut aussi craindre que l'absorption de drogues agissant sur le cerveau à un très jeune âge n'engendre des problèmes de dépendance par la suite. Courtney Love et Kurt Cobain ont été sous Ritalin quand ils étaient enfants, et tous deux ont témoigné avoir conservé cette mentalité de « pilule miracle » à l'âge adulte. « Quand vous êtes môme, que vous prenez cette drogue et qu'elle a un tel effet sur vous, à quel genre de porte allez-vous frapper quand vous êtes adulte ? a dit Courtney Love lors d'une interview. C'était l'euphorie totale quand on était enfant. Vous ne croyez pas que ce genre de souvenir vous poursuit? »

Mais certains parents commencent à comprendre que le prix à payer est trop élevé. C'est le cas de la famille Shaw, à Londres. Leur fils, Richard, a été diagnostiqué comme affecté par le TDAH et placé sous Concerta après son

douzième anniversaire. Ce médicament a soigné son hyperactivité, mais il a aussi anéanti son appétit et lui a causé des
insomnies. Loin de la boule d'énergie qu'il était auparavant,
Richard est ainsi devenu capable de passer des après-midi
entiers devant sa XBox, comme un zombie. Sa mère, Victoria, était catastrophée : « Soudain, nous avions devant nous
un garçon parfaitement bien élevé, qui faisait tout ce que
nous lui demandions, mais c'était comme s'il avait subi une
lobotomie. Quand vous le regardiez dans les yeux, vous
aviez l'impression qu'on lui avait volé son âme. »

Victoria a remplacé le Concerta par des pilules aux
Oméga 3, à base d'huile de poisson. Son fils est encore
très turbulent par moments, mais son hyperactivité est
aujourd'hui largement contrôlée. « Le pire est derrière nous.
Comme il n'est plus un zombie, il a tendance à résister et
nous avons donc quelques conflits, dit sa mère. Mais c'est
un peu normal en famille, non ? » Mais le plus important,
c'est que son fils soit à nouveau lui-même : « Notre fils est de
retour. » Richard acquiesce : « Je me dispute avec mes parents
sur ce que j'ai le droit de faire, mais ce n'est pas grave. Au
moins, j'ai l'impression d'être moi-même maintenant. »

La confrontation aide à grandir

Peut-être que la leçon à tirer de cet exemple, c'est qu'il
n'existe pas de formule magique pour garder les enfants
sous contrôle, et que c'est très bien ainsi. Songez-y un instant : quoi de plus inquiétant qu'un enfant qui se comporte

tout le temps impeccablement? Ou qu'une famille où il n'y a jamais de disputes? La confrontation à l'autorité fait partie du processus qui conduit à l'âge adulte – nous le savons par instinct – et le conflit est un paramètre de la vie de famille. Les bouderies, les claquements de porte et les mots doux (« Je te hais! ») ne sont pas très agréables, mais cela fait partie du contrat de parent.

Une fois acceptée la nécessité d'imposer des limites aux enfants, l'étape suivante consiste à déterminer où situer ces limites et à trouver un juste équilibre entre discipline et complaisance, qui comblera toute la famille. Mais en conservant ce principe en mémoire : c'est qu'il n'existe pas de raccourci pour exercer son autorité quand on est adulte. De bons résultats à l'école ou des médailles en sport ne doivent pas représenter une fin en soi. Il est nécessaire de voir un peu plus loin. Cela signifie qu'il faut d'abord essayer de comprendre pourquoi un enfant se conduit mal (l'enfant est-il malheureux, inquiet ou effrayé?) plutôt que de se contenter de le punir ou de lui faire avaler un médicament. Or, cela n'est possible que si l'on passe moins de temps à gérer ses enfants et plus de temps à discuter avec eux et à les écouter.

Le problème, c'est que construire une relation demande du temps, que c'est difficile et laborieux, toutes choses fort éloignées de notre culte de la satisfaction immédiate.

11

Le consumérisme, ou comment les enfants nous harcèlent

Celui qui meurt avec le plus de jouets a gagné.

AUTOCOLLANT

C'est samedi après-midi et la plus grande galerie commerciale de mon quartier, à Londres, déborde de badauds. Nombre d'entre eux paraissent apprécier la « folle journée » que promet la brochure. Des couples se promènent bras dessus bras dessous, en sirotant des boissons chaudes. Quelques jeunes femmes assises sur un banc papotent entourées de sacs de courses. On dirait une allégorie de la consommation heureuse… jusqu'à ce que l'on remarque que la lutte est ouverte au sein des familles.

Au milieu des plantes et des jeux d'eau, de nombreux parents tentent de résister au *pester power* (« pouvoir de la petite peste »). Un enfant traîne une mère désespérée dans une boutique pour y examiner la dernière PlayStation. Une petite fille fait une crise quand son père lui refuse le bracelet qu'elle contemplait dans une boutique de babioles. Une femme élégante est en pleine mêlée devant une vitrine : son fils, qui paraît avoir six ans, essaye de l'entraîner vers un rayon de Bionicles. La bouche de la maman se tord dans un rictus qui laisse penser qu'elle est à bout de nerfs. « Cesse de réclamer, siffle-t-elle, tu viens d'avoir plein de

cadeaux pour ton anniversaire. » « Mais je veux aussi un Bionicle », pleure le petit.

Ce scénario est bien connu de tous les parents, mais
aujourd'hui j'aimerais mieux y échapper. Je suis venu ici
avec ma fille de cinq ans pour acheter des collants et il ne
devrait pas être nécessaire de s'approcher d'un rayon de
jouets. Mais la guerre se déclare à l'instant même où nous
entrons dans la boutique de vêtements pour enfants. Le
magasin diffuse *Mon beau sapin,* déclenchant une réponse
pavlovienne : « C'est une chanson de Noël, on va bientôt
avoir des cadeaux, s'enthousiasme ma fille. Est-ce que je
peux avoir… » Ma bonne humeur chancelle. Je viens de
terminer le cirque d'Halloween et voilà que Noël se pointe.
N'est-ce pas un peu tôt pour lancer la guerre des tranchées
de la fin de l'année ? Je vérifie la date sur mon mobile : nous
sommes le 9 novembre.

Nous vivons dans un monde consumériste. Marques
et logos sont arborés comme des distinctions tribales, la
publicité diffuse un chant des sirènes qui transforme tout
désir en besoin et l'homme se réduit à ce qu'il possède. On
nous présente le shopping comme la solution à tous nos
maux. Quand l'économie se casse la figure, les politiques
nous encouragent à dépenser de l'argent pour améliorer
le PIB. Quand le moral baisse, il est temps de s'offrir une
petite thérapie dépensière. Quand notre couple vacille,
nous achetons des fleurs ou du chocolat. Nous en venons
même à payer des professionnels pour faire nos achats
plus efficacement. La consommation n'est plus le moyen

324 Laissez les enfants tranquilles!

d'atteindre une fin, elle est devenue une fin en soi. Un sondage récent portant sur quarante-deux pays a révélé que les trois quarts des consommateurs faisaient leurs courses simplement par plaisir.

Progressivement, la consommation est devenue un élément central de l'enfance moderne. Je ne dis pas que par le passé les enfants ne réclamaient rien. Au début du XVe siècle, un cardinal du nom de Giovanni Dominici observait déjà que la jeunesse de Florence se passionnait pour des « petits chevaux de bois, des cymbales tintinnabulantes, des reproductions d'oiseaux, des tambours dorés et mille autres jouets ». Mais les enfants d'aujourd'hui grandissent dans une opulence inédite dans l'histoire de l'humanité. Qu'aurait donc écrit Giovanni Dominici sur le matin de Noël dans un foyer du XXIe siècle?

La consommation a commencé à se tailler la part du lion dans le monde des enfants dès le XVIIIe siècle, quand se sont répandus sur le marché européen vêtements, livres, jouets et jeux destinés aux enfants. De façon peu surprenante, des plaintes sur le « pouvoir de la petite peste » se sont fait entendre peu après. Locke écrit dès 1693 : « Et j'ai connu un enfant si obsédé par le nombre et la variété de ses jouets qu'il épuisait quotidiennement sa nourrice dans la contemplation de ceux-ci; il était tellement habitué à l'abondance, qu'il n'en avait jamais assez et continuait à demander "Quoi d'autre? Quoi d'autre? Qu'est-ce que je vais encore avoir?" » Cela vous rappellerait-il quelqu'un?

Le marché de l'enfance

Mais même Locke n'aurait pu prévoir ce que le marché de l'enfance est aujourd'hui devenu. Aux débuts du XXe siècle, les publicitaires ont commencé à cibler directement les jeunes en faisant porter à des stars prépubères comme Shirley Temple, Judy Garland ou Mickey Rooney des marques de vêtements pour enfants ou en lançant des lignes de produits à leur nom. À cette époque, les experts ont salué le shopping comme un moyen de développer la personnalité et les goûts de l'enfant. En 1931, le *New York Times* admettait que « le petit garçon qui place tous ses sous dans sa tirelire n'est plus considéré… comme un brillant modèle financier par les enfants ».

Après la seconde guerre mondiale, quand la télévision a commencé à marteler les foyers d'innombrables publicités pour des jouets ou des céréales, le premier des délires de consommation enfantine a explosé. Créé en 1958, le très humble cerceau s'est vendu à des centaines de millions d'exemplaires dans le monde entier. On a commencé à considérer l'ennui des enfants comme une vraie plaie et à le soigner à grands coups de dépenses en jouets et activités diverses. Aux États-Unis, les dépenses de marketing ciblant les enfants ont été multipliées par cent cinquante depuis les années 1980. D'autres nations ont connu un bond comparable.

Comme des anthropologues étudiant une tribu éloignée d'Amazonie, les experts du marketing traquent les enfants jusque dans leur habitat naturel : les squares, les terrains de jeux, les centres commerciaux, les salles de classe, voire les chambres à coucher. Leur objectif est de pénétrer les jeunes cerveaux afin d'élaborer des campagnes publicitaires qui les séduiront. Michael Brody, président de la commission télévision et médias de l'American Academy of Child and Adolescent Psychiatry (Académie américaine de psychiatrie de l'enfant et de l'adolescent) assimile ce genre de démarche affairiste à celle des délinquants sexuels : « Comme les pédophiles, les professionnels du marketing sont devenus des experts de l'enfant. »

La publicité est partout

En conséquence, les publicités s'insinuent désormais dans tous les recoins de l'enfance. Dans leurs salles de classe, les écoles ménagent une place pour les affiches des derniers films sortis, convient des sponsors privés à des manifestations sportives ou des représentations de théâtre et organisent des visites guidées gratuites d'entreprises comme Domino's Pizza. Dans les établissements scolaires américains, près de huit millions d'élèves regardent des programmes d'informations de douze minutes (y compris deux minutes de pub) offerts par Channel One. Même le transport scolaire n'a pas échappé à ce phénomène. Depuis 2006, une société du nom de Bus Radio diffuse de la musique, des informations et des publicités dans quelque 800 bus scolaires d'une douzaine de villes américaines.

Les programmes scolaires ne sont pas non plus épargnés. Dans les années 1920, les fabricants de brosses à dents, les producteurs de cacao ainsi que d'autres entreprises ont mis le pied dans les salles de classe américaines en envoyant leurs représentants y donner des conférences, puis en fournissant des films « éducatifs », le message à peine caché étant : achetez nos produits ! Aujourd'hui, l'infiltration va encore plus loin puisque certaines écoles américaines utilisent des livres de cours qui leur sont fournis par Pizza Hut, Kmart ou autres, et qui sont truffés de messages commerciaux. Un « module d'apprentissage » sponsorisé par Revlon explique les nuances d'une bonne ou d'une mauvaise journée pour les cheveux, sans oublier de demander aux élèves de lister les trois produits qu'ils emporteraient sur une île déserte.

Au-delà des salles de classe, le consumérisme a envahi la vie des enfants jusque dans des endroits qui semblaient intouchables il y a peu. Même les anodines soirées pyjama constituent désormais une occasion de faire de la pub, avec des sociétés comme Girls Intelligence Agency, qui sponsorisent des réunions de ce genre, au cours desquelles les tout-petits testent des produits et remplissent des questionnaires. Toys' R' Us organise dans l'enceinte de ses magasins des camps d'été pour enfants à partir de trois ans. Cheerios a fait éditer un livre de calcul qui invite les tout jeunes enfants à placer les céréales du même nom dans des fentes aménagées sur les pages. Les employés de McDonald rendent visite aux départements pédiatriques des hôpitaux

de Grande-Bretagne pour y distribuer des jouets et des ballons, ainsi que des brochures à la gloire de leurs menus. Si
on fait le calcul, de nombreux enfants voient aujourd'hui
environ quarante mille publicités par an.

Les enfants accros du shopping

Et le ton général des publicités a évolué. Les spécialistes
en marketing puisent désormais leur inspiration dans le
syndrome de Peter Pan en dénigrant les adultes, dépeints
comme des empêcheurs de tourner en rond qui s'inter-
posent entre les enfants et le plaisir. Le message subliminal
est que le *pester power* est une arme véritable. Il en résulte
que les enfants sont aujourd'hui devenus des consommateurs avertis qui connaissent leurs marques, exigent que leurs
envies soient assouvies et ont leur mot à dire sur les grandes
dépenses familiales, depuis le choix du lieu de vacances
à celui du nouveau canapé. Aux États-Unis, les gamins de
moins de quatorze ans influencent près de 700 milliards de
dépenses chaque année, dont deux tiers des achats automobiles. Il n'est donc pas étonnant que des chaînes de télévision pour enfants comme Disney-ABC ou Nickelodeon dif-
fusent des publicités pour des camping-cars ou des séjours
aux Caraïbes, ni que certaines marques de voitures offrent
des albums de coloriage et des jeux publicitaires sur leur
site Internet. Partout dans les pays industrialisés, des associations de parents s'inquiètent, car leurs enfants, parfois âgés
de moins de dix ans, sont devenus des accros du shopping.

Pourquoi avons-nous laissé les choses en arriver là? Il est assez clair que les entreprises ciblent les jeunes pour maximiser leurs profits et que les écoles accueillent leurs messages publicitaires pour boucler leurs budgets. Mais les raisons pour lesquelles les parents eux-mêmes ont baissé les bras devant le consumérisme sont plus complexes et ambiguës. Ce phénomène s'explique en partie par un besoin de frimer. Depuis les chaussures Prada à l'iPod Nano, les attributs des enfants sont devenus, encore plus qu'avant, le moyen d'asseoir un statut social, financier et culturel. Une autre raison tient tout simplement du panurgisme : quand tous les autres enfants consomment, pourquoi les nôtres ne feraient-ils pas de même? La pression sociale entre elle aussi en jeu. Nous savons tous ce qui se passe quand, lors d'une sortie entre amis, quelques enfants se mettent à réclamer une glace ou un soda. Une fois que l'un des parents a cédé, les autres ont du mal à résister. Sans compter le désir de donner le meilleur à nos enfants et de leur faire plaisir : si le shopping nous rend heureux, pourquoi les en priverions-nous? Beaucoup de parents se sentent par ailleurs coupables des pressions auxquelles doivent faire face leurs enfants ou du peu de temps qu'ils peuvent leur consacrer. Alors ils leur font des cadeaux pour se racheter.

Nous avons du mal à dire non et nous préférons sortir le porte-monnaie plutôt que risquer une bouderie ou une crise. Pour ma part, j'ai une grande expérience en la matière. Dans notre famille, l'expression « récompense exceptionnelle » est désormais prononcée avec un brin d'ironie : les récompenses sont si fréquentes que nous avons cessé de les qualifier d'exceptionnelles ou même de récompenses. Les parents modernes sont peut-être hantés par le souvenir d'avoir été privés de certains biens de consommation durant leur enfance. J'en veux encore à mes parents d'avoir refusé de m'acheter un vélo BMX (celui avec le faux pare-chocs et la longue selle noire rembourrée) quand j'avais neuf ans. Quand j'en ai fait part à l'un de mes collègues, il m'a avoué avoir conservé une certaine rancœur à l'encontre des siens parce qu'ils n'avaient pas voulu lui offrir un vélo Raleigh quand il avait à peu près le même âge. Il avait même trouvé un site Internet où des hommes discutaient des façons de dépasser ce genre de frustrations anciennes. Il est possible que nous préférions dire oui pour éviter que nos enfants n'emportent de telles rancunes dans l'âge adulte.

Bien entendu, tous les modes de consommation ne sont pas à proscrire. Les enfants comme les adultes peuvent retirer beaucoup de plaisirs innocents des biens matériels. Dans l'école de mon fils, beaucoup de petits garçons collectionnent des images de footballeurs. Chaque matin, dans la cour de récréation, ils se réunissent pour les échanger. Ils ont élaboré un système complexe de règles afin de déterminer la valeur relative de chaque image. L'échange et la collection font partie du plaisir qu'ils y prennent. Je me souviens avoir fait la même chose à leur âge.

La fièvre acheteuse affaiblit les enfants

Il faut donc prendre avec des pincettes les mises en garde affirmant que la société de consommation a tué l'enfance. Mais cela ne signifie pas qu'il faut croire béatement que la publicité ne présente aucun danger et que chaque enfant devrait pouvoir consommer tout son saoul. À l'instar des jouets qui en font trop, une consommation incontrôlée peut appauvrir l'expérience que les enfants ont de leur environnement. Récemment, l'écrivain pour la jeunesse Franck Cottrell Boyce a interrogé un groupe d'élèves du primaire sur ce qu'ils feraient s'ils venaient à recevoir une grosse somme d'argent et tous lui ont fait la liste des objets de marque qu'ils s'empresseraient d'acquérir. Aucun d'eux n'a mentionné la construction d'un vaisseau spatial ou toute autre entreprise traduisant un esprit aventureux ou inventif. Pour Boyce, « tout ce consumérisme étouffe la capacité d'imagination et l'aptitude à se plonger dans un autre monde de sa propre invention ».

Partout dans le monde, les recherches établissent des liens entre la société de consommation et les dépressions, l'angoisse, les troubles alimentaires, le manque d'estime de soi, l'abus de drogues et autres problèmes comparables. Dans son livre *Born to Buy* (« Né pour acheter »), Juliet Schor, professeur de sociologie au Boston College, a réalisé une enquête sur des enfants de dix à treize ans. Ses résultats montrent clairement qu'« une faible implication dans la société de consommation engendre des enfants plus sains alors qu'une implication plus forte entraîne une détérioration du bien-être psychologique des enfants ». D'autres études suggèrent que les enfants sont plus soucieux de leur statut que les adultes. Publiée en 2006 par le National Consumer Council (Conseil national britannique de la consommation), une étude fondamentale intitulée Shopping Generation (Génération shopping) a révélé que les jeunes Britanniques se sentaient accablés par les messages marketing et que la moitié d'entre eux auraient souhaité que leurs parents gagnent mieux leur vie pour pouvoir consommer plus.

Abondance de biens peut nuire

J'ai récemment pu observer la déroute de ma fille face à la puissance consumériste dans un supermarché. Nous y étions allés pour acheter des boissons en vue d'un après-midi au parc, un jour de grand soleil. Nous nous tenions devant un réfrigérateur géant présentant plus de trente sortes de jus de fruits et sodas différents. Face à un tel choix, ma fille s'est immobilisée. Ses yeux passaient d'une étiquette à l'autre, sans pouvoir s'arrêter. La plupart des emballages arboraient des images de Shrek ou d'autres personnages familiers. Je l'ai incitée à faire un choix, mais elle a continué à contempler la montagne de boissons en suçant son pouce, de plus en plus perplexe. Finalement, elle s'est mise à pleurer : « Je sais pas lequel je veux, je sais juste que j'en veux un », gémissait-elle, les yeux emplis de larmes.

Donner à un enfant ce qu'il y a de mieux le prive de la chance d'apprendre à tirer parti de ce qu'il a. Ce principe s'applique à tous les domaines de l'enfance, depuis l'éducation jusqu'au sport en passant par la capacité à évoluer dans la société de consommation. L'enfant qui aura tout eu pourrait devenir un adulte financièrement incontinent, qui commencera par dépenser avant de se poser des questions. Les jeunes de dix-huit à vingt-neuf ans représentent près de 20 % des cas de surendettements en Angleterre et au Pays de Galles. Certes, ils ne sont pas aidés par les taux d'intérêts croissants sur les prêts étudiants ni par les prix de l'immobilier, mais cette « génération sans le sou » donne l'impression de ne jamais cesser de dépenser. Prenons le cas de Cheryl Tawiah, vingt-quatre ans, consultante en packaging, qui a grandi dans un foyer bourgeois de Tampa en Floride. Elle a quitté l'université avec très peu de dettes et a tout de suite décroché un boulot grassement payé à Charlotte, en Caroline du Nord. Trois ans plus tard, elle a un découvert bancaire de près de 20 000 dollars. « Ma génération ne pratique pas la récompense à retardement, dit-elle. Quand nous voyons quelque chose qui nous tente, nous l'achetons, même si nous n'en avons pas vraiment les moyens. » Cheryl paraît étonnée et légèrement amusée par sa propre incapacité à se passer de sa carte bancaire : « Est-ce que ça veut dire que je suis en quelque sorte pourrie gâtée ? »

Dans notre société « Parce que je le vaux bien », il ne va pas être facile de faire rentrer le génie de la consommation dans sa lampe. Mais on perçoit les signes d'un renversement de tendance. Jerry O'Hanlon a passé près de vingt ans à concevoir des publicités pour enfants dans différentes agences de New York. Après la naissance de son fils en 2005, il s'est mis à rencontrer d'autres parents et il a immédiatement perçu une certaine tension : « Quand je leur dis comment je gagne ma vie, je vois bien qu'ils pensent : "C'est l'horrible type qui incite mon môme à faire des crises pour qu'on lui achète des cochonneries ou des jouets", ironise-t-il. Il y a beaucoup plus de ressentiment aujourd'hui contre le marketing des produits pour enfants que lorsque j'ai commencé à travailler. » Maintenant qu'il est victime des caprices de son propre enfant, Jerry O'Hanlon a décidé de réagir : il cherche un poste qui ne concernerait que la publicité de produits pour adultes.

Dans le même esprit, certains psychologues se sont mis à dénoncer ceux de leurs collègues qui usent de leur expertise pour aider des entreprises à commercialiser des produits pour enfants. Quelques célébrités populaires chez les enfants les ont rejoints. Les écoles du monde entier organisent maintenant des séminaires sur la manière dont les familles peuvent mener le combat contre le marketing pour enfants. Une école primaire qui avait organisé un colloque dans un centre commercial de Hong Kong a vu arriver des douzaines de parents d'enfants scolarisés dans d'autres établissements. Partout, des associations comme Commercial Alert (Alerte commerciale) organisent des marches, des boycotts et des pétitions contre les entreprises qui ciblent les enfants. Sous la pression des parents, des politiques et d'autres contestataires, de nombreuses écoles américaines ont supprimé Channel One, réduisant ainsi de moitié les recettes de cette chaîne par rapport à ses records des années 1990.

L'industrie de la junk-food est la cible du plus grand nombre d'attaques. Dans le monde entier, les écoles retirent de leur enceinte les distributeurs de boissons et de nourriture ou, tout au moins, suppriment les publicités qui y sont associées. En 2006, la Lettonie est devenue la première nation européenne à interdire la vente et la publicité de junk-food dans tous ses établissements scolaires publics. Quelques mois plus tard, la Grande-Bretagne a interdit les publicités concernant ce genre de nourriture durant les émissions télévisées destinées aux jeunes de moins de seize ans. Où cela s'arrêtera-t-il? Dans beaucoup de pays, des associations de consommateurs se mobilisent pour que soient interdites toutes (ou presque) les publicités à destination des enfants. La Suède et la Norvège ont déjà proscrit les publicités télévisées ciblant les enfants de moins de douze ans, et la province de Québec a fait de même concernant les enfants de moins de treize ans. D'autres nations, comme la Grèce, la partie flamande de la Belgique et la Nouvelle-Zélande ont également imposé certaines restrictions. Les conséquences de toutes ces mesures sont encore débattues. Cette incertitude tient notamment au fait que la télévision n'est que l'un des supports de la publicité, avec Internet, les téléphones mobiles et même les jeux sur ordinateur. Elle résulte également du fait que les enfants ne se contentent plus de regarder des chaînes de télévision pour enfants. En Grande-Bretagne, l'émission la plus regardée par les jeunes de moins de seize ans est *Coronation Street*, un soap opera acide destiné à un public adulte.

Une vigilence accrue

Quoi qu'il en soit, à mesure que l'opinion publique évolue, les entreprises ont de plus en plus de mal à vendre leurs produits aux enfants. À l'occasion des fêtes de Noël 2006, Wal-Mart a lancé un site Internet sur lequel deux anges encourageaient les enfants à cliquer « OUI » quand un jouet surgissait à l'écran. « Si vous nous dites ce que vous voulez pour Noël, nous l'enverrons immédiatement à vos parents », promettait l'un des anges. Les associations de consommateurs ont attaqué ce site pour avoir encouragé le « pouvoir de la petite peste », et même les lecteurs de *Advertising Age*, la bible de l'industrie publicitaire, a fait amende honorable en admettant que Wal-Mart était allé « trop loin ».

Même au salon du jouet de Londres, j'ai trouvé des entreprises qui se joignaient au chœur anticonsumériste. Une société familiale dénommée Charlie Crow est venue pour y présenter des déguisements volontairement dénués de références à des personnages d'émissions de télévision ou de cinéma. On trouve des soldats, des lions, des moutons, des chevaliers et des reines, mais ni Spiderman ni Batman. Il y a bien une princesse, mais ce n'est pas Princesse Leia, une sorcière, mais ce n'est pas Hermione Granger. La directrice du marketing, Sue Crowder, explique que leur objectif est de résister au consumérisme visant les enfants : « Quand vous faites un tour dans ce salon, vous avez parfois l'impression que les enfants sont la dernière des préoccupations des exposants, qu'il s'agit surtout de ventes plutôt que de jouets. » Les costumes de Charlie Crow rompent avec ce principe en restant génériques. « Quand leurs déguisements portent un logo ou une marque, les enfants ont plus de mal à être eux-mêmes, ajoute-t-elle. Nous voulons leur proposer des costumes qui n'imposent aucun modèle, de façon à ce qu'ils puissent inventer par eux-mêmes leurs histoires et leurs personnages et que leur imagination soit véritablement stimulée. » Charlie Crow existe depuis maintenant quatre ans et ses costumes se vendent comme des petits pains en Grande-Bretagne, mais aussi dans d'autres pays, soutenus notamment par les écoles, qui favorisent le recours à des personnages historiques, et par les parents, qui sont las des déguisements labellisés les exposant à d'incessantes demandes pour de nouveaux accessoires : « Je veux la baguette magique et le balai qui vont avec mon déguisement de Harry Potter ! » Il peut certes sembler paradoxal qu'une entreprise se définisse elle-même comme une championne de l'anticonsumérisme, mais le monde dans lequel nous vivons est ainsi. La consommation fait partie de la vie. En ce qui concerne les enfants, le défi n'est pas d'y mettre un terme définitif, mais de lui imposer des limites.

Moins de cadeaux, plus de câlins

En fin de compte, cela dépend de la capacité des parents à dire non. Or, nous sommes peut-être en train d'apprendre à le faire. Sophie Lambert, chargée de relations publiques à Paris, avait l'habitude d'acheter à ses deux petites filles tout ce qu'elles demandaient. Elle a continué jusqu'au jour où elle a entendu les histoires que les deux fillettes inventaient pour leurs poupées: « Je ne veux pas un câlin, je veux un cadeau. Si tu m'achètes quelque chose, c'est que tu m'aimes. » Sophie Lambert se souvient encore du choc que cela a déclenché: « J'ai soudain réalisé que j'étais en train de leur apprendre que les biens matériels étaient plus importants que l'amour. » Sophie Lambert a donc rangé sa carte de crédit et appris à jouer par terre avec ses filles. Elle continue à leur offrir des cadeaux, mais occasionnellement, et trouve que sa relation avec ses filles s'est enrichie: « Nous faisons moins de courses, mais nous parlons plus. Les filles jouent aussi plus souvent avec leurs jouets parce qu'elles ne sont plus toujours en train d'imaginer le prochain achat. »

Ce dont les enfants ont vraiment besoin et ce qu'ils souhaitent ardemment sont les choses que souvent nous avons le plus de mal à leur donner : du temps et de l'attention, sans condition. Quand ils ne l'obtiennent pas, ils optent pour l'argent. Malcolm Page a appris cette leçon quand son fils de sept ans, Noah, a rapporté de l'école un devoir sur le thème « Pourquoi j'aime mes parents ». Sur la première page du cahier, il y avait une longue liste de choses que sa maman faisait, entre autres le faire rire, lui cuisiner de bonnes choses et lui faire un câlin quand il se faisait mal. Sur la page consacrée au papa, Noah avait simplement écrit : « Il m'achète des trucs. » En le lisant, Malcolm Page, analyste financier à Londres, en a conçu un réel besoin de reconnaissance. « J'avais toujours voulu développer avec Noah une relation plus intime que celle que j'avais eue avec mon père. Mais, quelque part, je n'avais pas trouvé le temps et l'énergie de le faire, dit-il. J'imagine que je voyais les cadeaux comme un moyen de me racheter ou d'apaiser ma conscience parce que je n'étais pas un assez bon père. » Malcolm Page a décidé qu'il n'y avait qu'une seule façon de faire évoluer la situation : consacrer à Noah moins d'argent et plus de temps.

Il a donc commencé à l'emmener à l'école un matin par semaine, à aller avec lui au square le week-end et à rentrer plus tôt à la maison pour lui lire des histoires avant le coucher. Il a aussi réduit le nombre de ses cadeaux. Six mois plus tard, leur relation avait changé : « Avant, quand nous étions tous les deux, il me réclamait toujours de lui offrir ceci ou cela, mais ce n'est pratiquement plus le cas aujourd'hui. La dernière fois que nous sommes allés au square, il a passé son temps à m'expliquer ce qui se passe quand on vit sur la Lune, ce qu'on y mange, comment on va à l'école, où on joue au foot et même comment on va aux toilettes. C'était vraiment drôle et tout à fait étonnant. Et quel soulagement de ne pas avoir à endurer des questions comme "Qu'est-ce qu'on achète d'autre ?" »

Melinda Ball élève seule son enfant à New York. Elle a emprunté un chemin beaucoup plus formel pour réduire la fièvre acheteuse de sa fille, Hannah. Elle a décrété que le moment du petit-déjeuner devait rester une zone de non-caprice. Règles applicables : ne pas réclamer d'argent, ne pas parler de biens de consommation. Tout le reste est admis. Parfois, mère et fille avalent leurs céréales dans un silence un peu lourd, mais souvent, elles discutent de l'école, de leurs amis respectifs ou des projets de Hannah de devenir architecte quand elle sera grande. « C'est tellement agréable de ne pas être considéré comme un distributeur de billets ambulant. J'apprécie vraiment qu'Hannah ne me harcèle plus pour que je lui achète des choses, même après le petit-déjeuner, se réjouit Melinda Ball. Je songe d'ailleurs fortement à appliquer au dîner les mêmes règles qu'au petit-déjeuner. »

Les anniversaires : la course au spectaculaire

Dans cette lutte contre le consumérisme de l'enfance, les fêtes d'anniversaire sont devenues un enjeu de poids. La simple idée de les fêter est d'ailleurs tout à fait moderne. Au début du Moyen-Âge, l'église critiquait ces fêtes comme des célébrations païennes et s'efforçait d'en dissuader ses paroissiens. Ce rituel s'est néanmoins progressivement répandu et, à partir du XIXe siècle, les familles bourgeoises ont commencé à marquer la date d'anniversaire de leurs enfants en réunissant chez eux quelques proches pour l'occasion. Après la seconde guerre mondiale, les fêtes d'anniversaire sont devenues de plus en plus élaborées, avec l'organisation d'après-midi entre copains à la piscine ou ailleurs. Plus récemment, le budget de ces réunions a explosé, les ménages très aisés plaçant la barre de plus en plus haut. David Brooks, directeur général d'une fabrique de gilets pare-balles, a fait les gros titres en 2006 pour avoir, dit-on, dépensé dix millions de dollars pour l'anniversaire de sa fille de treize ans. Un régiment de stars, dont Tom Petty, Stevie Nicks et 50 Cent, ont ainsi diverti quelque trois cents adolescentes dans un grand hôtel de New York, et les invitées sont rentrées chez elles avec des sacs bourrés de cadeaux, incluant appareils photo numériques et iPods. La surenchère en ce domaine est même devenue un divertissement en soi, grâce à *My Super Sweet 16*, une émission de télé-réalité produite par MTV qui suit des adolescents ultra-gâtés en pleine préparation de fêtes et de soirées plus extravagantes les unes que les autres. Si beaucoup de gens ne regardent ce programme que pour s'en moquer, d'autres y puisent manifestement des idées.

Même les parents ordinaires se sentent obligés de faire de chaque anniversaire un moment de plus en plus mémorable, spectaculaire et somptueux. En recréant un zoo dans le jardin, en organisant un service de limousines pour des mômes de cinq ans ou en commandant des gâteaux dignes d'une célébration nationale. Comme bien d'autres aspects de l'enfance moderne, l'anniversaire parfait est souvent plus une affaire d'adultes que d'enfants. Un site Internet américain a organisé un concours mensuel visant à récompenser les parents ayant eu les meilleures idées de fêtes. Une enquête de 2006 a découvert que, dans la tourmente des préparatifs, les parents britanniques ont trois fois plus de risques que leurs enfants de souffrir de migraines, d'aigreurs d'estomac et d'autres symptômes de stress. Cette enquête a également révélé que, si les deux tiers des parents pensent que leurs enfants veulent inviter toute leur classe et profiter de divertissements orchestrés par des professionnels, 59 % des enfants préféreraient n'inviter que quelques copains pour jouer à la maison. Une maman londonienne a récemment assisté à une fête d'anniversaire au cours de laquelle huit bambins de quatre ans ont pu visiter une caserne de pompiers, faire des sculptures en pâte à modeler, cuisiner puis déguster des pizzas et regarder un spectacle de marionnettes réalisé par un professionnel. Le tout en l'espace de deux heures. Le garçon qui fêtait son anniversaire s'est d'ailleurs endormi pendant le spectacle. « Ça allait si vite que je doute que les petits aient pu vraiment enregistrer ce qui se passait, dit cette maman. Je ne suis même pas sûre qu'ils aient réalisé qu'ils étaient réunis pour fêter l'anniversaire de quelqu'un. »

Parfois, cette course frénétique pour organiser la « meilleure fête de tous les temps » peut devenir carrément dangereuse. En 2006, lors de l'anniversaire d'un garçon de sept ans, une famille de Coral Gables, en Floride, a engagé une société qui devait exhiber des animaux sauvages pour

amuser les invités. Quand le dompteur a fait sortir le cou-
guar de sa cage, ce dernier a refermé ses mâchoires sur la
tête d'une gamine de quatre ans, lui arrachant une moitié
d'oreille et lui lacérant les joues et les paupières.

Des fêtes pour les enfants

Épuisés et effrayés par cette surenchère, de nombreux
parents commencent à faire machine arrière. À San Francisco, Susan Sawchuck a décidé de revenir aux bases quand
son fils Jack a atteint l'âge de cinq ans. Il avait eu l'occasion
d'aller à quelques fêtes extraordinaires, dont une compor-
tant la visite privée d'un aquarium et un spectacle de cra-
cheur de feu. Il en était revenu avec des tas de cadeaux,
allant de places pour des matchs de football à un baladeur
MP3. « Le déclencheur a été le MP3, se souvient Susan Sawchuck. Je me suis dit que ça devenait incontrôlable. Ces
gosses ne sont même pas encore en âge d'aller à l'école.
Que vont-ils faire d'un MP3 ? » Alors elle a pris des mesures.
Pour le cinquième anniversaire de son fils, elle a invité
six de ses meilleurs copains à passer quelques heures à
la maison. Les enfants ont expérimenté tous les jeux que
méprisent généralement les amuseurs professionnels et que
de nombreux parents considèrent comme ne pouvant pas
satisfaire l'enfant moderne : un cache-cache, un jeu des sept
erreurs et un colin-maillard. Susan Sawchuck avait aussi
organisé une chasse au trésor dont l'enjeu était la première
part du gâteau. Dans la dernière demi-heure, les enfants ont

joué aux chaises musicales sur un CD des Beatles. Aucun ne s'est plaint que les sacs de cadeaux à rapporter chez soi ne contenaient que des crayons de couleurs et une sucette, et tout le monde s'en est allé à regret. Quelques mois plus tard, Jack se rappelle de cette journée avec enthousiasme : « C'était la meilleure fête que j'ai jamais connue. On a bien joué avec mes copains. »

Susan Sawchuck a dû affronter les commentaires de parents qui avaient opté pour de plus gros investissements, mais elle projette de refaire la même chose l'an prochain : « Il faut juste ignorer les pressions qui viennent en général d'autres parents. Et le meilleur moyen de le faire est encore de se répéter que les fêtes d'anniversaire sont pour les enfants, pas pour les grands. »

On milite pour un retour à la normale

Pour mieux résister dans ce bras de fer, quelques parents se sont regroupés afin de signer leurs propres traités de non-prolifération. Certains fixent des limites financières sur la valeur des cadeaux ou les suppriment purement et simplement. D'autres s'entendent pour réduire la liste des invités. On voit même apparaître quelques groupes militants.

Bill Doherty est un professeur d'études familiales à l'université du Minnesota. Je l'ai vu pour la première fois lors d'une conférence à Chicago, où il faisait une intervention sur les dangers d'emplois du temps surchargés pour les enfants. En 2007, il s'est intéressé au fléau des fêtes

d'anniversaires surdimensionnées en participant au lancement d'une association de parents dénommée Birthdays
Without Pressure (Pour des anniversaires sans pression),
à St Paul, dans le Minnesota. Ce personnage sympathique
et doté d'un grand sens de l'humour n'a rien d'un puritain rigoriste. Il souhaite simplement réduire la fébrilité qui
entoure les fêtes d'enfants et ancrer ce changement dans
une remise en question plus large des exigences grandissantes de notre société.

Je souhaite donner aux parents la permission de ne pas
s'excuser d'avoir organisé une fête d'anniversaire strictement familiale ou de n'avoir invité que quelques camarades
à partager des jeux simples. Et je veux que ces parents aient
l'impression qu'ils s'inscrivent dans une évolution sociale
plus vaste, explique Bill Doherty. Nous ne cherchons pas
à créer de nouvelles règles sur les fêtes d'anniversaire. En
soi, il n'y a aucun mal à distribuer des cadeaux, à engager
des professionnels ou à inviter toute l'école. L'idée, c'est
que la fête parfaite n'existe pas, qu'elle soit énorme ou pas.
Au moment d'organiser une telle réception, il suffit de se
demander si on est en phase avec ses propres valeurs ou si
on se laisse entraîner par la surenchère à laquelle la société
nous invite. »

L'un des moyens d'alléger la pression consiste à n'inviter que des enfants aux fêtes d'anniversaire. Cela évite
d'avoir à impressionner les parents par la magnificence des
mets, la diversité des jeux, voire la bonne tenue de votre
intérieur. Nous avons eu notre lot de fêtes avec spectacles

de marionnettes et matchs de football, mais celle dont je me rappelle avec le plus de plaisir a eu lieu pour le cinquième anniversaire de ma fille. Les parents nous avaient déposé leurs enfants, puis étaient repartis. Nous avons fait très simple : chasse au trésor, chaises musicales et chat perché. Les filles ont adoré et nous aussi. Un consumérisme sans limite ne se contente pas de pourrir les enfants, il les oblige aussi à grandir plus rapidement, un phénomène connu du monde du marketing sous le terme de KAGOY (*Kids Are Getting Older Younger,* « les enfants deviennent adultes plus tôt »). Est-ce vraiment une bonne chose? Devons-nous inciter les enfants à affronter les soucis, les vices et les peurs des adultes dès leur plus jeune âge? Ma propre enfance a été marquée par une expédition familiale au cinéma pour voir *L'Invasion des profanateurs*, un film de science-fiction avec des extraterrestres qui envahissent la Terre en s'emparant du corps des êtres humains. Le film était interdit aux moins de quatorze ans et j'avais seulement onze ans, mais mon père se débrouilla pour nous faire entrer. Les images de ce film m'ont hanté pendant de longues années, surtout la scène finale, dans laquelle le personnage joué par Donald Sutherland pointe le doigt sur l'héroïne en laissant fuser ce cri horrible que les extraterrestres font quand ils identifient un humain. Jusqu'à mes quatorze ans, je m'endormais sous des montagnes d'oreillers, ou je finissais par me glisser dans la chambre de mon frère pour dormir avec lui.

Toujours plus vite, toujours plus tôt

Nous ne sommes pas les premiers à nous inquiéter d'une exposition trop précoce à des produits destinés aux adultes. Bien que nos ancêtres aient été moins soucieux des terreurs nocturnes des enfants, ils avaient peur que ceux-ci ne se pervertissent. Platon craignait que l'œuvre des poètes dramatiques ne pollue les jeunes esprits. Au Ier siècle après J.-C., un rhéteur romain du nom de Quintilien reprochait à ses contemporains d'encourager les enfants à participer aux pratiques obscènes des adultes : « S'il leur échappe quelque mot licencieux, c'est un divertissement pour nous. Des paroles qui ne seraient pas supportables dans la bouche de ces enfants d'Égypte, les délices de leurs maîtres, sont accueillies d'un sourire ou d'un baiser... Il n'est point de repas qui ne retentisse de chants obscènes ; des choses qu'on n'oserait dire sans rougir sont exposées en spectacle à leurs yeux. » En 1528, William Tryndale, qui produisit la première traduction populaire de la Bible, dénonçait le clergé anglais pour avoir autorisé les jeunes à lire « Robin des Bois et Beuve de Hanstone, Hercule, Hector et Troylus, ainsi que mille autres histoires et fables sur l'amour, le libertinage et la débauche, aussi dégoûtantes que le cœur puisse imaginer, afin de corrompre l'esprit de la jeunesse ».

Une fois que les romantiques eurent célébré l'innocence de l'enfance, cette crainte de la corruption ne cessa d'enfler. Des esprits chagrins se mirent à affirmer que la lecture de bandes dessinées surexciterait les jeunes, les conduisant au crime et à la débauche. D'autres s'émurent du fait qu'en travaillant dans les usines de la révolution industrielle, les enfants en sortiraient moralement souillés, exhortant les patrons à recourir à des bonnes sœurs ou des matrones pour encadrer les jeunes esprits. Comme toute peur concernant l'enfance, cette crainte s'intensifia au cours du XXe siècle, jusqu'à tout englober, le rock et *Happy Days*[1]. Ceci nous conduit à l'un des paradoxes les plus étonnants de l'enfance moderne : aujourd'hui, même si nous nous inquiétons qu'ils perdent de leur innocence, nous autorisons – quand nous n'encourageons pas – les enfants à entrer de plus en plus tôt dans le grand bain. Cela s'explique notamment par notre ardent désir de nous rapprocher d'eux en cimentant notre statut de meilleur pote. Après tout, rien n'unit plus deux êtres qu'une passion partagée. Il suffit d'écouter des mères qui se vantent d'emmener leurs filles de dix-neuf ans chez l'esthéticienne ou la pédicure. J'ai commencé très tôt à lire des albums de Tintin à notre fils parce que je voulais partager avec lui mon intérêt pour ces histoires. Je me suis réjoui quand il a commencé à inventer des jeux qui impliquaient le capitaine Haddock et le professeur Tournesol. J'ai été moins heureux quand il a commencé à parler de trafiquants de drogue sur le terrain de jeux.

Soucieuses de bâtir un fonds de commerce pour l'avenir, les sociétés formatent les jeunes par des produits d'appel.

---

1 Série américaine des années 1970 sur une famille des années 1950 bercée au rock et au soda. Elle était diffusée en France sous le titre *Les Jours heureux*.

Voyez l'offre grandissante de soins esthétiques pour des enfants de moins de dix ans. Notez la façon dont l'industrie des jeux d'argent améliore l'accueil des tout-petits dans ses hôtels, recourant même à des machines à sous à l'effigie de la Panthère rose.

Kidsbeer, une boisson sans alcool très populaire auprès des adolescents japonais, ressemble à de la bière, est vendue dans des bouteilles qui rappellent celles de la bière et est commercialisée au moyen de slogans tels que « Parfaite pour les soirs où vous voulez ressembler à un adulte ». L'une des publicités de la société qui produit cette boisson montre un garçon qui pleure de désespoir parce qu'il a raté un examen de mathématiques, puis qui pleure de bonheur après avoir dégusté une Kidsbeer.

Adieu layette et col blanc

Venons-en au sexe. De tout temps et dans toutes les cultures, les jeunes ont eu tendance à s'habiller comme leurs parents. Un fils d'ouvrier portait des vêtements de chantier et une fille de famille privilégiait les dentelles. En peinture, les jeunes filles nobles de six ans posaient dans des robes décolletées et des coiffures élaborées, dans l'espoir d'attirer l'œil d'un lointain monarque. À compter du XVIIIe siècle, cependant, à mesure que se répandait le mythe de l'innocence enfantine, de telles images ont commencé à détonner. En 1785, l'écrivain William Cowper regrettait que les jeunes filles s'habillent comme des adultes : « Ces demoiselles, dont les mères portaient au même âge layette et col blanc, osent le vêtement de la femme mûre. »

Aujourd'hui, nous avons remonté le temps pour retrouver l'époque qui a précédé le siècle des Lumières : quel que soit leur âge, les gens s'habillent de la même façon. La différence, c'est que les enfants sont orientés vers une culture adulte qui devient de plus en plus « torride ». Adieu layette et col blanc. Bienvenue au soutien-gorge pigeonnant. Sur les chaînes pour enfants, les sévères présentateurs d'antan ont été remplacés par des Shakira en devenir qui portent des tatouages et exhibent leur nombril. La poupée Barbie, dont la silhouette d'extraterrestre et la garde-robe froufroutante ont à l'origine déchaîné les foudres féministes, s'est vue supplantée par les poupées Bratz, hypersexy et arrogantes. Vous pouvez même vous procurer un body pour bébé portant le slogan « Brigade des jeunes bombes ».

Et quand vient l'heure de faire le point sur le quotient sexuel des enfants, les filles tutoient les extrêmes. Les distributeurs comme La Senza Girl, Limited Too et Abercrombie and Fitch vendent des tonnes de bas, bustiers rembourrés et petites culottes à messages pour le moins coquins en tailles miniatures. Les papetiers proposent des stylos, des cahiers, des règles et autres fournitures scolaires à l'effigie du petit lapin de Playboy. Même quand on s'abstient d'acheter à nos filles des t-shirts déclarant « Tant de garçons et si peu de temps », cela ne semble pas les empêcher d'adopter des attitudes provocantes, comme par osmose. L'autre soir, j'ai été sidéré de voir ma fille de cinq ans se trémousser dans

son bain tout en chantant le jingle de la publicité Renault
« *Shaking that ass, shaking that ass* ».

Suis-je finalement un peu trop coincé? Toute cette lasci-
vité n'est-elle qu'un jeu sans conséquence ou un trait de
l'humour postmoderne? Peut-être jusqu'à un certain point.
Mais il semble que certaines limites aient été dépassées.
Comme nous l'avons déjà vu, le fait d'estomper les frontières entre l'âge adulte et l'enfance peut avoir un effet inhi-
bant sur les enfants en réduisant la sphère où ils peuvent se
comporter comme tels. Les petites filles ont toujours joué
à la maman, à l'infirmière ou à la princesse pour se divertir, mais aussi pour explorer et expérimenter leur féminité.
Jusqu'à présent, il s'agissait d'un simple jeu que les enfants
décidaient d'initier ou d'arrêter. La vogue actuelle consis-
tant à adopter les falbalas de la féminité semble beaucoup
moins procéder du jeu et beaucoup plus de l'adoption d'un
comportement ou d'un mode de vie. Quand votre fille se
met du vernis à ongles, ce n'est plus pour rire mais bien
pour peaufiner son look, et ce petit top affriolant n'est pas
un déguisement, mais un élément de sa garde-robe.

Or, quand ils imitent les grands, les enfants connaissent
peut-être les gestes et les répliques du film, mais il est moins
sûr qu'ils maîtrisent les complexités affectives et morales
qui sont associées à un rôle d'adulte. Ce ne sont pas des
adultes miniature, ce sont des enfants. Et quand une société
en vient à vénérer l'innocence de l'enfance tout en exposant sa jeunesse au melting-pot sexuel de la pop culture, il
risque d'en résulter pas mal de confusion, voire pire. Ceci

pourrait expliquer les angoisses grandissantes des enfants, la précocité de leur activité sexuelle ou l'émergence de comportements comme les troubles alimentaires ou les dysphories liées au corps, jusqu'alors réservés aux adultes. Dans une étude récente menée en Australie, les chercheurs ont noté que 70 % des filles de sept à huit ans souhaitaient être plus minces, la plupart pensant que cela les rendrait plus populaires. Une enquête de 2007 réalisée par l'American Psychological Association (Association américaine de psychologie) a conclu que le fait d'associer sexe et jeunes filles favorisait les dépressions, une mauvaise image de son corps et une faible estime de soi. Sans négliger la question la plus gênante : quand nous habillons nos filles comme des Lolita, quel message adressons-nous aux pédophiles qui nous effraient tant ?

Trop c'est trop

À mesure que ces sujets deviennent plus brûlants, le type de séduction que promeut notre société devient plus suspect. En Occident, les écoles interdisent les habits qui laissent entrevoir les sous-vêtements des élèves. En 2007, le British Teachers Union (Syndicat des enseignants britanniques) a demandé qu'il soit mis fin à la « sexploitation » des enfants par les publicitaires et les médias. La société Abercrombie and Fitch a fait parler d'elle en retirant de ses collections les strings pour enfants, après plusieurs plaintes de parents et politiciens. Une chaîne de supermarchés britannique, Asda, a cessé de commercialiser de la lingerie en dentelle noire et rose pour les fillettes à la suite de protestations de ses clients. Pour les mêmes raisons, le fabricant des t-shirts qui regrettaient qu'il y ait « Tant de garçons et si peu de temps » les a lui aussi retirés du marché. Parmi les produits qui ont dû affronter la vindicte populaire, on trouve une ligne de soutiens-gorge Bratz pour fillettes et une série de poupées Hasbro pour enfants de six ans qui parodiaient un groupe de rock plutôt dénudé, The Pussycat Dolls, que l'on peut traduire par « Les foufounes ».

Les enfants eux-mêmes se joignent à ce chœur. Aux États-Unis, plus de 2,5 millions d'adolescents ont prêté le « serment de virginité » qui leur impose de rester chastes jusqu'au mariage. D'autres enfants s'en prennent aux produits érotisés. Ainsi, la firme Mattel a dû remettre au placard la lingerie de la poupée Barbie – « Cet ensemble enchanteur comprenant un bustier noir avec quelques notes de rose, et le déshabillé qui lui est assorti, est du plus bel effet » – après une vague de protestations publiques incluant une pétition lancée par des écolières. En 2005, des adolescentes de onze à quinze ans ont défilé devant une succursale londonienne de W.H. Smith, qui distribuait des lignes de fournitures scolaires aux couleurs de Playboy. « Ils s'appuient sur des produits dont nous avons besoin dans le cadre de notre éducation pour nous vendre l'idée que nous sommes des objets sexuels, remarque l'une des manifestantes âgée de treize ans. Ça me dégoûte et ça me met en colère. » W.H. Smith a tenu bon, mais d'autres distributeurs britanniques, y compris Claire's Accessories et John Lewis, ont fini par retirer ces produits de la vente.

Soignons notre fièvre acheteuse

Dans une société de consommation, il est impossible d'exonérer les enfants du consumérisme. Mais le temps est venu de fixer des limites. Il n'y a pas que la santé et le bonheur de nos enfants en jeu, il y a aussi l'avenir de la planète : le genre humain ne peut tout simplement pas continuer à consommer comme il le fait aujourd'hui. La bonne nouvelle, c'est que de plus en plus de gens commencent à s'en rendre compte.

Le meilleur endroit pour commencer ce travail est· la sphère de l'enfance. En pratique, cela implique de laisser les brochures commerciales à la sortie des écoles, de renforcer les restrictions sur la publicité ciblant les enfants et d'abaisser le quotient sexuel. Pour les parents, cela implique une fois encore de viser l'équilibre. Il n'y a aucun mal à dépenser, mais la plupart d'entre nous savent que nous faisons trop de concessions au pouvoir du caprice. Nous le sentons dans nos tripes.

Cela étant, parvenir à dire non n'est qu'un début. Il faudra aussi en gérer les conséquences désagréables : « Tu es la pire mère du monde ! » ou : « Si tu ne m'achètes pas un iPhone, je ne te parle plus ! » Vous devrez faire face à ce type de ressentiment, que vous cédiez souvent ou non, parce que la fièvre consumériste ne peut disparaître d'un coup, surtout chez des enfants. C'est le prix qu'il faut payer dans une époque d'abondance. Mais nous pouvons essayer de juguler ce genre de crises. Il suffit tout d'abord d'arrêter de considérer l'argent comme un substitut au temps et à l'attention. Et il faut aussi soigner notre propre fièvre acheteuse. Malcolm Page a ainsi cessé d'acheter tous les gadgets électroniques qu'il voyait. Il espère qu'en donnant ainsi l'exemple, il protégera son fils Noah, au moins partiellement, du virus du matérialisme : « C'est une leçon que nous devrions tous apprendre, enfants et adultes. Quand on est ensemble, il est plus important de spéculer sur le temps que sur l'argent. »

12

La sécurité : jouer avec le feu

Il doit se conserver, mais non point s'enterrer vivant.

SÉNÈQUE LE JEUNE

C'est par une froide journée de printemps, le baromètre tutoyant le zéro, que Magnus McLeod a appris que le feu était très chaud. Très, très chaud. En sa qualité de membre de la maternelle du Jardin secret, il avait passé la journée à gambader dans une forêt en Écosse. Pour lutter contre le froid, les enfants, aidés par leurs accompagnateurs, avaient confectionné un feu au moyen de brindilles, de branches et de feuilles mortes ramassées sur le sol. Ils avaient formé un cercle autour du foyer afin de se réchauffer et buvaient de la limonade chaude. C'est alors que, sans prévenir, Magnus s'est approché du feu et a saisi une braise rougeoyante entre ses mains nues. Son cri a retenti à travers les bois.

Que s'est-il passé alors ? De nos jours, on s'attendrait à un bon gros scandale, avec procès à la clef contre le Jardin secret et enquête minutieuse menée par les inspecteurs des affaires sociales : où se trouvait le responsable quand Magnus s'est emparé du tison ? pourquoi n'y avait-il aucune infirmière présente ? comment se fait-il que des petits de trois ans se soient trouvés près d'un feu de camp ? Et vous voyez d'ici une longue file de parents venant aussitôt retirer leurs enfants de cette école. Au bout du compte, rien de tout cela n'est arrivé. Tout le monde a pris la mésaventure de Magnus avec philosophie. Bien sûr, la brûlure sur l'index droit a été visible pendant deux jours, mais Magnus a pris une leçon utile sur les dangers du feu. Maintenant, quand il trouve une boîte d'allumettes, il la donne à l'adulte le plus proche et il ne touche plus jamais les braises chaudes. Sa mère, Kate, a non seulement laissé Magnus au Jardin secret, mais elle y a également inscrit son plus jeune fils, Freddie. « Bien sûr, quand il s'est brûlé, ça nous a un peu affolés, mais le principal, c'est que Magnus soit désormais très prudent avec le feu. Il sait qu'il ne doit pas s'en approcher. De toute façon, le monde est plein de dangers et les enfants ont tout intérêt à y être exposés, dans des limites raisonnables. »

Une école de la vie

Première école maternelle de plein air en Grande-Bretagne, le Jardin secret représente un défi à bien des préceptes de l'enfance moderne. À l'instar des autres écoles qui font classe en pleine nature, il propose aux enfants une nouvelle façon d'apprendre, de jouer et de vivre avec les autres. Mais cette école va aussi à l'encontre de la croyance moderne selon laquelle les enfants doivent être manipulés avec un soin extrême et que leur éducation doit se dérouler entre quatre murs, sous surveillance constante, dans des endroits rigoureusement propres, sécurisés et convenablement climatisés.

Le programme du Jardin secret est à l'opposé de tout cela. Quel que soit le temps (en Écosse, cela veut parfois dire des températures inférieures à zéro, des vents glacés venant de la mer du Nord ou des pluies battantes), les enfants passent leurs journées dehors. Ils font pipi dans les bois, sans se laver les mains après. Les forêts qu'ils explorent regorgent de champignons vénéneux et de baies appétissantes mais empoisonnées, ainsi que de digitales qui peuvent causer des vomissements, des étourdissements et des dysfonction-nements cardiaques aux enfants qui les absorbent. Sans compter que les caresses données aux poules, agneaux et autres les exposent à un nombre infini de microbes. J'allais oublier aussi les feux de camp…

Malgré – ou peut-être à cause – de tous ces périls, le Jardin secret ne cesse de faire des adeptes. Sa fondatrice, qui se nomme Cathy Bache, est une femme d'âge moyen, très énergique, avec un penchant pour les pulls bariolés. Les quelques années qu'elle a passées en Norvège l'ont incitée à importer en Écosse le concept d'école maternelle de plein air. En 2005, elle a donc commencé à s'occuper d'une poignée d'enfants dans les bois situés derrière sa maison de Letham, un village du comté de Fife. Le Jardin secret vient d'obtenir un prix national et Cathy Bache a aujourd'hui vingt-quatre enfants sous sa responsabilité. Et sa liste d'attente est fort longue. « Au début, certains parents sont un peu nerveux, mais quand ils viennent voir comment leurs enfants se débrouillent, combien ils s'amusent et combien ils apprennent, ils se détendent, dit Cathy. De nos jours, beaucoup d'enfants sont maintenus à l'intérieur des maisons, comme des poules de batterie. Ils n'ont aucune liberté parce que notre société est obsédée par la sécurité. On dirait que nous vivons continuellement dans la peur. »

Vous pouvez répéter? Comme nous l'avons déjà évoqué, la plupart de nos pensées concernant les enfants sont teintées de peur. La peur qu'une once de leur potentiel ne soit pas exploitée, qu'ils n'arrivent pas à se distinguer, qu'ils soient malheureux, perdent leur innocence ou ne nous aiment pas, qu'ils grandissent trop vite ou trop lentement et qu'ils donnent une mauvaise image de leurs parents.

Mais la crainte la plus viscérale, celle qui s'ancre au plus profond de notre disque dur génétique, c'est la crainte que nos enfants ne soient physiquement en danger. Cette peur que les enfants ne se fassent mal est présente dans toutes les cultures et à toutes les époques. Même au sein de la famille préhistorique, la mère – et probablement le père quand il était là – ouvrait l'œil pour que ses petits ne se brûlent pas les doigts dans le feu. Toute société a ses croque-mitaines. Au Moyen Âge, les chrétiens d'Europe redoutaient que les juifs massacrent leurs enfants et utilisent leur sang pour préparer leurs pains de Pâque.

Aujourd'hui cependant, les inquiétudes concernant le bien-être des enfants se sont intensifiées, attisées par le sentiment croissant que les jeunes sont par nature fragiles et le monde de plus en plus dangereux. Au début du XXe siècle, les administrations publiques ont commencé à mettre en garde les parents contre les innombrables dangers du foyer :

microbes, prises électriques, fours brûlants et noyades dans les baignoires. À mesure que se multipliaient les automobiles, les villes ont mis des clôtures autour des squares et pris des arrêtés interdisant les billes, le football, les batailles et autres jeux de rue. À la maison, les parents ont aménagé des pièces où les enfants peuvent jouer en toute sécurité.

Nous voulons tout sécuriser

Chaque nouvelle menace contre les enfants, réelle ou imaginaire, déclenche une nouvelle vague de panique et un durcissement des mesures de sécurité. Souvenez-vous de la psychose du début des années 1980 à propos de malades mentaux qui avaient offert à des enfants des bonbons empoisonnés et des pommes contenant des lames de rasoir à l'occasion d'Halloween. De tels incidents étaient alors si rares qu'ils en devenaient des mythes urbains. Mais cela n'a pas fait retomber l'hystérie. Nous passions alors nos paquets de friandises au peigne fin pour vérifier qu'ils n'avaient pas été trafiqués et les pommes allaient directement à la poubelle. C'est aussi vers cette époque que les parents ont commencé à accompagner leurs enfants dans leurs tournées d'Halloween.

Au cours de la dernière décennie, toutefois, la fièvre sécuritaire a atteint son point d'incandescence. Il suffit pour s'en convaincre d'observer la maison du XXIe siècle, avec ses poignées de porte sécurisées, ses placards de cuisine barricadés, ses prises électriques colmatées au plastique et ses coins de table protégés par du silicone. Vous pouvez même vous offrir un cadenas pour la lunette de toilettes. Mon éditeur a payé 1 500 dollars pour « sécuriser » sa maison avant l'arrivée de son bébé. Et la peur s'amplifie à l'extérieur. Autoriser un enfant à faire du vélo sans casque ou à jouer au square sans l'avoir préalablement badigeonné de crème solaire s'apparente aujourd'hui à une négligence parentale coupable. Les batailles de boules de neige qui faisaient auparavant partie des rites appréciés de l'hiver ont été interdites dans les écoles, dans toute l'Europe septentrionale ainsi qu'en Amérique du Nord. Dans une école de Cumbria, en Angleterre, les élèves doivent désormais porter des lunettes de sécurité industrielles s'ils veulent avoir le droit de jouer au conkers, un jeu traditionnel et très populaire dans lequel les participants font tournoyer des marrons attachés au bout de longues ficelles pour détruire les marrons de leurs concurrents. Une autre école anglaise a remplacé les traditionnelles cravates nouées par des cravates qui se fixent au moyen d'un clip afin de réduire les risques d'étranglement. Une école élémentaire d'Attleboro, dans le Massachusetts, a décidé que le jeu de chat perché présentait des dangers pour la santé et l'a donc banni de son enceinte. Nombre d'enfants américains vont désormais à l'école armés de tubes de gel désinfectant à utiliser un peu partout, depuis les toilettes jusqu'aux becs Bunsen. Les enseignants rapportent que, lors des excursions, certains parents les suivent en voiture afin de s'assurer de la sécurité de leurs petits.

Du coup, l'enfant moderne est élevé en captivité, maintenu à l'intérieur des maisons et convoyé en voiture sur le lieu de ses divers rendez-vous. Beaucoup d'écoles suédoises n'autorisent plus les enfants de moins de onze ans à venir en vélo à l'école. Les deux tiers des Britanniques de huit à dix ans ne se sont jamais rendus dans un parc ou une boutique tout seuls, et un tiers d'entre eux n'ont jamais joué dehors sans qu'un adulte les surveille.

Un cercle vicieux

Pourquoi une telle montée de peur? Il se peut qu'elle soit notamment due à la réduction de la taille des familles. Ainsi que l'exprime David Anderegg, auteur de *Worried All the Time: Rediscovering the Joy of Parenthood in an Age of Anxiety* (« Toujours inquiets : redécouvrir les joies de la parentalité à l'ère de l'angoisse ») : « Moins vous avez d'enfants, plus ils deviennent précieux et moins vous êtes prêt à prendre des risques. » Cette peur est peut-être aussi attribuable à des emplois du temps surchargés qui séparent les gens : plus les familles passent de temps ensemble, plus il est facile pour les parents de faire confiance à l'aptitude de leurs enfants à gérer les risques. Mais il y a aussi le fait que nos villes ont changé. Il y a plus de circulation de nos jours et les communautés sont devenues de plus en plus anonymes. De ce fait, les rues sont désormais pleines d'étrangers, et non plus de voisins que nous connaissons et sur lesquels nous pouvons compter pour surveiller nos enfants.

Nous sommes aussi victimes d'un paradoxe très simple : être plus en sécurité peut parfois engendrer une inquiétude accrue. Même quand la circulation est faible et que les chiffres de la criminalité sont bas, la peur reste le sentiment prédominant par défaut. Un frisson d'inquiétude parcourt la maison quand la porte est ouverte : où sont les enfants ? est-ce qu'ils jouent près de la route ? est-ce une voiture que j'entends ? ou peut-être un rôdeur ? Selon l'Unicef, la Suède est aujourd'hui l'endroit le plus sûr du monde pour grandir. Pourtant, la paranoïa des parents et des bureaucrates y est telle que David Eberhard, l'un des meilleurs psychiatres du pays, a publié un livre intitulé *Land of the Safety Junkies* (« Au pays des drogués de la sécurité ») en 2006. « La Suède est l'exemple parfait pour illustrer que plus on est en sécurité, plus on s'inquiète pour le moindre risque explique-t-il. Et cela se vérifie tout spécialement quand il s'agit d'enfants. »

Un fonds de commerce rentable

Certaines sociétés ou institutions ont tout intérêt à souligner, voire exagérer, les dangers qui entourent les enfants au quotidien, ce qui n'arrange rien. C'est le cas bien sûr des entreprises qui vendent des articles pour enfants (les lunettes anti-UV pour bébés, par exemple), des administrations gérant la santé et la sécurité de l'enfant, qui ont des budgets à justifier, et des groupes de pression qui ont un message à faire passer. Cela inclut aussi les médias. Il y a tellement de pages et d'heures d'audience à remplir que les patrons de presse recherchent continuellement des histoires à sensation. Or, rien n'attire plus l'attention qu'un fait divers concernant un enfant. Bien que les crimes pédophiles n'aient pas augmenté au cours des vingt dernières années, leur couverture médiatique s'est intensifiée. Il est aujourd'hui difficile de trouver un journal ou une chaîne d'information qui ne fasse pas état d'un affreux crime sexuel sur un enfant, le tout complété par d'horribles photos de la victime. De telles informations ont clairement eu un effet sur mon comportement. Quand j'étais adolescent, j'ai fait pas mal de baby-sitting. C'était un bon moyen de gagner de l'argent, et je suis toujours en contact avec certains de mes « employeurs » d'alors. Pourtant, aujourd'hui, je suis mal à l'aise si je dois laisser un garçon ou un homme s'occuper de mes enfants. Intérieurement, je me dis que je suis déraisonnable, injuste et même légèrement hystérique, mais une partie de moi reste néanmoins paralysée par deux mots qui mettent de côté les statistiques les plus réconfortantes et hantent tous les parents contemporains : « Et si… » Élevés dans cette atmosphère de panique, les enfants ont manifestement intégré le message selon lequel le monde est un endroit dangereux et que la seule manière d'y survivre est de donner la priorité à la sécurité. En Grande-Bretagne, lors d'un récent sondage, il a été demandé à sept cents enfants de dix ans environ d'identifier la leçon la plus importante qu'ils avaient tirée de leur éducation. Réponse numéro un : faire attention. Certes, toutes ces mesures de sécurité et de surveillance ont sans aucun doute préservé beaucoup d'enfants de nombreux ennuis, éventuellement graves. Mais à quel prix? Que sacrifions-nous à notre culte de la sécurité des enfants?

Quand la sécurité des enfants devient une obsession, la confiance disparaît. Tout adulte devient un pédophile en puissance. Or, dans une société esclave de ses enfants, l'horreur de la pédophilie se trouve renforcée. Les pères modernes en retirent un message ambigu : faites des câlins à vos enfants, mais pas en public. Récemment, je me trouvais au square quand un tout jeune enfant est tombé du toboggan et s'est mis à pleurer. Ma première réaction a été de le consoler, mais j'ai réfléchi. Et si quelqu'un en venait à croire que je suis un pervers? Alors je n'ai pas bougé et je me suis contenté de balbutier quelques platitudes à bonne distance, jusqu'à l'arrivée de sa maman. Mais ce type de comportement peut avoir des conséquences terribles. En 2002, une fillette de deux ans s'est faufilée par la porte de son école de Lower Brailes, village pittoresque de la région des Costwolds, en Angleterre. Un maçon qui passait dans son camion a remarqué que la petite marchait le long de la route et a songé à s'arrêter pour s'assurer qu'il ne lui arrivait rien. Mais il s'est abstenu par crainte d'être accusé de pédophilie. Quelques minutes plus tard, la gamine tombait dans l'étang du village et se noyait. « Je n'arrêtais pas de me dire que je devais faire demi-tour, a dit le maçon plus tard aux enquêteurs. Je ne l'ai pas fait parce que j'ai pensé que les gens diraient que j'essayais d'abuser d'elle. »

L'horizon de nos enfants se ferme

Cloîtrer les enfants rétrécit leur horizon en les coupant de leur communauté. Quand on ne se déplace qu'en voiture, il est impossible de lier connaissance avec ses voisins ou les commerçants du quartier. Les enfants surprotégés n'apprennent pas non plus les règles de base qui gouvernent la rue, ce qui peut expliquer que tant de jeunes adolescents (plus que dans n'importe quelle autre classe d'âge) se font renverser par des voitures.

Les psychologues estiment que quand les enfants sont trop couvés, quand chaque instant de leur journée est organisé et supervisé, ils ont davantage tendance à développer de l'anxiété et une prudence exagérée en grandissant. Les scanners du cerveau semblent étayer le fait bien établi qu'environ 15 % des enfants sont, dès la naissance, prédisposés à l'anxiété et à la timidité. Des études plus poussées suggèrent aujourd'hui que plus de la moitié d'entre eux parviennent à surmonter ces sentiments précoces. Et pourquoi? Il semble que les parents soient une fois de plus en cause, au moins partiellement: quand des parents sont encourageants, optimistes et prêts à accepter les risques de la vie courante, l'enfant anxieux a plus de chances de sortir de sa coquille. Les enfants qu'on élève dans du coton peuvent aussi finir par prendre le contre-pied de cette surprotection en recherchant les sensations extrêmes que procurent les drogues, le sexe, la vitesse ou la violence. Ce qui pourrait expliquer pourquoi les chiffres sur l'usage de psychotropes, l'automutilation et l'angoisse sont plus élevés chez les enfants issus de milieux aisés, qui mettent l'accent sur la sécurité de l'enfant.

La fortune sourit aux audacieux

Psychologue clinicien à Halifax, Michael Ungar est bien placé pour observer les conséquences de notre obsession de la sécurité. En 2007, il a publié un livre intitulé *Too Safe for their Own Good: How Risk and Responsibility Help Teens Thrive* (*Le syndrome de la mère poule – Apprendre aux ados à faire face aux risques et aux responsabilités*). « Il y a là une terrible ironie, dit-il. En essayant à tout prix d'éliminer le risque de la vie des enfants, on finit par les rendre plus anxieux. À long terme, cela peut aussi affecter leurs niveaux de prudence et de réussite parce qu'ils ne profitent pas des avantages qu'il y a à prendre des risques. » Michael Ungar s'appuie sur des recherches qui semblent prouver que la fortune sourit aux audacieux : ceux qui ont confiance en eux et sont prêts à prendre des risques sont moins exposés aux accidents.

Et que deviennent la liberté et l'aventure ? Il est certain que prendre des risques et flirter avec le danger font partie des joies de l'enfance. Récemment, nous avons passé une semaine en famille chez des amis qui vivent dans un petit village du sud de l'Espagne. Mon fils et son copain ont passé leur temps à explorer les collines alentour, ramassant des branches, construisant des petits châteaux forts et

mangeant les oranges qu'ils cueillaient dans les arbres. Parfois ils s'aventuraient très loin de la maison. Après, lorsque
je lui ai demandé ce qu'il avait préféré dans ce voyage, mon
fils m'a répondu sans hésiter : « La liberté ! »

J'étais sidéré. La notion de liberté me semblait être un
concept très abstrait pour un enfant de sept ans. Mais cela
m'a fait prendre conscience que nos enfants habitent dans
un monde truffé de limites. Quand nous sommes à la maison, ils n'ont pas le droit d'aller à pied à l'école ou chez
un copain et ils ne sont pas autorisés à traverser la rue
sans être accompagnés par un adulte. À l'âge de mon fils,
je me promenais et je faisais du vélo dans tout le quartier,
tout seul avec mes copains. J'ai parfois l'impression que les
seules aventures auxquelles mes enfants sont exposés sont
celles qu'ils voient à la télévision. Mais même là, quand des
enfants sont mis en scène, toutes les péripéties auxquelles
ils doivent faire face ont été dûment validées par les com-
missions de santé et de sécurité.

Sortir du cercle de la peur

Si cet excès de protection est problématique, quelle est
la solution ? Comment sortir du cercle de la peur ? La première étape consiste à mettre un peu en sourdine l'hystérie
ambiante et à s'intéresser aux faits.

Fait n° 1 : pour les enfants, le monde est aujourd'hui
plus sûr qu'il n'a jamais été. Dans les pays développés, les
chiffres concernant les décès d'enfants suite à des blessures

ont diminué de 50 % en trente ans. Entre 1970 et 2000, le nombre de mineurs britanniques tués dans des accidents a chuté de 17,5 pour 100 000 à 4,5 pour 100 000. On observe la même tendance dans d'autres pays.

Fait n° 2 : notre sentiment de panique vis-à-vis des inconnus va à l'encontre des statistiques. Les agressions pédophiles sont extrêmement rares ; les inconnus ne représentent pas la plus grave menace pour nos enfants. Un enfant risque bien plus de souffrir de violences ou d'abus sexuels de la part de parents ou de proches.

Fait n° 3 : contrairement à ce que nous pensons, la solution n'est pas de maintenir les enfants à l'intérieur des maisons ou de les transporter en voiture. Les accidents domestiques touchent des milliers d'enfants. Et dans beaucoup de pays, il y a aujourd'hui bien plus d'enfants qui meurent dans des accidents de voiture que quand ils se déplacent à pied. Le risque est partout, la solution consiste à trouver le bon équilibre.

Fait n° 4 : les enfants sont bien plus résistants et robustes que nous ne le croyons. Les premières années sont formatrices et il est peu vraisemblable que quelques bosses marquent à vie les enfants ; elles pourraient même les rendre plus forts. Une étude danoise a récemment découvert qu'aucune relation ne pouvait être établie entre un traumatisme subi durant l'enfance et la qualité de vie d'un adulte.

Fait n° 5 : les enfants sont souvent plus sensés, plus compétents et plus capables de gérer les risques que nous voulons l'imaginer. Il suffit d'examiner la façon dont ils arrivent à s'en tirer dans le tiers-monde. En Afrique de l'Ouest, les fillettes du peuple Fulani s'aventurent hors du village dès quatre ans pour aller chercher de l'eau et de quoi faire du feu. Au Brésil, beaucoup d'enfants des rues survivent à des dangers innombrables qui feraient défaillir les parents occidentaux : malnutrition, violence des gangs, commerçants hostiles, prédateurs sexuels, police corrompue et dealers de drogues. Ainsi que l'exprimait un romancier anglais du XIXe siècle, Samuel Butler : « Les jeunes ont une faculté merveilleuse : soit ils meurent, soit ils s'adaptent aux circonstances. »

Les enfants
peuvent faire face aux risques

Voyez comment, dans l'opulent Occident, les jeunes font face aux risques quand on leur en laisse la chance. Souvenez-vous de l'école Reggio de Prampolini. Ceux qui la visitent sont toujours étonnés que les enfants aient le droit d'y manipuler ciseaux, outils et bien d'autres objets qui sont d'ordinaire interdits aux enfants pour éviter qu'ils ne se blessent ou qu'ils ne les avalent. Le professeur principal explique que, même si les objets les plus dangereux ne sont présentés que progressivement aux enfants les plus jeunes, l'école fonctionne sur l'idée que tout enfant peut apprendre par lui-même, au risque d'une ou deux égratignures. « Dans la vie, il y a des dangers, alors il ne sert à rien d'essayer d'éliminer tous les risques du parcours des enfants, dit-elle. Nous examinons les dangers que représentent certains objets, et les enfants apprennent très vite à s'en servir. »

Confortés par les faits et inquiets de voir leurs enfants grandir dans un bocal, de plus en plus de parents commencent à penser qu'un peu de risque constitue l'ingrédient essentiel d'une enfance heureuse et saine. Un ouvrage qui a fait parler de lui en 2006-2007 s'apparente à une prise d'armes contre la culture de la surprotection : il s'agit du Boy's Book – Tout ce qu'ils adorent de 7 à 77 ans ! (Dangerous Book for Boys). Il est truffé de tuyaux sur tous les types de passe-temps « à haut risque », des courses de kart à la réalisation de lance-pierres en passant par le jeu de conkers (sans lunettes de protection).

La tendance à ôter des terrains de jeux tout ce qui pourrait représenter un « grand risque », comme les toboggans et les tourniquets, semble donc s'inverser. Sous la pression d'enfants et de parents avides de frissons, les autorités de Grande-Bretagne réintroduisent donc des éléments de jeu moins sécurisants dans les squares, y compris des filets inspirés par ceux qu'utilise l'armée pour ses parcours du combattant, des balançoires et des tourniquets qui vous font dresser les cheveux sur la tête. Et les familles adorent.

Rendons la rue aux enfants

Par ailleurs, la pression monte pour rendre la rue aux enfants. Les villes imposent des mesures visant à alléger la circulation afin de donner plus d'espace et de sécurité aux piétons. Dans le même temps, des associations s'emploient à démontrer que, même à notre époque, les rues ne sont pas aussi dangereuses que nous le pensons. Une fois par an, des millions d'enfants dans quarante pays participent à l'International Walk to School Day (Journée internationale « Marchons vers l'école »). Bien entendu, parents et enseignants ne sont pas bien loin, et ils mènent même certaines marches, mais pour nombre d'enfants, cette journée a un petit parfum de liberté. Et pour certains d'entre eux, elle change tout. En 2006, à Indianapolis dans l'Indiana, Cindy Browning a délaissé sa voiture pour emmener son fils de dix ans, Max, à pied à son école située à un kilomètre de leur maison. Cindy Browning s'est étonnée que la route soit si sûre pour des piétons, avec ses feux et ses passages protégés tous les trois croisements. Les seules personnes qu'elle a croisées étaient des gens du quartier qui se rendaient à leur travail. Certains leur ont souri, d'autres leur ont fait un signe, et Cindy a même reconnu l'une des secrétaires de l'immeuble dans lequel elle exerce comme agent d'assurance. Le bon côté de cette expérience : Max effectue désormais le trajet entre sa maison et son école à pied, souvent accompagné d'un copain et presque toujours sans qu'un adulte soit présent. « En regardant en arrière, je ne sais pas vraiment pourquoi je pensais qu'il était si dangereux d'aller à pied à l'école », raconte sa mère. Et Max adore sa nouvelle indépendance : « J'ai moins l'impression d'être un bébé. Et on s'amuse vraiment, avec mon copain, sur le chemin de l'école. » Pour lui, c'est aussi un bon exercice.

Une enquête britannique portant sur 5 500 enfants nés au début des années 1990 a découvert qu'un accroissement, même minime, de l'activité physique (y compris le fait d'aller à l'école à pied) réduisait tangiblement les risques de surpoids chez un enfant.

À Toronto, une initiative semblable a donné à Martha Kane le courage de laisser Ethan, son fils de onze ans, rentrer de chez son copain à vélo après la tombée de la nuit. Le trajet croise deux routes assez fréquentées. « J'avoue que les premières fois, je restais assise près de la fenêtre jusqu'à ce qu'il arrive à la maison. Et puis j'ai fini par réaliser que ce n'était pas si difficile, dit-elle. Quand j'avais son âge, je parcourais tout le voisinage à vélo après la tombée de la nuit et notre quartier est bien plus sûr que celui où j'habitais à l'époque. » Certains amis de Martha ont suivi son exemple.

Une fois dépassée cette peur, il devient plus facile d'aller un peu plus loin. Quand mon fils a eu huit ans, nous avons décidé qu'il était temps de le laisser aller tout seul jusqu'à la boutique du coin. Le marchand de journaux est situé dans une rue commerçante très fréquentée, mais ce n'est qu'à cinquante mètres de la maison et, pour y aller, il n'est pas nécessaire de traverser une rue. La première fois qu'il s'y est rendu, nous l'avons attendu avec une légère angoisse près de la barrière, mais aujourd'hui, quand il y va, nous ne sortons même pas de la maison. Je me sens un peu stupide d'avoir attendu si longtemps pour le laisser faire : il aurait pu se débrouiller tout seul il y a au moins un an. Rassurés par ce succès, nous octroyons désormais à sa sœur des libertés qui auraient été impensables pour son frère au même âge, comme de pouvoir jouer dans le jardin sans surveillance.

Une journée à l'école de la vie

Quelques mois après que Magnus s'est brûlé le doigt, j'ai décidé d'aller rendre visite au Jardin secret pour une journée en plein air. Nous sommes en janvier et la température est proche de zéro. Six enfants de trois à quatre ans, dont Magnus, arrivent, vêtus de la tête au pied de vêtements imperméables et chauds. Ils se dirigent tout droit vers le poulailler situé au fond du jardin de Cathy Bache. La grippe aviaire fait encore les gros titres, mais aucun des parents venus déposer leurs enfants ne semble s'en alarmer. Deux des enfants nourrissent les animaux, tandis qu'un autre s'intéresse à un moineau mort sur le sol. « Peut-être qu'il dort », dit Alexia. « Non, il n'est pas en train de rêver, il est mort », répond Duncan. Cathy Bache ramasse l'oiseau et déplie ses ailes pour que les enfants puissent les toucher. Ensemble, ils trouvent un endroit pour l'enterrer, derrière le vieux colombier, et recouvrent sa tombe de clous rouillés et de morceaux de verre et de céramique laissés là par le précédent propriétaire. Je pense immédiatement au tétanos et je suis soulagé de constater qu'aucun enfant ne s'est coupé.

Puis nous partons pour les bois. En chemin, les enfants s'arrêtent pour casser la glace qui recouvre les flaques d'eau. Parfois ils trébuchent dans l'eau sale. Magnus ramasse un morceau de glace par terre et se met à le sucer.

Toute la scène ressemble à un cauchemar pour les parents, un nid à maladies, blessures ou pire. Mais apparemment, c'est tout le contraire. Différentes études danoises ont montré que les enfants qui profitent d'une école de plein air attrapent 80 % en moins de grippes, angines, otites et autres maladies contagieuses que leurs camarades qui sont maintenus à l'intérieur. En Allemagne, d'autres études ont montré que les élèves qui passent leur journée dehors se blessent moins souvent et sont moins agressifs. Et les parents du Jardin secret confirment que les vingt-quatre enfants dont s'occupe Cathy Bache semblent immunisés contre nombre d'insectes qui tourmentent les enfants inscrits dans des maternelles traditionnelles.

Mieux protégés mais plus vulnérables

Ces dernières années, les chiffres sur les allergies des enfants ont explosé dans le monde entier. Les scientifiques continuent à chercher une cause à ce phénomène, mais certains suspectent qu'il est en partie attribuable à l'environnement hautement aseptisé dans lequel grandissent de nombreux enfants. Voyez ce qui s'est passé en Allemagne. Avant la réunification, les niveaux d'allergie étaient bien plus élevés en Allemagne de l'Ouest, alors même que l'Allemagne de l'Est connaissait des taux de pollution très supérieurs et que beaucoup plus d'enfants vivaient dans des fermes. Après la chute du Mur, l'Allemagne de l'Est est devenue plus propre, s'est urbanisée et les niveaux d'allergie ont explosé.

D'autres recherches suggèrent que la forte augmentation du nombre d'enfants atteint de diabète de type 1 pourrait être due à un environnement trop aseptisé. Tout cela nous renvoie donc au paradoxe habituel de l'enfance moderne : en voulant créer à toute force un environnement idéal pour les enfants – dans notre cas, un monde rigoureusement hygiénique – il se pourrait bien que nous les affaiblissions. Chaque pulvérisation de gel désinfectant, chaque coup de lingette antibactérienne, chaque heure passée à l'intérieur au lieu de jouer dehors pourraient en fait les priver d'une chance supplémentaire de construire leur système immunitaire. Si tel est le cas, alors les écoles maternelles comme Jardin secret seront bientôt prescrites par les médecins.

La nature est un lieu à haut risque, mais les enfants apprennent vite à s'y débrouiller. À un moment, Magnus nous entraîne tous sur un chemin tortueux et très pentu qui passe à travers des fourrés denses et parfois épineux. « C'est mon chemin secret », révèle-t-il. À mi-pente, il s'arrête pour m'indiquer une branche qui pend sur le chemin, à hauteur de ma taille. Comme le portier d'un hôtel luxueux, il la retient de façon à ce que je puisse passer sans encombre. Il m'explique alors : « Quand on a plus de quatre ans, il faut faire attention à cette branche, parce qu'elle peut égratigner la figure. »

Un peu plus loin, une fillette de trois ans prénommée Alice ramasse un champignon au pied d'un arbre. « C'est beau », dit-elle. Mon premier réflexe est de le lui retirer des mains avant qu'elle ne l'avale, mais je me sens un peu bête quand elle ajoute : « Mais il est peut-être vénéneux, alors je vais l'apporter à Cathy. » Elle lui apporte effectivement le champignon pour examen et Cathy Bache lui confirme qu'il est vraiment beau : « Je ne connais pas cette espèce-là, Alice, alors on va le laisser là », dit Cathy en jetant le champignon dans un buisson.

Des enfants plus autonomes

Manifestement, le temps que passent les enfants au Jardin secret les rend plus autonomes. Récemment, la petite Eileen Sutherland, quatre ans, est allée se promener en forêt avec sa famille. Elle s'est coincé le pied dans une souche et s'est mise à pleurer en appelant ses parents à l'aide. Au lieu de courir chercher des secours, ceux-ci lui ont demandé ce qu'elle aurait fait si cela lui était arrivé au Jardin secret. Eileen a éclaté de rire, décoincé son pied et continué à marcher : « Il suffit juste que nous mentionnions le Jardin secret pour qu'elle change de comportement, dit sa mère, Jenny. Elle devient aussitôt une enfant plus débrouillarde et moins craintive. »

Dans bien des familles, tout cela a engendré un cercle vertueux : plus les enfants ont confiance en eux, moins leurs parents sont inquiets, et plus les enfants ont confiance en eux. Jenny a l'impression de faire beaucoup moins de convoyage et d'être sensiblement plus détendue : « Avant le Jardin secret, je pense que je maternais Eileen et que je lui rendais les choses trop faciles et trop sûres. Maintenant que je vois de quoi elle est capable, je m'efforce d'être moins sur son dos. Si elle rentre à la maison le derrière couvert de boue ou avec des bosses et des bleus, c'est la vie, je ne m'alarme pas. »

Une autre maman, Nathalie, me dit que le nombre de personnes concernées renforce la puissance du mouvement : « Au Jardin secret, vous rencontrez d'autres parents qui laissent leurs enfants prendre plus de risques et cela vous rend plus confiant. Cela vous aide à affronter votre propre paranoïa concernant la sécurité des enfants. Cela vous aide aussi à réaliser que, non seulement il est impossible de créer un monde parfaitement sûr pour votre enfant, mais aussi qu'une telle perspective n'est pas la meilleure chose qui puisse lui arriver. »

Résister au jugement des autres

Quoi qu'il en soit, la pression imposée par les autres familles peut être difficile à vivre. Beaucoup de gens rapportent que les autres parents lèvent un sourcil désapprobateur quand ils autorisent leurs enfants à marcher jusqu'à leur école. Récemment, au Canada, lors des vacances de février, mes enfants sont allés faire du patin là où j'en faisais moi-même à leur âge. À mon époque, très peu d'enfants, voire aucun, ne portaient des casques. Aujourd'hui, tous en ont, même les patineurs les plus habiles, et certains y ajoutent parfois des masques de protection. Au deuxième jour de notre séjour, un père est venu me voir pour me dire que mes enfants risquaient de se blesser gravement s'ils tombaient.

J'ai d'abord éprouvé de la honte : je n'avais pas protégé mes enfants. Puis j'ai repris mes esprits et suivi mon instinct. Mes enfants ont passé trois semaines à patiner sans casque. Ils ont fait de nombreuses chutes et ils se sont même parfois cogné la tête, mais ni l'un ni l'autre ne se sont blessés. Ils ont tous les deux appris à patiner. Quand j'ai demandé à mon fils ce qu'il avait préféré à la patinoire, il a répondu : « Quand on va vraiment vite et qu'on sent le vent dans ses cheveux. » Ce n'est pas exactement ce qu'on ressent quand on porte un casque !

Revenons au Jardin secret. Après sept heures passées à grimper aux arbres, à dénicher les oiseaux qui hibernent et à sauter dans des flaques par des températures polaires, je retiens une chose : les enfants sont bien plus robustes que les adultes ne l'imaginent. À mesure que la fin de la journée approche, tous ont les joues roses, avec parfois quelques traces de boue, mais aucun d'eux ne s'est plaint un instant d'avoir froid ou d'être mouillé. J'aimerais bien en dire autant. Mes doigts de pied sont si congelés que je me sens soulagé quand Cathy Bache suggère de faire un feu de camp dans une clairière. Fidèles à la philosophie du Jardin secret, les enfants prennent en charge la préparation du feu en ramassant des branches et des brindilles. Magnus se porte volontaire pour allumer le foyer. Cathy lui tend une sorte d'allume-feu et un morceau de tissu sale. Avec une concentration extrême, il frotte l'allume-feu contre un morceau de métal, faisant ainsi voler des étincelles à plus de trois mille degrés. Après quelques tentatives, le morceau de tissu finit par prendre feu. Magnus le saisit avec précaution et le place sur le foyer. En quelques minutes, nous voilà tous assis autour d'une belle flambée. Un sourire fend le visage maculé de boue de Magnus : « Il faut être prudent avec le feu, me dit-il d'un ton docte, mais il ne faut pas en avoir peur. » Il remet une bûche dans les flammes, puis murmure, comme pour lui-même : « Moi, je n'ai peur de rien. »

Conclusion

*Ce qui compte ne peut pas toujours être compté, et ce qui
peut être compté ne compte pas forcément.*

ALBERT EINSTEIN

Quand l'Europe a commencé à s'intéresser aux prodiges, au cours du XVIIIe siècle, un écrivain anglais du nom de Hester Lynch Thrale décida que la transformation de sa fille aînée en enfant exceptionnel deviendrait sa raison d'être. Dès l'âge de deux ans et demi, Queeney montrait des signes de mémoire incroyable. Elle pouvait lister les pays, les océans et les capitales européennes ; elle connaissait le système solaire, le compas et les signes du Zodiaque ; elle pouvait réciter les jours de la semaine et les mois de l'année, ainsi que certains textes religieux austères. À quatre ans et demi, elle savait le latin jusqu'à la cinquième déclinaison. Avec ce mélange bien connu de vantardise et d'apitoiement sur soi, sa mère écrivait : « Je n'ai jamais dîné dehors, ni rendu visite à quiconque sans l'emmener, à moins qu'elle n'ait été alitée ; je ne l'ai jamais laissée une heure (sauf pendant mon sommeil) au soin des domestiques. » Tous ces soins n'ont pourtant pas eu une fin heureuse. Aucun des enfants de Hester Lynch Thrale ne fut reconnu pour ses dons intellectuels, et elle finit par se fâcher avec eux, surtout avec Queeney, qu'elle décrivait comme « ombrageuse, malveillante, perverse, et soucieuse de me tourmenter, quitte à se faire du mal ». Elle décida de ne pas s'embêter à poursuivre les mêmes ambitions pour sa fille cadette, Sophy : « J'ai été vraiment attentive jusqu'à l'épuisement à l'apprentissage des bébés. Or, mes sacrifices n'ont pas porté leurs fruits. Je n'ai pas le courage de mener le même combat avec Sophy… Je ne la rendrai pas malheureuse. »

La fascination pour l'enfant prodige a toujours existé, tapie dans l'ADN de chaque parent. Ce qui a changé, c'est que nous sommes aujourd'hui plus nombreux à ressentir une certaine pression sociale dans ce sens et que nous disposons de plus de temps et d'argent à consacrer à nos enfants. L'échec de Hester Lynch Thrale nous rappelle combien cette quête est futile et ruineuse, quelle que soit l'époque.

Faisons d'avantage confiance aux enfants

Mais ne nous laissons pas décourager. Comme nous l'avons vu, l'une des leçons que nous enseigne l'histoire est que l'enfance n'est jamais aussi noire que veulent bien le dire les esprits chagrins. Il existe d'énormes avantages à être jeune aujourd'hui. Beaucoup d'enfants ont une relation plus étroite et plus facile avec leurs parents que jamais auparavant. Le monde est plein d'opportunités d'apprendre, de voyager et de s'amuser. Internet offre en outre la possibilité fascinante de dépasser de nouvelles frontières. Dans le même temps, toutefois, pas mal de choses se sont détériorées. La santé physique et mentale des enfants vacille. Beaucoup n'ont pas le droit de jouer dehors, d'organiser le cours de leur vie ou de « voir un monde dans un grain de sable ». Ils grandissent dans la peur de l'échec et s'attendent à tout recevoir sur un plateau d'argent. Être parent est de plus en plus synonyme de panique, de culpabilité et de déception, entraînant un certain désintérêt vis-à-vis du bien-être des autres enfants, voire une certaine perte de confiance. Quand avez-vous vu pour la dernière fois des gamins jouer dans votre rue ? Quand avez-vous vu pour la dernière fois, sans tiquer, des jeunes sans surveillance ?

Pourtant, l'espoir demeure. Une des autres leçons que nous donne l'histoire est que l'enfance sait évoluer. La pression qu'il y a à donner le meilleur possible à nos enfants et à les rendre les meilleurs possibles est forte, mais elle n'est pas irrésistible. Personne ne nous menace d'une arme ni ne nous force à éduquer la nouvelle génération avec le zèle délirant d'une Hester Thrale. Il est en notre pouvoir de changer et d'alléger la pression. Par où commencer ? La première étape consiste à accepter que les enfants ont des aptitudes et des intérêts très divers et que les chemins qui mènent à l'âge adulte sont multiples. La vie ne s'arrête pas si vous n'intégrez pas Harvard, Oxford ou Polytechnique. Tout le monde n'est pas fait pour travailler à Wall Street, et d'ailleurs tout le monde n'en a pas envie. Par définition, seule une poignée d'enfants se révélera exceptionnelle en tout point à l'âge adulte. Si nous voulons réinventer l'en-

fance dans un sens qui convienne à la fois aux petits et
aux grands, nous devons apprendre à accepter la diversité,
le doute, les difficultés, voire le conflit. Nous devons chérir
nos enfants pour ce qu'ils sont plutôt que pour ce que nous
voudrions qu'ils soient.

Un changement en vue

Le mouvement commence à s'inverser. Sur la base d'un
faisceau croissant de preuves et d'études scientifiques, les
écoles, les enseignants, les communautés et les familles
trouvent des moyens pour traiter les enfants en individus
plutôt qu'en projets. Et ils se rendent compte, parallèlement, que ceux-ci grandissent en meilleure santé, en étant
plus heureux et mieux à même de laisser leur propre trace
dans notre monde. Lorsque l'on trouve le courage de résister à la pression ambiante dans un domaine particulier, bien
souvent les autres domaines suivent. Quand Vicente Ramos
s'est rendu compte que son fils avait retrouvé sa passion
pour le football après qu'il a eu cessé de lui hurler dessus
depuis les touches, il a commencé à moins le harceler pour
ses résultats scolaires. La diminution du nombre des activités extrascolaires de leurs enfants a conduit les parents Carson à limiter le nombre d'heures que ceux-ci étaient autorisés à passer devant un écran d'ordinateur. Quand Malcolm
Page a arrêté de se comporter en distributeur de billets
ambulant, il a trouvé plus facile de dire non à son fils quand
celui-ci insistait pour se coucher tard. Quand Béatrice Chan

s'est sentie mieux dans son école Waldorf de Hong Kong, son père lui a laissé plus de temps pour qu'elle puisse jouer sans contrainte. En voyant comment sa fille arrivait à se débrouiller lors des balades en forêt de l'école du Jardin secret, Jenny Sutherland a cessé de la couver toute la journée. « Une fois que l'on s'aperçoit que le monde ne s'arrête pas de tourner si on s'abstient de s'occuper des enfants à chaque minute de la journée, on change totalement de point de vue, dit-elle. Au lieu d'essayer de tout faire à la perfection, on prend un peu de recul et on laisse l'enfant vivre sa vie plutôt que de la vivre à sa place. » En fait, les gens comme Jenny Sutherland découvrent la joie que peut concevoir un enfant qui ne satisfait pas toutes les attentes des adultes, mais qui défriche un chemin différent, bien plus excitant, en étant lui-même.

Pas de formule magique…

À ce stade, je dois faire une confession. Quand j'ai commencé ce livre, j'avais l'ambition de vous présenter, étape après étape, un plan pour éduquer les enfants du XXIᵉ siècle, un antidote absolu à la frénésie qui nous pousse à en faire toujours plus. Mais je réalise maintenant qu'en agissant ainsi, je me serais contenté de remplacer un dogme par un autre. Au lieu de cela, j'ai découvert qu'il n'existe pas de formule unique en matière d'éducation des enfants. Certes, il y a quelques principes de base dont l'exactitude se vérifie par-delà les classes et les cultures : les enfants ont besoin de se sentir aimés et en sécurité; ils ont besoin de notre temps et de notre attention inconditionnels; ils ont besoin de frontières et de limites; ils ont besoin d'un espace dans lequel ils peuvent prendre des risques et commettre des erreurs; ils ont besoin de passer du temps en plein air; ils ont besoin qu'on arrête de les évaluer et de les comparer sans cesse; ils ont besoin d'une nourriture saine; ils ont besoin d'aspirer à quelque chose de plus vaste que l'acquisition du dernier gadget labellisé; ils ont besoin qu'on les laisse être eux-mêmes.

Mais au-delà de ces grandes règles, les détails – le nombre d'activités, le nombre d'heures d'ordinateur, le volume des devoirs, le montant de l'argent de poche, l'amplitude de liberté – varient. Parce que chaque enfant est unique, que chaque parent est unique, chaque famille doit trouver la formule qui lui convient le mieux. Ce programme n'est pas aussi ambitieux qu'il n'y paraît. Vous y arriverez si vous parvenez à oublier le bruit de fond pour mieux écouter votre instinct et si vous recherchez le mode de parentalité qui vous convient le mieux plutôt que d'essayer de copier celui du voisin. Il peut être utile de recueillir un avis d'expert mais, quel que soit le nombre de manuels que vous lirez sur le sujet ou de conférences auxquelles vous assisterez, quels que soient vos efforts pour gagner le concours de la meilleure mère ou du meilleur père de l'année, vous n'atteindrez jamais la perfection. Ne vous sentez pas coupable si vous vous énervez, si vous trouvez ennuyeux de jouer avec une poupée Barbie ou si vous n'avez pas le courage de faire des gâteaux pour le goûter. Même remarque si vous ne dînez pas chaque jour en famille et si vous laissez parfois les enfants regarder la télévision un peu trop longtemps. Ils peuvent le supporter....

Et pas d'enfance parfaite

Il y a cinquante ans, le célèbre pédiatre anglais D. W. Winnicott a prétendu qu'il était impossible de construire une enfance parfaite et que chercher à le faire était nuisible à la fois à l'enfant et aux parents. Les parents doivent plutôt viser à satisfaire la plupart des besoins de leur enfant et accepter d'échouer de temps en temps. D. W. Winnicott considérait que lorsque l'on fait non pas du « bon travail », mais un « travail satisfaisant », la plupart des enfants grandissent sans encombre. Mais les parents ne représentent qu'une partie de l'équation. Par-delà la famille, il nous faut revoir les règles qui gouvernent tout ce qui touche à l'enfance : l'école, la publicité, les jouets, le sport, la technologie et la circulation. Pour cela, il nous faut avaler quelques vérités désagréables : les voitures devraient prendre moins de place sur nos routes ; l'apprentissage le plus profitable ne se mesure pas ; les gadgets électroniques ne remplacent pas tout ; pour traiter un comportement bizarre, on ne doit recourir aux médicaments qu'en dernier ressort ; il faut mettre un terme à notre dépendance collective à la consommation. Tout cela doit nous aider à trouver une nouvelle définition de l'enfance. Peut-être nous faudrait-il aujourd'hui un mélange de romantisme et de philosophie lockéenne : accepter le fait que l'enfance est une répétition en vue de l'âge adulte, mais ne pas toujours la traiter comme telle. Dans cet esprit, il faudrait donner simultanément aux enfants non seulement une structure et des conseils, mais aussi une liberté comparable à celle qu'ils trouveraient au pays de Peter Pan. Il faudrait aussi préparer l'avenir sans pour autant priver le présent de sa magie. Plutôt que de faire un gâteau avec vos enfants pour leur apprendre les notions de poids, volume et arithmétique ou de cajoler votre bébé parce que cela renforce son cortex préfrontal, faites-le par plaisir, sans vous préoccuper des bienfaits que ces gestes apportent en terme de développement. Mais une telle définition de l'enfance s'accompagne de nouvelles exigences pour les adultes, surtout les parents. Les enfants ont besoin que nous leur montrions l'exemple, que nous fassions des sacrifices et que nous fixions des limites. Les parents du XXIe siècle doivent donc trouver le bon équilibre entre grandir et ne jamais grandir. Comme toute évolution sociale, l'élaboration d'une nouvelle forme d'enfance engendrera des millions de petits actes de défiance. À chaque fois que l'on décide de laisser un enfant être lui-même, la balance oscille légèrement et il devient plus facile pour ceux qui suivent d'emboîter le pas des initiateurs. Il faudra du temps, mais cela en vaut la peine.

Acceptons d'avancer à petits pas

En réalité, mon ouvrage est en construction. Je résiste de mieux en mieux au pouvoir du caprice, et je fixe de mieux en mieux les règles avec mes enfants. Nous avons aujourd'hui plus de succès dans l'application de nos principes de couvre-feu, quand vient l'heure d'aller au lit. Nous nous assurons par ailleurs que nos enfants disposent de beaucoup de temps libre et nous limitons le temps qu'ils passent devant un écran. Je continue certes à espérer que mes enfants deviendront des petits génies dans tel ou tel domaine – je peux rêver –, mais désormais ce fol espoir ne me conduit plus à réagir en sergent-major au moindre soupçon de talent. Mon but est d'encourager mes enfants à ouvrir leurs ailes, mais je veux les laisser libres de leur plan de vol. Plutôt que de vouloir les ajuster à mon propre schéma, j'apprécie de découvrir leur personnalité à mesure qu'ils grandissent.

Au début de ce livre, je vous ai parlé de ma croisade pour faire de mon fils un artiste. Il aime toujours autant dessiner et ses plus belles œuvres ont conservé une place de choix sur notre frigo ou sur mon bureau. Je regarde en ce moment même un portrait de Dark Vador. Mais mon désir de faire de lui le nouveau Michel-Ange s'est un peu apaisé. D'ailleurs, il m'est récemment arrivé quelque chose qui me fait dire que je suis sur la voie de la guérison. Nous jouions au football au parc quand mon fils m'a annoncé que son école avait ouvert un club de dessin. Mon cœur s'est mis à battre, mais j'ai résisté à l'envie de le prendre immédiatement par la main pour aller l'y inscrire. Au lieu de cela, je lui ai dit d'un ton dégagé : « Ça m'a l'air très intéressant. Penses-tu t'y inscrire ? » « Le truc, c'est qu'il y a surtout des filles et je ne voudrais pas être le seul garçon, m'a répondu mon fils, mais ça m'intéresserait d'avoir un prof qui s'y connaisse et qui puisse m'apprendre à mieux dessiner. Je pense que je pourrais apprendre pas mal de choses dans ce club. » « C'est une idée », dis-je en lui renvoyant le ballon. Nous en sommes restés là et avons continué à jouer pendant un moment. À la fin, mon fils a fait une feinte et marqué un but. Il s'est alors rué sur moi avec les deux bras en l'air comme dans les films, quand le héros vient de battre le record du siècle. Tandis que nous ramassions nos affaires pour rentrer à la maison, il a réabordé la question du club de dessin : « Papa, je sais que tu aimerais bien que je m'inscrive, dit-il, mais c'est moi qui dois décider. » J'en ai convenu et je lui ai dit que cela ne me dérangeait pas d'attendre qu'il ait pris sa décision. Je le pensais vraiment. Mon fils m'a lancé le ballon et m'a promis de me faire un dessin le représentant en train de marquer le but une fois que nous serions à la maison. J'ai souri, mis mon bras autour de ses épaules et nous nous sommes mis en route. Nous n'avons parlé que de foot.

Références

Introduction – Gérer l'enfance

Identification de parents exagérément ambitieux par Pupillus dans la Rome Antique : Jo-Ann Shelton, *As the Romans Did : A Sourcebook in Roman Social History*, New York, Oxford University Press, 1997), p. 19.

Réduction de 90 % de la distance moyenne parcourue depuis le domicile familial : Frank Furedi, *Paranoid Parenting : Why Ignoring the Experts May Be Best for Your Child*, New York, A Cappella Books, 2002, p. 13. (Parents paranos : laissez tomber votre culpabilité, vous êtes très bien !, Alias etc., 2001.)

Intensification du recours aux parents pour les décisions concernant la carrière : Erin White, « Employers court mom and dad », *Wall Street Journal*, Classroom Edition, mai 2007.

Blessures des ligaments croisés antérieurs du genou: d'après les recherches du docteur Mininder S. Kocher, porte-parole de l'American Academy of Orthopaedic Surgeons (Académie américaine des chirurgiens orthopédistes) et directeur associé de la division médecine du Sport, Children's Hospital, Boston, Massachusetts.

Un suicide toutes les 28 minutes chez les adolescents britanniques: d'après les statistiques d'EuroSafe – European Association for Injury Prevention and Safety Promotion (Association européenne pour la prévention des blessures et la promotion de la sécurité).

400 000 hikikomori au Japon: d'après les recherches de l'université Okayama en 2002.

Détresse psychologique des adolescents de 15 ans: Patrick West et Helen Sweeting, « Fifteen, female and stressed: changing patterns of psychological distress over time », *Journal of Child Psychology and Psychiatry*, vol. 44, n° 3, 2003, p. 399-411.

Triplement des prescriptions de Ritalin et autres drogues comparables: Richard M. Scheffler, Stephen P. Hinshaw, Sepideh Modrek, et Peter Levine, « The global market for adhd medications », *Health Affairs*, vol. 26, n° 2, mars-avril 2007, p. 450-457.

Le recours aux hormones de croissance pour des enfants normaux: Joyce M. Lee, Matthew M. Davis, Sarah J. Clark, Timothy P. Hofer, et Alex R. Kempe, « Estimated cost-effectiveness of growth hormone therapy for idiopathic short stature », *Archives of Pediatric and Adolescent Medicine*, vol. 160, mars 2006, p. 263-269.

Hausse du narcissisme : d'après les réponses données par 16 475 étudiants au sondage visant à recenser les personnalités narcissiques, initié en 2006 par Jean Twenge, professeur associé de psychologie à l'université d'État de San Diego.

Enfants d'origine latino-américaine issus de milieux populaires : Po Bronson et Ashley Merryman, « Baby Einstein vs. Barbie », *Time*, 22 septembre 2006.

Chapitre 1 – C'est la faute aux adultes !

Quadruplement du temps de présence à l'école en Grande-Bretagne : Michael Sanderson, *Education and Economic Decline in Britain, 1870 to the 1990s*, Cambridge, Cambridge University Press, 1999, p. 5.

Être le « meilleur pote » de ses enfants : d'après des recherches menées par Synovate en 2004.

Chapitre 2 – Les jeunes années

Montaigne sur les décès d'enfants : Lawrence Stone, *The Family, Sex and Marriage in England, 1500-1800*, Londres, Penguin Books, 1990, p. 82.

Sectionner le ligament de la langue des enfants : Lloyd de Mause (éd.), *The History of Childhood*, Londres, Souvenir Press, 1976, p. 314.

Compréhension de la permanence des objets par les tout-petits : d'après les recherches de Su-hua Wang, psychologue à l'université de Californie, Santa Cruz.

Distinction des langues par les bébés : Janet Werker et Whitney Weikum, « Visual language discrimination in infancy », *Science*, 25 mai 2007, p. 1159.

Les rats éduqués : Kathy Hirsh-Pasek, Diane Eyer, Roberta Michnick Golinkoff, *Einstein Never Used Flash Cards: How Our Children Really Learn – And Why They Need to Play More and Memorize Less*, New York, Rodale Books, 2003, p. 27-28.

Étude britannique portant sur 15 500 enfants d'origines sociales différentes : d'après des recherches menées par le Centre for Longitudinal Studies at the Institute of Education (Centre d'études longitudinales de l'institut de l'Éducation) de l'université de Londres.

Le bourrage de crâne stresse les bébés : Jeffrey Kluger et Alice Park, « The quest for a super kid », *Time*, 30 avril 2001.

Le jeu culmine au moment où le cerveau est le plus élastique : C.H. Janson et C.P. Van Schaik, « Ecological risk aversion in juvenile primates : slow and steady wins the race », in M.E. Pereira et L.A. Fairbanks (éd.), *Juvenile Primates : Life History, Development and Behavior*, Chicago, Chicago University Press, 2002, p. 57-76.

Les rats privés de jeu : Kathy Hirsh-Pasek, Diane Eyer et Roberta Michnick Golinkoff, *Einstein Never Used Flash Cards: How Our Children Really Learn — And Why They*

Need to Play More and Memorize Less, New York, Rodale Books, 2003, p. 214.

Chapitre 3 – La maternelle

Les enfants surveillés sont plus angoissés et moins créatifs : Kathy Hirsh-Pasek, « Pressure or challenge in preschool ? How academic environments impact upon young children », in L. Rescorla, M. Hyson, et K. Hirsh-Pasek (éd.) ; « Hurried children : research and policy on early academic learning for pres-choolers », in B. Damon (éd.), *New Directions in Developmental Psychology*, vol. 53, New York, Jossey-Bass, 1991.

Les enfants danois et finlandais ont de meilleures capacités de concentra-tion : d'après une étude de 2003 réalisée par le Britain's Office for Standards in Education (Office britannique des principes généraux dans l'Éducation).

Sur les écoles Reggio : l'organisation Enfants de Reggio confirme l'exactitude de tous les faits que j'évoque à propos de Reggio. Néanmoins, elle demande toujours à ses visiteurs d'ajouter la clause d'exonération de responsabilité suivante : « Les opinions exprimées dans ce livre sont celles de l'auteur ; elles sont le fruit de son interprétation de la façon dont Reggio approche l'éducation. Le contenu de ce livre reflète le point de vue et l'opinion de l'auteur qui a eu la possibilité de visiter plusieurs écoles maternelles municipales, ainsi que le Centre International Loris Malaguzzi de Reggio Emilia. »

Chapitre 4 – Les jouets

Citation de Scott Axcell: Amelia Hill, « Educational toys? An old box teaches just as much », *Observer*, 25 septembre 2005.

Inquiétudes dès les années 1890 sur les jouets qui en font trop: Bill Brown, « American childhood and Stephen Crane's toys », *American Literary History*, vol. 7, n° 3, Imagining a National Culture, automne 1995, p. 443-476.

iTeddy: voir le site www.iteddy.com.

« La grenouille dans le trou » : voir le site www.froginthe-hole.com.

Chapitre 5 – La technologie

Sept heures par jour devant un écran: d'après le rapport de Youth TGI, © BMRB International 1994-2006.

Autant de temps passé à regarder un écran qu'à jouer dehors: Elizabeth Vandewater et Dr Ellen Wartella, *Zero to Six: Electronic Media in the Lives of Infants, Toddlers and Preschoolers*, fondation Famille Henry J. Kaiser, octobre 2003.

25 % des moins de 2 ans ont un téléviseur dans leur chambre: Elizabeth Vandewater et Dr. Ellen Wartella, *Zero to Six: Electronic Media in the Lives of Infants, Toddlers and Preschoolers*, fondation Famille Henry J. Kaiser, octobre 2003.

Les interruptions occasionnées par des outils électroniques font baisser le QI de dix points: d'après une étude

Hewlett-Packard menée en 2005 par Glenn Wilson, psychiatre à l'université de Londres.

Perte de concentration de 15 minutes pour les employés de Microsoft : Steve Lohr, « Slow down, brave multitasker and don't read this in traffic », *New York Times*, 25 mars 2007.

Chaque heure de télévision accroît les risques de TDAH : Dimitri A. Christakis, Frederick J. Zimmerman, David L. DiGiuseppe, et Carolyn A. McCarty, « Early television exposure and subsequent attentional problems in children », *Pediatrics*, vol. 113, n° 4, avril 2004, p. 708-713.

Les jeux vidéo violents affectent le lobe frontal : Helen Phillips, « Mind-altering media », *New Scientist*, 19 avril 2007.

Épidémie de myopie : Rachel Nowak, « Lifestyle causes myopia, not genes », *New Scientist*, 8 juillet 2004.

Radio et psychopathie chez l'enfant : Peter Stearns, *Anxious Parents : A History of Modern Childrearing in America*, New York, New York University Press, 2003, p. 178.

Absence de lien entre télévision et TDAH : Tara Stevens et Miriam Mulsow, « There is no meaningful relationship between television exposure and symptoms of attention-deficit/hyperactivity disorder », *Pediatrics*, vol. 117, n° 3, mars 2006, p. 665-672.

Amélioration des capacités de visualisation des objets grâce aux jeux vidéo : C. S. Green et D. Bavelier, « Action-video-game experience alters the spatial resolution of vision », *Psychological Science*, vol. 18, n° 1, 2007.

Les jeux sur ordinateur contre la maladie d'Alzheimer : Oscar Lopez et Al., « A randomized pilot study to assess the efficacy of an interactive, multimedia tool of cognitive stimulation in Alzheimer's disease », *Journal of Neurology, Neurosurgery and Psychiatry*, vol. 77, octobre 2006, p. 1116-1121.

Trois ans de retard chez les 11-12 ans : d'après des recherches publiées en 2006 par Michael Shayer, professeur de psychologie appliquée au King's College, université de Londres, et financées par l'ESRC (Economic and Social Research Council – Conseil de recherches économiques et sociales).

Les aptitudes des enfants mennonites : Mark Tremblay et Al., « Conquering childhood inactivity : is the answer in the past ? », *Medicine & Science in Sports & Exercise*, vol. 37, n° 7, juillet 2005, p. 1187-1194.

Les enfants dorment deux heures de moins par nuit : d'après les chiffres fournis par la National Sleep Foundation pour les États-Unis et d'après une étude de 2004 réalisée par l'Oxford Child and Adolescent Psychiatry Unit (Unité psychiatrique d'Oxford pour l'enfant et l'adolescent).

Les enfants en âge d'aller à l'école primaire regardent d'abord les écrans : d'après les recherches menées par Markus Bindemann, chercheur en psychologie à l'université de Glasgow.

De moins en moins d'adolescents ont un meilleur ami : d'après une étude réalisée par YouthTrends, financée par la fondation Nuffield et publiée en 2007.

Jimmy Wales et Tim O'Reilly: ce duo a annoncé son code de bonne conduite du bloggeur en 2007.

Une heure de télévision supplémentaire le week-end augmente de 7 % les risques d'obésité: R. M. Viner et T. J. Cole, « Television viewing in early childhood predicts adult body mass index », *Journal of Pediatrics*, vol. 147, n° 4, octobre 2005.

Média – quand 6,5 heures = 8,5 heures : Donald Roberts, Ulla Foehr et Victoria Rideout, *Generation M: Media in the Lives of 8-18 Year-Olds*, fondation Famille Henry J. Kaiser, mars 2005.

La relaxation favorise des pensées riches et créatives: Guy Claxton, *Hare Brain, Tortoise Mind: Why Intelligence Increases When You Think Less*, Londres, 1997 (4e édition), p. 76-77.

Dipchand Nishar sur la génération TDA: David Kirkpatrick, « Do you answer your cellphone during sex ? », *Fortune*, 28 août 2006.

Plus fort que la vidéo, le spectacle de marionnettes: d'après une synthèse de recherches datant de 2005 effectuée par Dan Anderson, professeur de psychologie à l'université du Massachusetts.

Étudier en plein air améliore l'apprentissage et la discipline : d'après une étude de 2002 réalisée par la State Education and Environmental Roundtable (Table ronde sur l'éducation publique et l'environnement), une organisation américaine qui étudie l'« éducation fondée sur l'environnement ».

Chapitre 6 – L'école

Les Chinois consacrent un tiers de leurs revenus à l'éducation: d'après un sondage mené en 2006 par le Horizon Research Group (Groupe de recherche Horizon).

Graves actes de tricherie chez les étudiants canadiens: d'après une étude réalisée en 2006 par Julia Chirstensen Hughes, directrice des services d'assistance à l'enseignement de l'université de Guelph.

Le trou dans le pyjama: « Student Web cheats caught out by 'pyjama inspiration' », *Evening Standard*, 7 mars 2007.

Des camarades « gentils et compréhensifs » : Peter Adamson, « Child poverty in perspective: an overview of child well-being in rich countries », *Innocenti Report Card 7*, Unicef 2007.

Gangs violents en Corée: Donald Macintyre, « Too cruel for school – South Korea's youth gangs », *Time*, 25 avril 2005.

Des profs qui trichent: Brian Grow, « A spate of cheating – By teachers », *Business Week*, 5 juillet 2004.

Étude Montessori à Milwaukee: Angeline Lillard et Nicole Else-Quest, « Evaluating Montessori Education », *Science*, vol. 313, n° 5795, 29 septembre 2006, p. 1893-1894.

La course aux résultats réduit l'intérêt pour la tâche à accomplir: Oliver James, « Mrs Mac's elementary lesson », *London Times*, 2 octobre 2006.

Singapour préfère les talents aux examens: d'après une interview donnée par Tharman Shanmugara-tnam, ministre de l'Éducation de Singapour, à Channel NewsAsia en décembre 2005.

Amélioration des résultats des enfants japonais après le mouvement yutori : d'après les tests d'aptitude réalisés en 2004 par le ministère de l'Éducation japonais.

Grandes écoles et grandes fortunes : Nancy Gibbs et Nathan Thornburgh, « Who needs Harvard ? », *Time*, 13 août 2006.

Chapitre 7 – Les devoirs

Manifestations d'élèves en 1911 : Harry Hendrick, *Children, Childhood and English Society, 1880-1990,* Cambridge, Cambridge University Press, 1997, p. 75.

Devoirs supplémentaires en maths pour 6 000 étudiants américains : d'après des recherches menées par Julian Betts, professeur associé en économie à l'université de Californie, San Diego.

Un surcroît de devoirs nuit aux résultats scolaires : David P. Baker et Gerald K. LeTendre, National Differences, Global Similarities : World Culture and the Future of Schooling, Palo Alto, Stanford University Press, 2005.

En Israël, plus de myopie chez les étudiants des écoles religieuses : Rachel Nowak, « Lifestyle causes myopia, not genes », *New Scientist*, 8 juillet 2004.

Yayuncun, deuxième école maternelle de Pékin : Liam Fitzpatrick, « Asia's Overscheduled Kids », *Time*, 20 mars 2006.

Le tutorat ne permet pas d'améliorer les résultats : Lee

Jong-Tae, Kim Yang-Boon et Yoon Cho-Hee, « The effects of pre-class tutoring on student achievement: challenges and implications for public education in Korea », *KEDI Journal of Educational Policy*, vol. 1, n° 1, 2004, p. 39.

Le tutorat contre-productif: Cheo Roland et Euston Quah, « Mothers, maids and tutors: an empirical evaluation of their effect on children's academic grades in Singapore », *Education Economics*, vol. 13, n° 3, 2005.

À Taiwan, les tuteurs entravent les réformes sur les mathématiques: Mark Bray, « Adverse effects of private supplementary tutoring », International Institute for Educational Planning, UNESCO, 2003.

Chapitre 8 – Les activités extra-scolaires

Sur Dorothy Canfield Fisher: Ann Hulbert, « Ready, set, relax! America's obsession with telling its kids to stress less », *Slate*, 18 mars 2003.

Sur Ruth Frankel: Peter Stearns, *Anxious Parents: A History of Modern Childrearing in America*, New York, New York University Press, 2003, p. 168.

Les enfants américains ont les emplois du temps les plus chargés du monde: d'après une étude comparative réalisée en 2007 par Isabelle Gingras pour le département de psychologie de l'université de McGill.

Les Britanniques consacrent 12 milliards de livres aux loisirs de leurs enfants: Cassandra Jardine, *Positive Not Pushy:*

How to Make the Most of Your Child's Potential, Londres, Vermillion, 2005, p. 58.

Les repas en famille favorisent le développement du langage : d'après les recherches de Catherine Snow, professeur en sciences de l'éducation à l'université de Harvard.

Les lauréats de bourses au mérite prennent leurs repas en famille : sur la base de vingt années de statistiques collectées par la National Merit Scholarship Corporation (Société américaine des bourses au mérite).

Le coup de gueule de James Boswell : Lawrence Stone, *The Family, Sex and Marriage in England*, 1500-1800, Londres, Penguin Books, 1990, p. 276.

Chapitre 9 – Le sport

Les parents américains consacrent 4,1 milliards de dollars à l'entraînement sportif de leurs enfants : issu d'un rapport de Velocity Sports Performance, un centre d'entraînement sportif basé à Chamblee en Georgie.

La revue de presse quotidienne de Douglas Abrams : pour plus d'informations, s'adresser à abrams@missouri.edu.

Triplement de l'usage des stéroïdes depuis 1993 : d'après une étude réalisée en 2003 par les Centers for Disease Control (Centres américains de contrôle des maladies).

Rendez-nous nos jeux : pour plus d'informations, voir le site http://s181210699.websitehome.co.uk.

Chapitre 10 – La discipline

Sur Conrad Sam: Colin Heywood, *A History of Childhood: Children and Childhood in the West from Medieval to Modern Times*, Londres, Polity Press, 2001.

Deux fois plus de risques de mentir, voler et désobéir à l'autorité: Barbara Maughan, Stephan Collishaw et al., *Journal of Child Psychology and Psychiatry* (JCPP), vol. 45. D'après une étude reflétant vingt-cinq années d'observations sur la santé mentale des adolescents, publiée en 2004 par l'institut de psychiatrie du King's College de Londres et l'université de Manchester.

Une haute estime de soi n'améliore ni les résultats ni les perspectives de carrières: selon les conclusions de Roy Baumeister, professeur de psychologie sociale à l'université d'État de Floride et ancien défenseur de l'estime de soi. Ces conclusions ont été tirées après qu'il a revu 15 000 études sur le sujet pour le compte de l'Association for Psychological Science (Association pour une Science de la psychologie) en 2003.

Rob Parson sur la question de la nécessaire impopularitéV: Cathering O'Brien, « Never Letting Go », *London Times,* 9 juillet 2007.

Aux États-Unis, 10 % d'enfants de 12 ans sont sous Ritalin : « Hidden dangers of failure to diagnose ADHD correctly », *New Scientist*, 1er avril 2006.

Triplement de l'usage des médicaments contre le TDAH: Richard M. Scheffler, Stephen P. Hinshaw, Sepideh Modrek et Peter Levine, « The global market for ADHD medications », *Health Affairs*, vol. 26, n° 2, mars-avril 2007, p. 450-457.

Courtney Love et le Ritalin : Sue Palmer, *Toxic Childhood : How the Modern World Is Damaging Our Children and What We Can Do About It*, Londres, Orion, 2007, p. 17.

Chapitre 11 - Le consumérisme

Sur Giovanni Dominici : Lloyd de Mause (éd.), *The History of Childhood*, Londres, Souvenir Press, 1976, p. 204.

Multiplication par cent cinquante des dépenses de marketing : Juliet Schor, *Born to Buy: The Commercialized Child and the New Consumer Culture*, New York, Scribner, 2004.

Les modules d'apprentissage Revlon : Juliet Schor, *Born to Buy: The Commercialized Child and the New Consumer Culture*, New York, Scribner, 2004, p. 93

Soirées-pyjama et études de marché : Juliet Schor, *Born to Buy: The Commercialized Child and the New Consumer Culture*, New York, Scribner, 2004, p. 77.

Les enfants influencent 700 milliards de dollars d'achats : d'après les chiffres fournis par James McNeal, consultant en marketing basé à College Station, Texas. La fête d'anniversaire de David Brooks : « Another Marie Antoinette Moment », *New York Times*, 2 janvier 2006.

Les fêtes d'anniversaire qui stressent les parents : d'après une enquête menée par Haribo en 2006.

70 % des fillettes de 7 ans voudraient être plus minces : Hayley Dohnt et Marika Tiggemann, « Peer influences on

body satisfaction and dieting awareness in young girls », *British Journal of Developmental Psychology*, vol. 23, 2005, p. 103-116.

La lingerie de la poupée Barbie par la firme Mattel : Susan Linn, *Consuming Kids: Protecting Our Children from the Onslaught of Marketing & Advertising*, New York, Anchor, 2005, p. 143.

Chapitre 12 - La sécurité

Les jeunes adolescents sont les plus touchés par les accidents de la circulation : d'après les conclusions du rapport Better Safe Than Sorry publié par la UK Audit Commission (Commission d'audit du Royaume-Uni) en 2007.

Les fillettes Fulani vont chercher de l'eau : Michelle Johnson, *The View from the Wuro: A Guide to Child Rearing for Fulani Parents*, Cambridge, Cambridge University Press, 2000, p. 171-198.

Une augmentation même légère de l'activité physique réduit les risques d'obésité : Andy R. Ness, Sam. Leary, Calum Mattocks et al., « Objectively Measured Physical Activity and Fat Mass in a Large Cohort of Children », *Public Library of Science Medicine*, vol. 4, n° 3, mars 2007.

L'augmentation des allergies : Stanley Goldstein, « The Hygiene Hypothesis », *Allergy and Asthma Health Advocate*, hiver 2004.

Sources

J'ai lu de nombreux ouvrages et articles dans le cadre de mes recherches pour cet ouvrage. Les références données ici correspondent aux ouvrages qui m'ont paru les plus intéressants. Vous trouverez également une liste de sites Internet qui constituent un bon point de départ pour découvrir des moyens de donner plus de temps et d'espace aux enfants. Je continuerai à mettre cette liste à jour sur mon propre site : www.carlhonore.com

Livres

Anderegg David, *Worried All the Time : Rediscovering the Joy of Parenthood in an Age of Anxiety*, New York, Free Press, 2004.

Cunningham Hugh, *The Invention of Childhood*, Londres, BBC Books, 2006.

Elkind David, *The Hurried Child : Growing Up Too Fast Too Soon*, New York, Perseus, 2001.

Furedi Frank, *Parents paranos : laissez tomber votre culpabilité vous êtes très bien !*, Paris, Alias etc., 2001.

Hirsch-Pasek Kathy et Michnick Golinkoff Roberta, *Einstein Never Used Flash Cards : How Our Chidren Really Learn – And Why They Need to Play More and Memorize Less*, New York, Rodale Books, 2003.

James Oliver, *Enfance brisée : comment se reconstruire*, Paris, Marabout, 2007.

Jardine Cassandra, *Positive Not Pushy : How to Make the Most of Your Child's Potential*, Londres, Vermillion, 2005.

Linn Susan, *Consuming Kids : Protecting Our Children from the Onslaught of Marketing and Advertising*, New York, Anchor, 2005.

Manne Anne, *Motherhood : How Should We Care for Our Children ?*, Sidney, Allen & Unwin, 2005.

Mead-Ferro Muffy, *Confessions d'une mère qui en a marre*, Montréal, Caractère, 2006.

O'Farrell John, *May Contain Nuts*, Londres, Doubleday, 2005.

Palmer Sue, *Toxic Childhood : How the Modern World Is Damaging Our Children and What We Can Do About It*, Londres, Orion, 2007.

Pope Alexander. *Scriblerus*, Londres, Hesperus Press, 2003.

Pope Denise, *Doing School: How We Are Creating a Generation of Stressed-Out, Materialistic and Miseducated Students*, New Haven, Yale University Press, 2003.

Postman Neil, *Il n'y a plus d'enfance*, Insep Consulting, 1990.

Robb Jean et Hilary Letts, *Creating Kids Who Can Concentrate: Proven Strategies for Beating A.D.D. Without Drugs*, Londres, Hodder and Stoughton, 1997.

Rosenfeld Alven, *The Overscheduled Child: Avoiding the Hyper-Parenting Trap*, Irvine, Griffi n Press, 2001.

Schor Juliet, *Born to Buy: The Commercialized Child and the New Consumer Culture*, New York, Scribner, 2004.

Stearns Peter, *Anxious Parents: A History of Modern Childrearing in America*, New York, New York University Press, 2003.

Thacker Lloyd, *College Unranked: Ending the College Admissions Frenzy,* Cambridge, Harvard University Press, 2005.

Zelizer Viviana, *Pricing the Priceless Child*, New York, Basic Books, 1985.

Sites Internet

Sur la parentalité en général
www.hyperparenting.com

Sur l'éducation
www.montessori.edu

www.zerosei.comune.re.it (site international de Reggio Emilia)

www.awsna.org (Association of Waldorf Schools of North America)

www.steinerwaldorf.or.uk

www.stanford.edu/dept/SUSE/sosconfenrence/   (SOS/ Stressed-Out Students)

www.nhen.org (enseignement à domicile)

www.home-education.org.uk

www.flora.org/homeschool-ca/achbe/index.html (ensei-gnement à domicile pour le Canada)

www.stjohns.wilts.sch.uk/home.htm (St John's School and CommunityCollege, Marlborough)

www.rsa.org.uk/newcurriculum (sur la réforme des pro-grammes scolaires au Royaume-Uni)

Sur les jeux et les jouets

www.froginthehole.com (sur le jeu « La grenouille dans le trou »)

www.ipaworld.org (International Play Association/Fédé-ration internationale du jeu)

www.ipaargentina.org.ar/laboratorio.php (Toy and Play Laboratory, Argentina/Laboratoire du jouet et du jeu, Argentine)

www.sitrec.kth.se (International Toy Research Center, Stockholm/Centre international de recherche sur le jouet)

Sur la technologie

www.childrensoftware.com (Children's Technology Review/Revue de technologie pour les enfants)

www.blogging.wikia.com/wiki/Blogger's_Code_of_Conduct

www. lazytown.com

www.mediadietforkids.com/book/book_authors.html

Sur le sport

www.s181210699.websitehome.co.uk (Give Us Back Our Game/Rendez-nous notre match)

www.bobbigelow.com AbramsD@missouri.edu (Daily E-mail Updates on Youth Sports/Mise à jour quotidienne sur les sports des jeunes)

www.silkensactivekids.ca/content/Home.asp (Canada)

www.byardsports.com (Danny Bernstein's Backyard Sports)

Sur le consumérisme

www.commercialalert.com

www.charliecrow.co.uk

www.birthdaywithoutpressure.org

Sur la sécurité

www.homezones.org

www.iwalktoschool.org

Remerciements

Je n'aurais jamais pu écrire ce livre sans l'aide d'un grand nombre de personnes. Mon agent, Patrick Walsh, a déblayé le terrain grâce à sa faconde et sa vision légendaires. Mes éditeurs, Gideon Weil, de Harper One à San Francisco, et Michael Schellenberger, de Knopf Canada, ont formé une équipe de choix : patients, avisés, engagés, méticuleux et toujours prêts à me prodiguer des encouragements.Je me suis entretenu avec des centaines de familles, d'enseignants et de médecins du monde entier et je leur suis à tous reconnaissant d'avoir pris le temps de partager avec moi leurs histoires et leurs expériences. Je n'en nomme que quelques-unes dans cet ouvrage, mais chacun de mes entretiens a contribué à la réalisation de ce livre. Je dois également beaucoup aux patientes explications qu'ont bien voulu me transmettre chercheurs et experts. Je voudrais tout particulièrement remercier Cathy Bache, Danny et Beth Bernstein, Jasmin Blunck, Mike Brody, Vincent Carpentier, Raymond Cheung, Bill Doherty, David Eberhardt, Arar Han, Kathy Hirsch-Pasek, Maurice Holt, Julie Lam, Chin-Hwa Lee, Levin, Marcia Marra, Annamaria Mucchi, Claudia Giudici et tous les membres des Enfants de Reggio, Lena Nyberg, Tommi Paavola, Geneviève Pan, Denise Pope, Rachel Nixsieman, Vivian Numaguchi, Alejandra Rabuini, Gisela Rao, Uwe Schott, Heather Tansem, Eileen et Edward Tracy, Steve Trautlein et Steven Wong.

Je souhaite enfin remercier mes parents, et tout spécialement ma mère, pour m'avoir aidé à mettre la dernière touche à ce livre. Comme toujours, mes remerciements les plus sincères vont à mon épouse, Miranda France, pour sa patience, sa façon de trouver les mots et son aptitude à détecter la drôlerie d'une situation. Et puis aussi parce qu'elle est une merveilleuse mère pour nos enfants.

Imprimé en Allemagne par GGP Media GmbH, Poessneck, en juillet 2012
ISBN : 978-2-501-07843-6
4112835 / 01
dépôt légal : août 2012